采风乡土

——巴蜀城镇与民居

季富政 著

西南交通大学出版社

·成都·

图书在版编目（CIP）数据

采风乡土：巴蜀城镇与民居 / 季富政著. —成都：西南交通大学出版社，2015.8
ISBN 978-7-5643-4164-0

Ⅰ. ①采… Ⅱ. ①季… Ⅲ. ①城镇－城市规划－研究－四川省②城镇－民居－研究－四川省 Ⅳ. ①TU984.271②TU241.5

中国版本图书馆CIP数据核字（2015）第188384号

采风乡土——巴蜀城镇与民居

季富政 著

*

责任编辑　廖艳珏
封面设计　原谋书装

西南交通大学出版社出版发行
(四川省成都市金牛区交大路146号　邮政编码：610031　发行部电话：028-87600564)
http://www.xnjdcbs.com

成都蜀通印务有限责任公司印刷

*

成品尺寸：200 mm×276 mm　　印张：15.875
字数：319千
2015年8月第1版　　2015年8月第1次印刷
ISBN 978-7-5643-4164-0
定价：88.00元

图书如有印装问题　本社负责退换
版权所有　盗版必究　举报电话：028-87600562

目　录

一、巴蜀城镇概况 1

（一）巴蜀城镇溯源 1
（二）巴蜀城镇空间特色 7

二、巴蜀城镇类型 12

（一）地理环境与城镇 12

中心场镇 12
　　一方水土——雅安上里 14
　　一方风气——酉阳龙潭 19
　　惜土方寸——合江福宝 24
　　农业中心场镇空间概说 29

沿江场镇 30
　　云梯千步——石柱西沱 30
　　峡街五里——酉阳龚滩 35
　　岸畔百家——双流黄龙溪 41
　　似场非镇——北碚金刚碑 45
　　沿江场镇空间情理 49

形胜城镇 50
　　错位之"圆"——巫山大昌 50
　　得意山水——阆中 62
　　金汤之固——广元昭化 66
　　巴蜀"形胜"城镇一斑 70

风景场镇 71
　　桃源秘境——江北偏岩 73

峨眉山后——洪雅柳江 78
　　　"仁者乐山，智者乐水" 83
　　山寨场镇 85
　　　围合兴场——合川涞滩 86
　　　场为寨生——隆昌云顶 90
　　　场镇的围合形态 94
　　山顶场镇 95
　　　脊上兴市——通江麻石 96

（二）独具空间特色场镇 100
　　廊坊式场镇 100
　　　以廊为街——涪陵大顺 101
　　　上廊下街——大竹清河 102
　　　"云中一把梭"——犍为罗城 104
　　　"江边一只船"——广安肖溪 108
　　　廊场式场镇优越性与空间美感 111

（三）殷实的盐业场镇 112
　　　华屋连谷——巫溪宁厂 113
　　　山墙如云——资中罗泉 118
　　　多姿多态建筑景观 123

（四）寺观与场镇 124
　　　"寨"兴镇护——忠县石宝 125

（五）最初的场镇胚胎 129
　　　聚落初始——自贡𣕚柴口 130
　　　幺店几家——綦江东溪河系列幺店 133
　　　幺店小考 137

三、巴蜀民居概况 139

（一）自然概况 139
（二）礼俗风情 140
（三）历代民居综述 141
　　干栏式 141

宫室式 ··· 144
　　碉楼式 ··· 146
　　乡土小舍 ··· 149

四、巴蜀民居分布 ··· 151
（一）秦陇巴蜀之间 ··· 151
（二）巴蜀客家民居分布 ··· 152
（三）四川客家民居演变与发展 ······························ 155
（四）局部地区流行的民居样式 ······························ 161
（五）城镇民居 ··· 163

五、巴蜀民居例析 ··· 166
（一）宅第·庭院 ··· 166
　　宅第生辉——温江陈宅（陈家桅杆） ················ 166
　　（附：谷川文："争奇斗异的百年古宅"） ········· 171
　　雅俗一宅——酉阳吴宅 ······································ 173
　　杂院深深——洪雅王宅 ······································ 177
　　幽兰芳墅——峨眉山徐宅 ·································· 180
（二）碉楼民居 ··· 182
　　大岭山庄——江津王宅（会龙庄） ···················· 182
　　秘境诡制——武隆刘宅 ······································ 186
　　印台堡垒——达县柏宅 ······································ 190
　　廊连碉舍——涪陵刘宅 ······································ 192
　　泥亭热土——合江李宅 ······································ 195
　　地坝水池——璧山张宅 ······································ 197
　　武为文用——宜宾邓宅 ······································ 200
　　城廊围合——屏山龙宅 ······································ 203
（三）土楼民居 ··· 207
　　川中孤楼——涪陵瞿宅 ······································ 207
　　山顶望月——涪陵周宅 ······································ 211
（四）乡间小舍 ··· 214

天上人间——巫山石宅 ·· 214
　　东山茅舍——成都钟宅 ·· 217
（五）城镇民居 ·· 219
　　店家两处——成都彭宅 ·· 219
　　闺阁识胆——仁寿冯宅 ·· 222
　　木香绕宅——洪雅刘宅 ·· 224
（六）花园别墅 ·· 227
　　亦家亦园——彭山陈家花园 ··· 227
（七）溪河作坊——忠县油房 ·· 231
（八）刘致平川中民居调查概况 ··· 239
附：一个伟大爱国者的情怀 ·· 241

一、巴蜀城镇概况

（一）巴蜀城镇溯源

二十世纪九十年代末期，成都平原相继发掘出一批史前城址。它们有新津县宝墩古城址、都江堰芒城、温江鱼凫城和郫县古城。这些古城址，考古学家们认为：多数是早于广汉三星堆古城的史前城址，是相当于中原龙山文化时代古城址的发现。这就把成都地区推到了长江上游地区古代文明起源中心的地位。

《四川古代史稿》认为："大致相当于新石器时代晚期到西周初年，其绝对年代大约距今4500年到2875年"，"三星堆的房屋遗址和出土文物反映出当时居民已过着密集定居生活"，"遗址东、西、南三面都有人工堆积的土埂，最长者约有1000米，……有人认为这些土埂可能是古城墙的遗迹，……面积约3000平方米，在这个'城墙'内发现了古居民的生活区和大量的房屋遗址，房屋分布密集。""就其整体特征来看，它与中原文化以及其他地区的文化都不相同，而是一个独立的文化体系。这强烈反映出三星堆文化鲜明的地方性。有些学者根据三星堆的古文化内涵，认为这里是古代蜀国的都城。"与此同时，段渝在《巴蜀早期城市的起源》一文中确认："在殷商时代，以成都平原为本土的蜀王国已经产生形成了两座早期城市，即广汉三星堆蜀都和早期成都。"林向在《论古蜀文化区——长江上游的古代文明中心》一文中进一步论证：成都平原在"这样优良的环境下，食品丰富使人口增长和集中，形成聚落，并向城市演化，城市化是文明进程的主要内容，城市成为一个经济文化区域的核心，并与邻近的一系列大小聚落形成网络。成都平原上古蜀文明的遗存星罗棋布，而在广汉与成都两地形成两个巨大的商代城邑（后者可能稍晚），形成双子星座式的城市布局。……应当是古蜀文化区内的中心城市。"

综上，在我们眼前展开了一幅古代蜀国围绕三星堆和成都两座城邑而星罗棋布大小聚落的宏巨空间分布形态。虽然，至今尚还不可详知"大小聚落""大"到什么程度，"小"到什么范围，其各自人口构成、功能、居住形态等进一步的信息。然而，大小聚落形成的空间网络则说明了两座古都城的形成不是孤立的现象，它依赖的正是星罗棋布的大小聚落作为空间发展的基础。若按城市发展的规律推测，这些大小聚落中，定有不少向着介于都城与聚落之间的空间格局与内涵方向演变。因为"蜀地在西周初期的变换关系也已经相当发达了。"

若把这种空间分布扩大到鄂西与川东地区,《四川古代史稿》继说:"三星堆遗址所出土的陶器中有一种'鸟首形器柄'……这种器物在鄂西地区也有发现。……属于成都平原的考古学文化范畴,……相隔数千里之远的两地都有遗存,绝非偶然。"而"鸟首"者,即为鱼凫之头。"灌县之东有鱼凫之国","温江有鱼凫故城","湖北沔阳有鱼腹故城","巴郡有鱼腹县","南溪有鱼符津","乌江为巴涪水","合江境内汉代有巴符关","鱼腹,巴涪,巴符,鱼符,鱼涪都是鱼凫的异写。……鄂西,川东当是鱼凫先民活动的中心地带,把上述地名分别作为点,再将点联成线,就可以发现从江汉平原到成都平原之间有一条以水路为主的通道,鱼凫先民迁徙的轨迹也依稀可辨了。"从以上的论述中又使我们进而看到,不仅成都平原,在整个四川盆地的东部、南部及西部,以水路为主轴的人口聚落框架实质上已经构成,随之而起的居住形态亦定然遍布这些地区。这从上述地区发掘出的房屋遗存亦证实了这一点。这种人口聚落的空间理应是后来集市、市街、场镇直至城市形成的基础。因为在聚落内部必然组织生产,相互交往,以至聚落之间的运输、物品交换等。实质上,西周时期,中原地区为适应宗法分封的政治需要,已经产生了我国第一个城镇规划制度的"营国制度"。虽然它是以"城"作为政治中心,以"廓"作为经济中心,但随着相互功能不断变大、相互空间的不断变化,尤以经济职能的进一步扩大,使得城廓

(图1)成都十二桥出土商代干栏复原图

合一,各职能空间统而有分,这就往城市化的方向大大向前迈了一步。

而公元前七世纪时的开明王朝时,开明王已开始"立宗庙"。这种建设,《四川古代史稿》认为:"标志着更进一步吸收中原文化,国家机器逐步健全,礼乐制度日趋完备。因而原来的都城已不能适应新的发展需要,于是把都城自广都樊乡迁到成都,除旧布新,另创规模。"这里的"新","规模",有两层意义:一是蜀中城镇进一步受到中原文化影响,二是城镇的功能向着完备方向发展。两层合一,即在城镇空间形态上产生了西周前的古蜀土著形态和中原空间形态的结合。所以,《四川古代史稿》又说:"一些古建筑专家认为,这些房屋(指成都十二桥遗址)是典型的干栏式建筑,其格局既属地道的商周时代住房,又具有现代四川民居的雏形"(图1)。

到了秦代,这种影响已具有某种决定性意义,《华阳国志·蜀志》说到当时的成都规划

格局时，其规模："与咸阳同制"。空间特色是："造作下仓，上皆有屋，而置观楼、射兰。""城周回十二里，高七丈。"不仅如此，巴蜀一大批城镇亦同时产生，郫城、临邛城、重庆、涪陵、阆中、合川、丰都等，共达 19～41 个之多。这些城镇"都是非华夏民族较为集中之地"，又在秦的统治之下，"修整了居民住宅和市场"。所以，秦举蜀的结果，"带来了先进的生产技术，推进了巴蜀地区的经济，同时又带来了先进的中原文化……从而逐步放弃了原来的民族语言，以及一些固有的习俗，从战国后期开始，中原文化不断向'巴蜀文化'渗透，而巴蜀文化的自身特点也在逐渐减弱。随着时代的推移，中原文化最终将取代巴蜀文化"（《四川古代史稿》）。建筑作为文化载体，同时又反映出固有的习俗。于此间受到中原文化决定性的影响。巴蜀之地从城镇到聚落进而单体建筑，无不处处浸饱了中原文化色彩。

从资料上看汉代是巴蜀建筑一个非常辉煌时期，尤张仪经营西蜀，把城廓的中原制度带来亦必然以中原的宫室制度同时带来。刘致平先生在《中国建筑简史》上说："四川在早是用干栏的，但是什么时候才大量用普通常见的宫室式建筑，……至迟是秦伐蜀以后的事情。"尤其东汉画像砖在各地的发现，中有不少题材表现了汉代建筑的面貌是国内少见的。双流牧马山画像砖中大型宫室式庭院（图2），成都西门外曾家包画像石描绘的地主

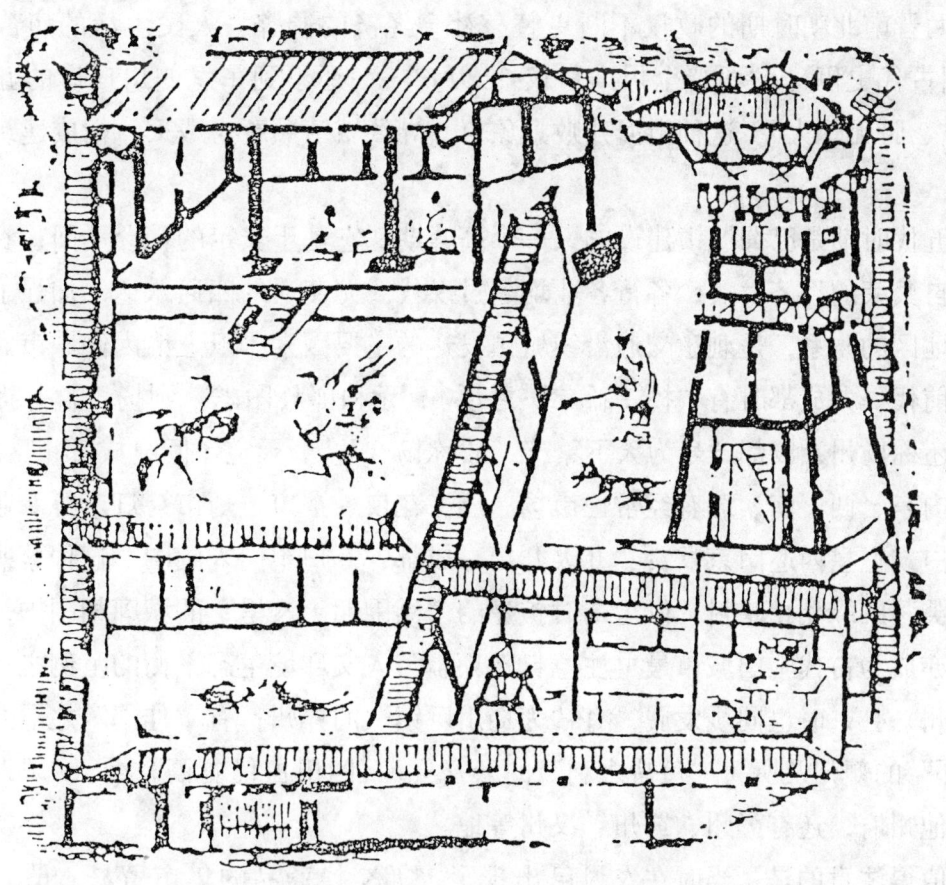

（图2）双流牧马山出土东汉画像砖之庭院图

庄园等等，均堪称中国建筑史上的奇葩。加之刻制仿木楼观式结构的石阙在川中居全国之冠的数量和特色，文翁学堂以石建书库的建筑构思，以及汉赋中对于"苑囿之盛，宫室之美"的描写，使人不难想象，在汉代发达的农业、手工业基础上产生的城市，像成都这样当时称为"五都"之一的大城市，绝不仅仅是"大"而已。城市建筑内涵必然是除"城廓"之外更有丰富而卓越的包括宫室式住宅、店铺、作坊等系列空间构成。既为政治、经济、文化中心，必然有相应的空间形式以荫庇。今虽不可详知具体形貌，但从有限图文资料中全可归纳构成美妙想象，其市井空间之盛，亦不在宋时东京汴梁《清明上河图》繁华之下。扩而大之四川若干郡县所治之地，亦是相当的繁荣，时西汉就达5郡59县。若从《华阳国志》中所载汉代产盐的忠县、云阳西（云安）、巫溪大宁镇、三台棹江场、阆中、泸州、内江、高县、邛崃、什邡等地看，以今这些地方多有精美城镇窥渊远建筑古风，以清以来川南自贡为中心的华丽城镇建筑为比较，亦可见汉代盐业城镇该是何等宏丽壮观。如果说建筑作为文化载体，综合反映了一方的经济、政治、民俗之况，亦同时反映了建筑风格、形制、作法诸况。那么，像双流牧马山式庭院格局亦不是孤立的建筑现象，它必然有相同或类似之作广布蜀中或影响其他地方。亦必然影响城镇中的市井建筑。若果真如此，汉代蜀中城镇该是历史上城镇建设及建筑风貌最辉煌的高峰期之一。亦是灿烂的城镇空间景观。

蜀汉两晋南北朝时期的政权不断更替，社会经济的凋弊，人民生活的痛苦及战乱频仍。《四川古代史稿》："西晋全川人口仅22万户……还不到东汉四川户口的五分之一"，"城邑皆空、野无烟火"。这种山河残败景象自然导致城镇颓废与毁灭，衍成建筑发展的低潮。

隋唐五代时期是巴蜀城镇建设的又一个高峰期。它基于安定的社会局面，农业、手工业复苏渐自繁荣的经济发展，各行各业均超过汉代。尤交通的四通八达，加强了和外省与少数民族地区的联系，是刺激交通沿线城镇发达的主要因素。以上诸因使城市商业的繁荣也超过了前代。尤成都时有"扬一益二"之说。《元和郡县图志》则扬、益并提，其"逸文"卷2还称扬州，成都"号为天下繁侈，故称扬、益"。天宝年间，成都市区约有10万人口，城内东、西、南、北有经常性市场。还有花市、蚕市、药市、灯市等专业与季节性市场。李白《上皇西巡南京歌》："九天开出一成都，万户千门入画图"这种繁盛景象，和城上遍种芙蓉的绿化相映衬，以孟蜀时扩建的"周围四十八里"的城廓相围护，不仅得蓉城美名，亦成为古代中国城市最早注意自然环境与人文环境生态平衡的范例之一。

巴蜀州、县，时也同步发展，有"为蜀川巨镇"的梓州；有"佳郡"之谓的嘉州，有"峡中大郡"的夔州及所属"鱼盐之利"的云安县。《四川古代史稿》继云："人口在3万以上的其他州府，还有彭州、蜀州、汉州等地。"

特别值得注意的是：当时在农村已出现了定期交换商品的集市贸易，谓之"草市"，有成都东门外草市、灌县青城山草市、雅州蒙顶山麓草市、遂州斯安草市等。这是四川场镇形成的最初形式之一。

草市，其各因市简略，粗糙或贸易时间暂短者不可考。《辞海》谓："中国旧时乡村定期市集的通称。各地又有俗称：两广、福建等地称墟，川黔等地称场，江西等地称圩，北方称集，起源很早。东晋时建康（今南京）城外就有草市。大都位于水陆交通要道或津渡及驿站所在地，命名用意，或说因市场房舍用草盖成，或说因初系买卖草料市集。其发生存废，既非官设，也无市官。有的草市后来变成新的城镇。"《辞海》市与场的详释似乎有些笼统，但确又不好界定。至少在次序上应先有市后有场，进而形成镇的历程。此间很大程度以是否有建筑出现为转折。比如：市不一定有住房和烟、茶、酒、饭诸空间以买卖，而场却有了应运而生的房屋棚架。此在川中至少如此。当然，无论怎样，隋唐时期出现了县以下市集为后来的场镇发展奠定了基础，也是后来部分场镇形成之因。

另外，如果把建筑视为艺术，视为和其他艺术形式同步发展的门类，那么，唐代杰出的石窟寺摩岩造像，前蜀王王建陵墓建筑高超的科技水平，诗歌、绘画、戏剧、文学的人才辈出和高度成就，都同时说明了，隋唐之际的巴蜀建筑及城镇建设的璀灿，定然有非凡的表现其艺术和科技成就，亦定然不在其他门类之下。此应是文化整体向前发展的规律。同是文化诸科相辅相成的结果。

宋代巴蜀之地城市繁荣景况，《四川古代史稿》有引述各文献的综合精彩描写，现摘录如下："素号繁丽"的成都，这时已成为西南大都"会"，"万井云错，百货川委，高车大马决骤于通逵，层楼复阁荡摩乎半空。……奇物异产，瑰琦错落、列肆而班布。黄尘涨天、东西冥冥"。呈现出城市繁荣，商业发达的景况。唐末五代在这里兴起的季节性贸易，已发展为按季节售物的贸易集市，如正月灯市，二月花市，三月蚕市，四月锦市，五月扇市，六月香市，七月七宝市，八月桂市，九月药市，十月酒市，十一月梅市，十二月桃符市。在成都城内，各种专门商品市就更多了，规模更大了，开市的时间更长了。且大都有固定地点，最经常的就是大慈寺和玉局观。由于店肆增多，一些铺户所设店肆向街心发展，因此官府强征"侵街钱"。史载宋神宗时："天下卅县，遂打量街道，分擘沟渠，虽是已出租税之地，但系侵占丈尺，并令别纳租钱，若不承认，则彻屋剪檐，然后获免。""……高宗绍兴时，成都始将泥土路面的街道改用砖砌，长达2000多丈。孝宗淳熙时，范成大再次砌街，'以丈计者三千三百有六十用甓（砖）一百余万，为钱一千万。'"

除成都外，三台、梓州、梁州、遂州、嘉州、合州、叙州、泸州、利州、渝州、夔州、绵州等城市因工商业比唐代都有很大发展，城市建设亦相应有所发达。

集市，场镇是又一发展的侧面，《元丰九域志》统计，元丰（1078—1085年）初年："川峡四路共有688个镇，其中有6个镇以上的县是：眉山、彰明、汉源、阳安……等共43县。"从上面大、中、小城镇格局的布点综览：宋代城镇在四川已构成适应农业、手工业、商业平衡发展的网络。实则已初具了现代四川城镇构架的粗线条，其后明清的城镇扩大，正是在此基础上生发的。

元代四川农业凋残，手工业、商业远不及宋代昌炽。县城在宋代180个的基础上跌到元代只有96个。仅存者亦可见颓败苍凉之貌。

明代是一个好景不长时期，仅初几十年昌明，接着战乱不止。四川经济虽无大起大落，但在城镇建设方面远逊色于宋代。其县城虽复苏到111个，但比起宋代："万井云错……层楼复阁荡摩乎半空"的城市景观，那就不可同日而语了。但有一点值得注意：即"客户超过土著"，明初四川的移民大量来自湖广地区的人口构成特点。这些移民必然把包括建筑的习俗带来四川，同时又影响着城镇的建筑空间构成和特色，此无形中成为改造宋以前纯正绮丽城镇空间的开始，使四川建筑逐渐染上移民色彩的发端，这里主要指的是湖广地区的建筑影响。但究竟具体影响到什么程度，上述仅为推测。不过，明代典籍、诗文对城镇繁荣、建筑宏丽的载述与描绘和唐宋时比较，则大相径庭了。不仅少见，反倒以苍凉者见多。万历年间南充诗人黄辉《白沙驿》："山驿冷荒荒，昏烟带叶黄，窗交蛛网日，垣隙虎蹄霜。"这是四川之外包括发达的江南地区不可能见到的情景。

尤明末清初的战乱，自然灾害的深重，更把人口锐减到不足9万人的极限。建筑为人造，"皮之不存，毛将焉附"。加之木构建筑易罹火楚、潮湿朽败。天灾人祸，亦同时把明以来渐自衰败的城镇和建筑几乎毁灭。这是其他省区少见的建筑情况。关于这方面的文献资料，川中史志载述多多，如《蜀乱》言："连城带邑屠尽杀绝，并无人种。"《四川清代史》："数千里内，城廓无烟，竟成邱墟。""荆棘之所丛，狐狸豺虎之所游。"时四川盆地内实成蛮荒之地，城镇、民居已成空白。现再摘一二：

《小方壶斋与地丛抄王云蜀游记》云：

"蔡公毓荣……辛亥正月余自荆南偕之入蜀成都自献贼之乱，官民庐舍劫火一空。蔡公至，馆于棘园，即蜀王故城也，规制略如大内而差惬，惟存重城，馆舍皆草创……城中茅舍寥寥，……至眉州，州治荒芜，三苏祠尚存木假山堂……明日次嘉定……州治被兵未残、庐舍完整为仅见云。"

《使蜀日记》云：

"九月一日次汉州抵新都，县皆名区，乱后中衢皆茅屋数十家，余皆茂草，虎迹遍街巷，讯杨升庵宅已为按察使署，今已荡然矣！……初二日抵成都……民居周垣不蔽，篱落而已……入东门亦无署院……西北隅则颓墉败砾，萧然惨人。"

《南溪县志》卷二食货载：

"当时故家旧族百无一存，人迹几绝。"

清初"湖广填四川"是巴蜀城镇再度兴起的转机。也是当代巴蜀城镇及建筑特色的开始。这是一个什么样的时期，它为什么产生了延至今日达4000—5000个城镇的洋洋大观。许多学者从不同的角度都有卓越的见解。虽然在巴蜀城镇及传统建筑上尚还没有专门著作披露于世，以全面解释这种现象。然而，从史学的角度已有《四川清代史》等著作对四川城镇和传统建筑作了介绍，同时亦有建筑学家、文物工作者、文史家、旅游家等的零散研究见诸传播媒介。这里面尤《四川清代史》作者王刚先生站在史学的角度，高屋建瓴地看待清代发生的现象。其观点，笔者极表赞成。他在该著作绪论篇中提出"清代四川杂交与创新"的观点，同样适用建筑学偕美学、民俗学诸学科对四川城镇及传统建筑的研究，这是因为："明末清初的四川，人口几至绝灭，经济破坏殆尽。清朝四川政权的建立，所面临的是百废待兴。要兴第一需要的是人。一个'湖广填四川'的大移民高潮兴起，全国各地，东西南北的人民涌向四川。百废，使这些本来受四川历史文化传统影响少的人更无地域历史上的传统束缚；兴，却又使他们从四面八方带到四川的政治、经济、文化观念，生产经验和人口素质的优势得以充分发挥。并且通过广泛的杂交创造出新的经验，新的品种，新的文化，新的思想。"

作为城镇及建筑，核心同样是"湖广填四川"的人。这些人来自湖北、湖南、福建、广东、江西、陕西等省，虽然习尚各从其乡，但经过大量、广泛的通婚，在人口素质上已具备了南方人精细耐劳，北方人耿直粗犷的特点。诸多习尚已有认同，自然又产生新的经验，新的品种。表现在城镇和建筑风貌上，亦同是南北风格的大融汇。略有不同是：各省移民聚居地人口的多寡，使得融汇程度有所不同。比如涪陵是客家人聚居区之一，那里分布着不少川中，也是客家人在内地罕见的大型土楼，其形其貌已和原乡有所区别，融汇了不少中原特色在其中，然又保存了不少客家土楼成份。正是这些新品种恰又构成了巴蜀建筑特色。在遍布巴蜀的城镇中亦是同理。尤小场镇显得更加昭著。一目了然者是各省会馆建筑的区别，但它们又相安一场一镇。这就构成了巴蜀场镇杂而有序的空间景观。这样的整体空间形态和国内其他省区的小镇区别是很大的。

由于四川太大，城镇已达6000多个，每一个城镇的整体空间不易把握。加之建设性破坏日趋严重。为了稍为象样地把四川城镇介绍给社会，笔者以提取目前保存较好的小镇为主，目的还在引起社会注意，以尽可能地保护这笔老祖宗留下的建筑文化遗产。而县城以上的城市实则已面目全非，全被西洋建筑征服，说它原来怎样怎样好，已无实际意义。这是一个十分悲哀的话题，留待后世去评说。不过后怕在于：当若干年后我们的子孙面对西方人这样的发问："你们四川人原来都住在什么样的城镇和房子里"的问题时，不至于无地自容。这个观点是基于建筑是传统文化极重要的部分认识所成，这部分的消失对凝聚中华民族的向心力、自信力，无疑是惨重的，永无挽救之日的。

（二）巴蜀城镇空间特色

巴蜀城镇形形色色，可谓太博大，太丰富，太神秘。花样多，形貌杂，作法巧，易给人不好归类，不好捕捉之感。不少专家共识其空间特征时，认同"飘逸"为其形神之貌。

貌者，即内外整体空间和环境总和的概念。同时，它又是在数量巨大的空间认识上产生的，进而再产生城镇空间质量的优化、多样化、类型化。

亲善自然，珍惜环境

自然之爱素为巴蜀之人秉性，盆地的地理环境本来就具"大家园"意识归属，加之内地形造就了处处青山绿水的佳境。于其中建城，兴场，立镇，首要者为因地因时因事而谋划，顺其天然，不拘形式，格由自出。沿江者顺等高线沿河岸，或垂直等高线直竖河岸，或兼而有之于二者。中有西沱镇、龚滩镇等凡例上千。而诸如重庆、万县等一大批山城者，更是显示一幅立体自然与人文景观昭然天下。又如阆中昭化一类精密运算，谋筹度量山水之间，以形胜治城者，更是把城镇建设推到"风水"理论高度。个中情由理趣，仍在保护自然环境的现存状态更谋发展。还有数不清，家家都在花丛中，镇镇都在山水浓荫里的风景小镇。诸如五通桥、柳江场、偏岩场、东溪场……更是遍布巴蜀大地，直到穷乡僻壤，边境死角。而像犍为县罗城镇、广安肖溪镇等根据地形，揉以理想变幻出船形、龙形、磨子形、口袋形等异趣迭出规划形态者，亦在自然的深化行为中，注入了更具特色的川中人文风范的机智与谐理。川人在这样的环境中生产生活，滋养了一派宽容大度、悠哉游哉的幽默性情不说，又创造了城镇建筑"筑台、跌落、错层、吊脚、悬挑、架空、附岩、分层出入等一整套巧妙的处理手法。"

乱真自然，就地取材

川中丰富的木竹、秸杆、草类，随处可取的各质泥土、石材，皆为建筑用之不竭的源泉。无论城镇与农家住宅，广泛在基础用石材，使得城乡清一色石板路，石板街道。有的城镇索性选址"大石盘"作场镇基础，就地取石，既得街面石梯、平台，又得房舍墙基石和墙体，西沱镇便是此例。沿江场镇还采取河中卵石砌墙，总结出一套完整的卵石墙工艺。至于各地场镇的毛石墙、石板墙、"干打垒"、乱石墙、石片墙则更是数不胜数了。边远山区场镇和盆地内部分石、木材料缺乏者，以土夯墙，土坯墙构成场镇浑厚的土黄、土红色调。尤门窗间以木作，烘托出粗中有细，对比协调的朴素典雅气氛。更多的川中城镇普遍偏爱全木结构的材料使用，使得整个场镇全构架在木质特有的温暖与宁静的空间组合中。把自然界的一种生命体经规划设计，以空间形式诉诸另一种生命体的构想。并使二者朝夕相伴，是不同生命形式完美结合的追求。里面蕴含了远古巢居的遗恋，又泌流出祖先天人合一、返朴归真的纯香。川中草屋虽貌似简陋，凡稻草、麦草、茅草皆可遮风避雨，又冬暖夏凉。里面一样如小青瓦复盖的多式形制。甚至像成都这样的大城市，过去街道旁亦不时点缀三五间别致的草屋，造成农业社会城乡媒体的兴奋点。亦让人感到回肠荡气，分外亲切。各种建筑材料混作，或石材基础、木柱木梁、竹编夹泥墙、青瓦屋顶，或土夯坯墙、石柱木梁、秸杆风障、杂树篱笆、树皮铺顶，甚至全竹小屋、石板作瓦、泥沙平顶等等之建筑，皆可见于川中城镇和乡场房舍。不少更以火砖砌起高大的各形封火山墙，以材料的多样性展示了城镇空间丰富统一的特殊魅力，尤以强烈的整体空间形象大别于天下，独善其能地呈现出唯巴蜀之境方才能见的，各地移民和衷共济的卓越风姿，以及所依赖的材料组合之美。

多样统一，别开生面

川人乐观诙谐、勤劳坚忍、雍容大度。尤城镇空间可见一斑。故同居一城一镇一场，不求形式上的统一划一。求个意投神合，整体中有个性，个性中不甚偏颇的杂而有序。故你家在屋顶上建碉楼、小姐楼、晒楼可，建戏楼、牌坊、过街楼也可。全城镇齐心协力于城中再建钟鼓楼、城楼箭楼可，在外建塔建阁，建桥复廊也可。若植几棵大树于街中、镇旁、河边、院内，亦更是可中更可。这就把川中城镇空间的宽容度伸展到极大的张幅。亦把整体空间外轮廓线变得起伏有加、高低错落。内空间的各家之间亦层层叠叠，纵横穿插。然统得静谧和气，相安无恙。此绝然不仅是表面的空间艺术气氛和建筑的表现力，感染力所酿成。若统观国内其他省区城镇比较，则少见如此多样统一，别开生面的空间现象。因而，不能不揭开屋面洞窥屋中人的由来。因为他们是造成此般气候的根源之所在。大而言之四川是移民社会，小而言之，一城一镇之人亦是五方杂处。"习尚各从其乡"，导至各有各的作法。亦正是"湖广填四川"各省建筑风格的争奇斗艳。然又"杂处"一境，必然削弱各自太出格的外观、装饰。又融汇了对方建筑各部的长处。《四川方言与民俗》言："明清时期，是四川方言的形成时期。"民俗往往和方言有直接关系，建筑作为民俗事象，尤城镇风格，形成亦多在明清之时，表现出与方言形成的一致性，故多样统一为其别开生面特点。

寺观馆祠，半城争辉

凡入川中城镇、乡场者，几里之外，亦见大群屋面上有四角高翘，中脊朝天，装饰灿然的歇山式屋面，或琉璃瓦或小青瓦复盖。以迥然不同于民居硬山式屋面的高大形象巍然争辉于群屋之中。少者三五点缀其间，多者一条街，占据一角，连成一片，誉有半城之势，十分壮观。此便是脍炙人口的川中"九宫十八庙"之谓。它造成城镇空间非凡的变化，把称为"第五立面"的屋顶完善到与世界任何民族建筑绝然不同而具特色的程度。梁思成先生在《清式营造则例》中说，它是"中国建筑的最重要部分，在中国建筑中，尤其是宫殿建筑中，所占的位置最为重要。"在同一本书中，梁思成夫人，一代才女林徽音女士于绪言中更作了极精彩的描绘："我国所有建筑,由民舍以至宫殿,均由若干单个独立的建筑物集合而成。而这单个建筑物,由最古代简陋的胎形,到最近代穷奢极巧的殿宇,均始终保留着三个基本要素:台基部分,柱梁或木造部分,及屋顶部分。在外形上,三者之中,最庄严美丽,迥然殊异于他系建筑,为中国建筑博得最大荣誉的,自然是屋顶部分。""它的特殊轮廓为中国建筑外形上显著的特征。""形成一个极特殊、极长寿、极体面的建筑体系。"

川中城镇凡寺庙宫观、宗祠会馆多以宫殿格局形制建造。它和民居统筹于城镇空间,其量不定乎九宫十八庙之数,少则一、二,多则数十、上百。视人口构成、财力物力诸因而定。傅崇矩《成都通览》言成都之寺庙:皆"余所亲见",包括"府文庙(南门)"者就达156所,清真寺9所。城内各姓祠堂,偕"廖家祠(石马巷)"等达83处。黔、豫、粤、徽、桂、浙、楚、湘、闽、晋、陕、赣、川、滇会馆16处。还有衙署之类。其量之大,其形之空前,均把成都传统建筑推向极辉煌的境界,亦在空间营造上烘托出无与伦比的优美壮丽气氛。自然成都就不至"九宫十八庙"了。乡间场镇按此布置,多多少少,均构成对整个格局影响,造成屋面及外轮廓的生动变化。故川中城镇多样民居与为数众多、形体殊异的宗教、宗法建筑统筹一起。相互争辉又融融乐乐,展现了一幅通过建筑传达的东方文化洋洋大观。

文人经营,约定俗成

知识分子在民间无论社会地位被统治者贬损得怎样低下,"九儒十丐"也好,教书匠、画匠也好,热爱本乡本土自为神圣,并积极参与城镇规划、宅园营建。其行为亦有民间百姓的尊重,对知识的渴求作为基础。建筑学家庄裕光先生认为"四川的大部分小镇,犹如丹青长卷,无处不具诗情,处处皆可入画。""文化名人都曾以其高深的文化修养,以自家宅园为依托,营造了许多富有诗意的环境。这些名人故居和园林经历代文人、画师和造园家的维护与创造,使每座园林都像充满钟毓灵秀的气氛,文风辐射四邻,使大环境受其影响而增添了难以言表的雅气。"庄先生又在《四川小镇民居精选》漫说巴蜀小镇建筑中综览:"正是这些遍布蜀中的名人园的带动……樵夫与耕者,出入画屏中。"所以川中城镇不少传导出一种与众不同的特有的气质和性格。这便是儒雅雍容,又朴素大方。这里面除大文人大画家以造园、艺术作品影响之外,本地知识分子是贯彻这种艺术思想的积极推行者,身体力行者。故有各地城镇八景之佳,十二景之爱。这实则把原本是纯人文环境的城镇和周围自然景观纳为一体观照。是极具超前的规划手法和环境意识。是工业化进程中人类生存质量的稳定和提高极宝贵的财富。这种环境若干年来得以维护和延续,更还在于有良好的社会认同,百姓文化素质基础。也是孔孟之道几千年的熏陶,其自然观、人文观、生存观浸透国人细胞,反映在各文化层次人身上的约定俗成。民风之成、于斯正是。城镇典雅、渊源悠悠。

路即轴线，游刃有余

巴蜀传统建筑布局受中原中轴对称布局影响较深，无形中又影响到市街道路规划。平原如黄龙溪镇，街两头寺庙各一座，正如堂屋于轴线顶端。江津塘河场自河边爬坡到顶，顶端一川主庙高乎其上，亦如堂屋居中。个中道理仍是求其规整、有序。然更多者于川中变化复杂的地形建场镇，则采取曲轴处理手法。街随地形变，该弯则弯，该转则转。能上则上，能下则下。不强求一律，不和自然争强弱。故有的坡地场镇街道转折多次，又起伏跌宕。像合江福宝镇，不仅转折四五处，还一上一下有起伏。姑不说此，还在主街两旁派生出若干弯曲的副轴线小街小巷，就像动脉和静脉关系构成小镇活生生的整体。此况有力地控制了城镇空间发展，使得街两旁建筑群重叠有加，大起大落，错上落下。把空间变幻得时藏时露，趣味无穷。这就把城镇整体的空间形态和地形、环境紧紧地统为一体，造成恢宏之势，或为神秘之境。人于镇中游走沉浮，颇有不由自主之感。又常有"柳暗花明又一村"的惊喜。

形胜为魂，吉地众愿

巴蜀城市、场镇，凡于清以来兴起者，多多少少让人于其中有地形地貌特殊之感。或背后靠山，山且有脉蜿蜒渐高远去，或街正对浅山，或有河面街与环护，或城镇左右倚傍山峦岭坡。或官署寺庙居于镇中显要之地的"天心十道穴位"之处。或正街往往正对东方与南方……等等。历来都言风水仅相宅，何来庞然城镇亦如斯。

远者汉唐时，如阆中、巴中之城，昭化、塘河之镇，亦是规划城镇之初即以风水为本，以形胜偕说龙脉，砂山，临水环抱，朝案呼应之地形地貌，以求建城兴镇之穴位。古人追求居住环境的舒适，揉进山水仁智，物质精神的偕构，是儒、道、释三家互补同行在治理城镇、建设城镇方面的反映，本质所在于生态环境的保护。是超前的环境观、生态观。巴蜀汉唐即为"易学在蜀"的中心，"湖广填四川"移民又多来自风水术盛行的江南各省，承前启后，一脉相承，演成了巴蜀城镇竞相风水择地的形胜城镇景观。剔除历史局限节外生枝的非科学成份，仍是当代兴城建镇环境要素的参考。

二、巴蜀城镇类型

（一）地理环境与城镇

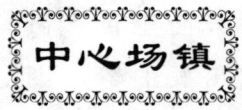

巴蜀自古就是我国著名的农业区，是我国举足轻重的重要商品粮基地之一。经济作物亦十分发达。这都得助于暖湿气候、丰富降雨和勤劳的人民。翻开四川地图，在山地占四川盆地40.9%，丘陵占51.9%，平原仅占7.2%的广袤大地上，分布着大大小小1000多条河流。就在这些河流的各段，常常天地忽然开阔起来，或良田万顷，或肥土千亩。或群山围护，或两山间宽谷。正是先人们几千年的艰辛劳作，才把昔日荒林乱石开劈成如今的粮仓。于是在大一点的平坝上兴起了大一点的场镇：大者数千户，一二千户，这里往往成为县城所在地，或者一方重要的农业中心。后者往往通称为"首场"。像开江县的普安、梁平的屏锦、酉阳的龙潭、巴中的恩阳等。面积小一点农业区内，数百户以上的中等场镇则灿如银河，多达3000—4000个左右。更小的是几百亩的小山谷田土间也照样有玲珑的场镇出现。有的居然也有场期可赶，逢场天照挤不通。资料表明四川城镇有95%靠水，这些市镇的出现，亦可说是一方中心。所以中心不在大小；功能表现在聚合一方物质与精神。中心也不尽在自然地理等距离的交汇点上。有的县城所在地在一县版图的边角位置，像宜宾、北川等县。同理，更小一点的场镇多有此况。它经历史、政治、经济、文化、军事、地理、交通、气候、人口、民族等等因素的制约发展。故中心呈现出多种类型的特点。四川是一个农业大省，中心场镇或城市为农业文明孕育而成者占多数，空间风貌呈现的是一派农业文明的灿烂文化。市街布局、建筑构造、环境依盼、气氛生成等无不处处受约于这种文明的规范，亦产生不少大同小异的空间特征。但毕竟各地域、地区又有不同的自然与人文环境，这也产生了不少独具情调、风貌特殊的场镇形态。总的说来，在城镇的数量比例上，受地理因素影响而建城镇者为数较多。这是农业依赖土地而生存的客观存在，是农业文明的必然。因此，诸如城镇及建筑亦必然反映出这种文明的光斑。亦可说城镇布点是以农业地理为基础。

而围绕农业城镇发生的商业行为，产生了除农副产品交易以外的加工业和规模较大的手工作坊的场镇者，又因其建筑颇具特色，并影响了场镇的规划布局的场镇，亦是农业城镇更加完善和成熟，中心地位更加突出而已。它依赖的仍是农业之本。所以，在农业社会里说纯粹的"商业城镇"或其他什么性质和类型的城镇，无非是在农副产品流通过程中，在聚散吐纳间，"量"表现得充分一些。因而又有了"交通城镇"的说法。或者说这部分城镇并不具农业中心的地理概念作用，而主要靠"纯粹"交通而生存，因而有了市镇，这种说法在农业社会环境中也是靠不住的。

唯特殊者是"矿业城镇"。其城镇的兴起完全依靠地下资源而来。诸如盐业，煤矿，采铁及冶炼等。这些城镇出现了较为复杂的空间形态。像巫溪宁厂等地贫高远的山区，像北碚白庙子因天府煤矿而生存在陡坡悬岩间。这里工人为主"棚户"最多，距农业中心较远。因此整体空间不如农业场镇规范，建筑的临时性较强，出现了看似"散乱"的格局。而更多的矿业城镇就在农业生产区域内，尤为盐业在盆地中的一些城镇，像自贡、五通桥等地。它们的兴起围绕盐井而发展，看似东一片西一团。一旦这些场合生产稳定下来，有了集市，形成依附于矿业的市街，进而场镇。那么，农业文明的光辉绝然普照这里。建筑上三合院、四合院、宗祠会馆、寺庙宫观定然充分显示农业文明的表现力和制约力。但它们又和矿业生产的厂房、井架等特殊的结构生存在一起，于是出现了两者混存的局面。不过事物发展到一定深度，农业文明必将更加展示它的管理制约机制，以更加娴熟的理论和技巧把这种现象条理化、规范化。于是产生了城镇的功能分区，把生产和生活区域分开，这就更加丰富了空间表现力，更加完善了一方中心的含义。所以"中心"不是绝对的地理概念，是相对而存在的。

前面讲了，中心有大小。大者成都、重庆，小者幺店聚落。这里有一个称谓问题，亦即城市、镇、场、幺店的界定。比如：过去川中对县城所在地以外的集镇普遍称之为"场"。如巴县虎溪河场、曾家场、大邑唐场、董场。《辞海》："特指市集，如：赶场。""镇"呢？《新唐书·兵志》："唐初，兵之戍边者，大曰军，小曰守提，曰城，曰镇。"宋初，这种镇使，镇将被罢废。《辞海》："指市镇。（1）宋代以后县以下的小商业都市。（2）基层行政区域单位，以工商活动为主的小于城市的居民区。在我国，有县级镇和县辖镇之分。"可见自古以来，川中谓市集为场，是沿袭久远的正确称谓。"场镇"是以市集和"小商业都市"，"基层行政区域单位，以工商活动为主的小于城市的居民区"的合称，是为书谓。

早期城市的界定，段渝在《三星堆与巴蜀文化》一书中，谈到《巴蜀早期城市的起源》时，引用英国学者V·G柴尔德观点："有10个以考古学材料演绎出来的抽象标准，可以把甚至最早的城市与任何过去的或当代的村庄区别开来，它们是：1. 大型居住区；2. 人口构成和功能与任何村庄都不同；3. 剩余财富的集中化；4. 巨大的公共建筑；5. 从事非体力劳动的统治阶级;6.文字;7.历法学和数学;8.专职艺术家;9.对外贸易;10.以居住区而不是以亲属关系为基础的政治组织。"还有一个类似的8条标准是苏联学者B·N古梁耶夫提出的,段渝继续引用:"1.出现了统治者及其王室居住群;2.出现了宏大的寺庙和寺所;3.最重要的宫殿、寺庙建筑群与平民的房舍隔离开;4.圣区与住宅区明显不同;5.具有奢华的王陵和墓葬;6.产生了大型艺术品;7.有的文字(碑铭石刻);8.数量上的标志是:大型广场、大量住宅和公用房屋,较密集的居民。"拿上述标准界定中国早期城市的确认应是具有广泛的参考价值。因此,殷商时代蜀国就已经产生形成了广汉三星堆和早期成都两座城市。延至今日,城市功能更加齐全,内涵更加丰富。因此,川中场镇不少已具小城市的标准。姑且呼之曰"城镇"。故城镇一谓中,既有城市的含义,也有"场"的含义。

幺店子是场镇形成的最初形式,它有明显的聚落构成,《汉书·沟洫志》:"或久无害,稍筑室宅,遂成聚落。"但又不是农村纯以血缘关系组成的村落。人口构成与功能开始与村庄不同,有了贸易行为,有了公共建筑的端倪,有逐渐脱离农业劳动而非体力劳动的倾向等等。这是被忽略的空间聚合,是遍布川中各地小区域内的中心点,它的发展直接与场镇的产生形成有关。

综上中心之说,地理环境影响的因素最大。具体地说,农业区的分布决定人口分布,人口的分布决定城镇大小多少的分布,同时也是中心分布。

一方水土——雅安上里(图3、4、5)

在雅安南北狭长的地形上,青衣江支流陇西河流贯北部两山间全境,陇西河上游段分布着川中不多见的邻里场镇,场镇有三,以上、中、下取名,即上里、中里、下里。如此奇特的场镇规划布点,不要说川中绝无

(图3)上里镇进入戏楼中心广场之桥头

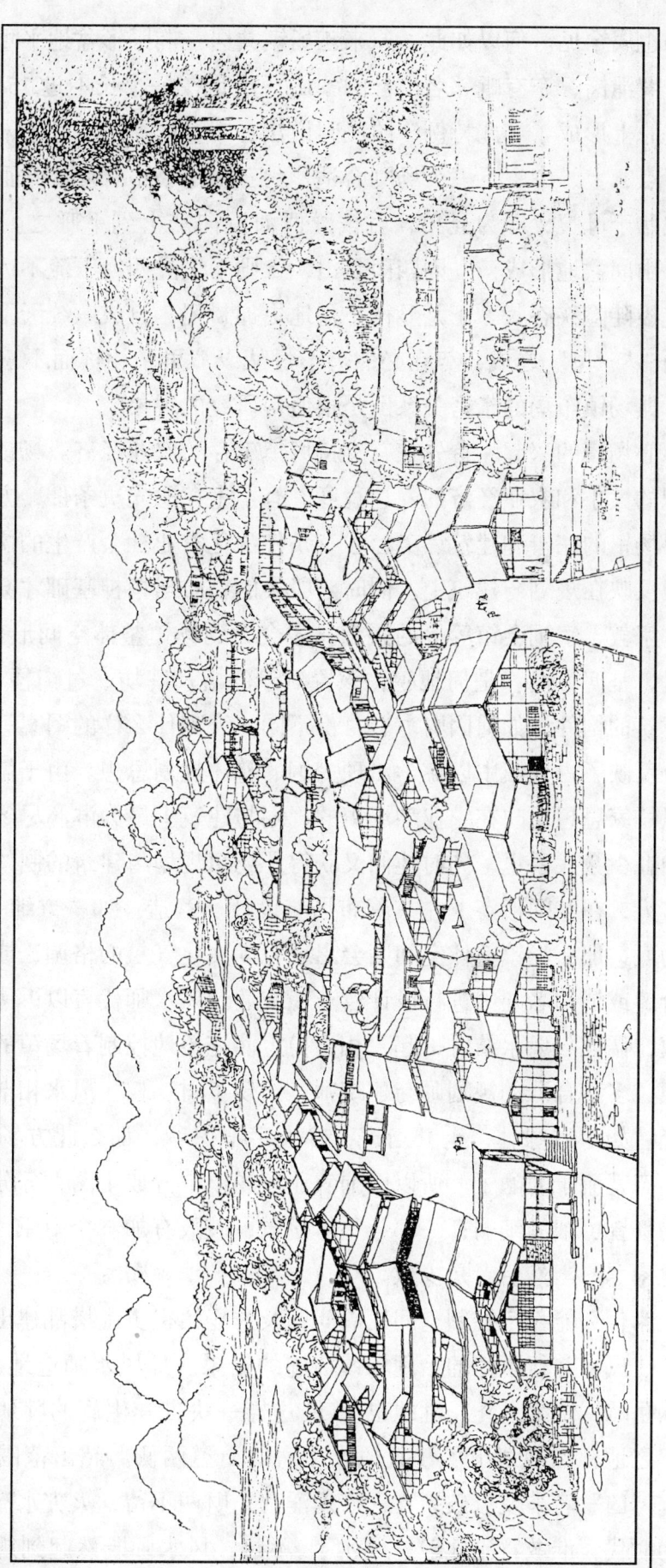

(图4) 上里镇鸟瞰

仅有，就是全国也属罕见。何以如此，原来三场镇共居一椭圆形盆地平坝内，西有界分芦山县的天台山、罗绳岗，东有毗邻名山县的蒙山，于是在一个长不过15公里、宽仅7、8公里的深山小平原上形成了如此特例。照民间说法："一个场全包完嫌味口大了点，两个场在两头嫌远了点，上、中、下三个场刚合适"。三场镇共居一地形特征十分明晰的小盆地内，恰如三胞胎于母腹，即为兄弟，就按陇西河流向从上到下呼之。亦恰如老大、老二、老三之序。山间盆地形成，一则四面是山，二则下里陇西河下流不远地势突然跌落数十公尺又突然成极陡险狭谷状。于是显得小盆地更加封闭，自成一统天下。形成形貌皆真的一方水土局面。"三里"之成，势在必然。不过从以"里"相称而不三足鼎立，其间透溢出来的传统古典场镇布局的亲密关系倒是很值得研究的现象。

  一方农业中心场镇的兴起，首先在有支持场镇生存的农业经济。场镇的发展与规模又依赖于耕地面积的大小和农业经济的发达程度。有了生存的先决条件，方才在解决遮风避雨的基础上求得场镇的完善和建筑臻美。才有条件深化农业社会产生的儒家学说，以及把这种学说尽量地反映在规划与建筑上。同时，殷实的物质与精神基础才会构成接纳诸如风水理论与实践、宗教、宗祠会馆等等的氛围。才会大到场镇整体空间形态的把握与布局，诸如离场镇几里，是何方向，是何地貌，该置对景的塔及牌坊、过街楼、长亭、桥梁等。又如小到各类建筑的构件该如何因财力、身份不同，镌刻什么样的图案等，均是不可随意为之。这就充分反映了古场镇中以儒学治理为纲的整体规划思想。由于儒学是农业经济的社会产物，所以儒家思想反映在农业型场镇的规划与建筑上最为淋漓尽致。比如，封建制度导致土地集中在少数人手里，同时他们又获得了场镇规划与建筑的制约权。他们或直接出面或通过代言人，在空间形态上左右着布局与设计、营造。如一方绅士文化品味较高，有着良好儒学功底，那么场镇整体空间则会出现充满文化气氛的格调，或把自然环境充分与人文环境结合，或请知名匠师进行设计营造，或通过风水师代言以诉诸自己的构想。尤其是农业型场镇，儒化与风水结合一起，相当稳定而完美地控制着场镇的空间。这就出现了川中不少场镇"多结合"的规划师与建筑师。出现了财、权、风水相谐一致的规划与设计乃致施工系统。如一方绿林、土豪当道，斗大字不识者，那么此方场镇仅几家艳俗高大、整体空间形态就流于简陋了。所以巴蜀农业型场镇中分成了两大部分：一部分一好百好，从整体到局部皆可细品细嚼；一部分整体松散，破败有加。个中原因直接涉及到主持一方的人的文化素养，当然后者是少数。

  这里有一个为什么能稳定控制空间发展问题及古场镇很少乱搭乱建出现的事实。恐怕仍是上述财、权、风水并行不悖的治理场镇措施的结果。如风水师选址，常"卜基全街，背山环港，渊涵岳峙，绕绿送青，胜地也。"在这样一块吉祥生辉的胜地上，权势人家早已占尽"吉利"之地，和规划出了让其他人建房的街道两侧。超出范围者，风水师必有"主凶"的说法。"凶"者涉及家破人亡，疾病淫乱，财两不留，火灾水淹等等。在唯物主义尚闻所未闻的时代，谁敢冒犯此般"风水"？不过，风水师既然起到规划师的作用，又融儒学崇尚自然环境于一体,珍重古代"天人感应"的自然观。所以选址时往往周密考虑到了自然与人文的有机结合与呼应。若有乱搭乱建者搅乱这般整体规划,治理之法,莫如以"凶"相克了。风水控制场镇空间的稳定于是奇迹般的出现。当然,原因不至如此,但不可否认风水在控制古代场镇中的重要作用。

(图5) 进入场镇中心的路桥及民居组合

我们从上里场清代的人口构成中即可窥视上述论述:上里古为五家大姓所居为主,俗称"五家口"。即是韩、杨、陈、张、许五大家族群聚。仅韩姓院落现存达六处。他们左右全场经济与文化,自然也就控制了场镇的规划与建筑,选定了场镇的地址。上里背山面水,背后山峦层层增高,直到1800公尺高的天台山,山象气势丰厚雄壮,植被繁茂。有若干河流由山间流出,在上里汇成两条又合而一条。上里即居在两河相交的夹角内,民间谓之"财源"汇聚之宝地。众流由此再流向中、下里平旷之原,尤如上里先得源流再撒向其他,又如其处于上游"纲领"之处,心理上得中、下里之仰仗。居高临下,处上俯下,三里之势以上里为首,场镇最为昌盛。而良田万顷,阡陌如织又给上里视觉、心理以广阔境界。向前可铺展,向后可退而进山靠护,似又有防御隐情。再十八个馒头似浑圆顶小山环护其右侧,如"十八罗汉"呵护上里"人间"。在这样一块"形胜"之宝地,物产、风景的美好,必然润泽镇民乡人的优美情操,必然在情操的培养上追求文化教育的深化,亦必然酿成整体素质的提高。若反映在空间形态的完善上,一则自觉保护一山一水、一草一木；二则人文营造上涌现出配置合理的道路、桥梁、房舍、学堂、寺庙、作坊、牌坊、石塔等等。

上里道路，以临河段构思为上佳。顺南北向小流的古临邛古道，由山间入场镇，先零星农家，再三五几家，有石梁桥，跳蹬穿来过去其间又几处碾房、水磨房，再而见有龙门富丽人家。建筑由疏到密，由简到丽。道路由窄到宽，由石板路到河堤，再见桥、路、堤相互交叉的沿河宽道，尤如滨江路。此路构思恍如无人的导游，更胜似有人导游，直接把人随道路引向两河相会的末端。奇怪的是，形似半边街数百公尺内居然无市街之嫌，不是民居小院门口，便是长段住宅的后立面，尤像市街，却无店铺。仔细推敲起来，此路是古人分流导向的良苦用心之为，它不仅起到防洪固堤、兼作道路的两举之得，还内敛了市街的归属，路街功能各作各用。不在兼作河堤的道路旁设店开铺一可减轻对河堤的压力，二可把赶场的人流分段分片输送到场镇上去。若有店铺则易于滞留，阻碍交通不说，还威胁人、堤安全。三把经过场镇的过路人直接导向道路末端，绕临河戏楼广场坝子，去向东西方向场外，亦不和赶场人"打挤"，无形中又减轻了赶场拥挤压力。最为有趣者还在上场口路桥交叉处构筑一道立交桥头，河堤路从桥头下"旱桥孔"穿过，又桥头两边设石梯上至街面，人流分道的初衷由此可见。这段十分古朴、优美、实用的道路，与河流平行，还可界分场镇与乡间的空间。中有几座桥梁衔接，又十分有机地联系了自然与人文景观。平时，河堤路又是上里的"公园路"，场镇人散步闲玩沿河可上溯二、三里外。又是全场镇重要水埠，洗衣、淘菜、儿童游泳、戏水、捕鱼捉虾，尤如天然乐园。如此动人的构思与规划，如此卓有成效地控制调动人们情绪与行为的乡间之作，充分反映了农业一方中心的文明程度，反映了全镇文化素质在古代的成熟。

在东西向的河流旁，临河段住宅封闭了河面，在场镇内形成一条街道。它和河堤路相交处，形成人流最为集中的"吞吐港"。上里人把这段空间索性规划成一块有戏楼的矩形广场。此般道路街道的开敞与封闭，尤一阴一阳的开合，其联结点又为广宽的场镇中心广场（俗称戏坝子），这就彻底宽松改善了小镇的居住环境，有效地、条理清楚地组织了赶场日人流聚合与分散。这一古老的规划格局，极具巴蜀山区小镇特色，亦在川中也不多见。仅此亦极具保护价值。幸人民政府已纳入古镇保护之列，卓见远大，可歌可颂。

除上述特色外，两河布满的桥梁亦是又一风致。桥多达近十座，有跳蹬、石平梁、石拱多型，皆小巧实用，形美坚固。桥多如上述组织疏导人流之理，能尽快地聚集、分散人流。场镇虽小，常住人口不过1500人左右，若是赶场可数倍甚至十倍之巨猛增。

川中场镇，少见市街与建筑脱离环境而干巴巴地孤立存在。围绕着密集的场镇建筑，其外围总是形成由密到疏的诸多类型与功能的建筑体。除上述之桥外，尚有碾房、磨房、分散小院、临河单房、石塔、牌坊等。于是场镇周围形成自然景观与人文景观的一条过渡带。或者说过渡带衔接着，有机地联系着两种景观。这些分散的建筑有着四周广宽的视野面，又在自然的怀抱之中。所以往往成为最具小农生产色彩，又蕴含传统文化的佳美景点。

　　至于场镇建筑以民居为主的空间特色，上里人无不以几户大姓住宅的精美、宽大、优雅而自豪。富足一方的民宅，虽不可游离在传统合院制之外，或三合、四合、多进四合，或穿逗木构、全木装饰装修，或雕刻沥金、粉墙素瓦，或封火山墙傲然耸立，但终不过中原文化为适宜一方生存的袭用。比较本地贫民之居尤显富丽，诚然也有动人之处。然精彩者应在外围的不成形制不规则小院。这里临河傍岩，选址大受限制。穷境思变，逼着房主与匠师合议要地要房。因此往往在空间的使用、组合、争取、弃舍上，和结构互通有无，又要照顾传统民居的仪轨，又要自圆其说。万难之中"难产"一房，往往形实貌美，外观错落，木石并用，高矮得体，色彩老到浑厚。又自兴水埠，引水入宅，果木环护，百花争艳。此般民居比起场镇中之豪宅，论居住，于舒适、于生产生活、于环境皆在场镇内大户豪宅之上。作为居住建筑，终极目的是提高人的生存质量。质量有二，一是物质，二是精神。精神不足，只靠神位香火，内空间的大一统分割，局部的木雕石刻来维持传统的生存概念，显然是不够的。而场镇外"散户"尽在大自然之中，一切皆在变化动态环境之中，情绪常处于无常的调剂状态。那么，此般环境内生活的人，感情亦丰富得多。这样就构成了场镇民居两类空间形态，一为远离自然环境的"街民"，二为在大自然之中的"散户"。虽然他们在场镇空间上是整体的，然而，整体中又有自然与人文状态的密集与松散，即阶级属性、社会属性、自然属性等等的多寡之分。回避自然环境论民居，往往成为一堆废旧材料，很难提升传统建筑在当代的地位，这是很令人沮丧的。

　　农业中心型场镇，产生于一方农业，服务于一方农业。尽可在一方把农业经济发育壮大，把农、林、牧、副的完善到四海皆知。反过来又以赚的钱财把家乡建设得更好，把场镇规划得更美，把建筑修得更灿烂。但无论如何，它是在农业这个根本上发生发展的。中国是一个农业国家，类似这样的场镇占的比例最大，四川也不例外。但因商贸、交通、矿产等等条件的变化，有的农业中心型场镇渗入了非农业经济成份，使得经济变得更加活跃，在规划上出现了一些新的格局，建筑更加辉煌，显然这是一种进步。

一方风气——酉阳龙潭（图6、7、8）

　　四川地域辽阔，各地历史、地理等条件的差异极大，使各地经济、政治、文化中心在同一县境版图内出现多中心的格局。这就导致有的一县局部区域中心场镇规模大于县行政中心所在镇的现象。若全省范围内比较，重庆与成都的格局，泸州与宜宾的格局，都是上述承袭下来的原因构成。开江县城厢镇与普安镇，酉阳县城钟多镇与龙潭镇，亦是一县之境区域中心场镇规模大于县行政中心镇的典型例子。

　　从规划与建筑的角度审视这类格局，无非是强调此类中心往往有巧妙，甚至非凡的城镇形态出现。而美好的自然与人文环境谐和，又给商贸、文化教育、人才辈出适得了更进一步发展的基本条件,发展的温床便是原较好的农业型场镇基础。

有酉阳县本地文史专家考证,其境内东南部龙潭河右岸的龙潭镇,民国初时有 1419 户,7475 人,临时住户 505 户,1435 人,共 7 保。到

(图 6) 龙潭镇复兴街鸟瞰

1940 年达 2984 户,17109 人。"在川东南仅次于涪陵"。说明一段时期它的膨胀不只是比酉阳县所在镇规模大,其发展已跃居专区第二位。龙潭总面积约 7 平方公里,镇址选在一约 20 余公里长的狭长盆地中部,地形略高于周围,临酉水支流龙潭河,顺河岸成长形场镇空间布局。镇址原在不远渤海乡梅树村,《酉阳直隶州总志》载:该地有两处圆形洼地,形如龙眼,积水成潭,因而得名。雍正 13 年(1735 年)迁今址,亦沿袭旧名。龙潭之兴,初"纯为一偏僻之地自然发展起来的场镇。""集市贸易,起自清初,为江西人所开辟,乾隆以后各省来经商者始多。"此说明明末清初移民运动开始,地处距江西、湖南路程较近的川东南边缘地区,其移民先遣者首先相中了这块膏腴之地。并据此插占开荒兴市,渐成场镇。显然,这是典型农业型场镇。后至乾隆间,大规模的移民运动成为高潮,龙潭处在各省移民通往川中腹地的前哨要道,生意人多起来,龙潭于是又在单纯的农业型基础上向农业经济多样型方向作了铺垫。恰地理位置的优越,水陆交通的通畅,广阔富庶的农副产品供应幅员(俗称"乡脚"广),优美的自然环境,良好的民风民俗等原因,在抗日战争期间又把场镇发展推向新的高潮,以至于成为仅次于涪陵大码头的专区第二大商场。归结一点:古人选址得当,基础至为佳美,舍此前提论今之龙潭则毫无意义了。因之龙潭之美,一探索水空间与建筑空间关系及其表现;二为良好整体山水、人文空间对文化教育、人才培养创造,是一种必不可少的时空条件。

纯粹的农业型场镇,它经济发展的顶峰亦不过把农业文明推向极致。在规划与建筑上反映出场镇布局更适应这种文明的需要,技艺和手法亦显得更为周密和圆熟。人在这种空间和时间的调剂中活得更加惬意自如。它对空间的追求逃不出农业文明的一切规范,它对自然的适应亦尽可能地保护和利用。但是,这总有一个极限,超出了纯农业本身荷载能

力，负担不起空间的发展，于是有的停止发展和衰败，有的便向农业经济的深度和广度拓进。后者便是川中场镇一类一段历史时期生存发展的典型，于是它把农业文明在建筑上的表现推向了更高一层的辉煌。自然这是有条件的，正如前述。

龙潭发展，关键得水。其广大山区平坝凡出产可资外运者，唯此为起点码头。这就带动了整个经济活跃。而直可下湖南沅陵、常德的长距离物价之差是直接刺激山区农副产品生产的关键。丰厚的利润反过来又带动本地手工业的发展。而各地各籍、各行各业的规模结集联络又维护着这种发展。于是在建筑上就出现了众多的码头、商号、作坊、宗祠会馆、民居等等类型。按理，这些建筑与水并无直接空间关系，仅是因为有水路发财而有钱修房子的深层心理联系。当然，场镇一侧街后立面与码头濒临水畔，和龙潭河以倒影虚实相生，产生了场镇整体轮廓线的美学韵味。也影响了顺河岸布局的街道走向，也以若干"水巷子"垂直于街面，疏通着河面。终是场镇与河面间有一段距离，不像吊脚楼那样和水亲近而显得有些隔膜。所以，如果说龙潭河水空间和场镇空间形态有哪些顾盼的话，则多为间接的，爬上屋顶观看又是可望而不可及的视觉、心理关系。造成水与场镇若即若离格局的根本原因是防洪。"易涨易落山溪水"旁的龙潭类型场镇，若两岸没有洪水警戒高程，只为临水之趣的美学享受而忽略生存的危险，这样的例子理论上是不存在的。若有这样的例子，则是只注重了常规而忘记了异外。自然，特大洪水年份将无情地冲击这种侥幸的"异外"。反观龙潭先人临水有条件的选址，其理该是何等正确。

故而，最具与水共乐共存，能发生生活（而不是生产）关系的空间应在街中段西向一井、泉、潭、小流四汇之处。此处小地名为"八卦井"，八卦井聚丰富地下水泉眼一处，又迎区公所上泉眼多处而溢流成溪的曲流于此。于是八卦井水空间呈现饮用八角"八卦井"，矩形非饮用水潭，绕八卦井而过的水流、井碑、平石桥，宽大的井岸、井栏等多种优美的"水建筑"于一体。又在较为宽敞的空间四周展开了若干住宅的建造，由于要和泉、井、流、潭的水趣相谐美，各家住宅又充分施展了财力、审美、设计诸般的较量。这就把"场背后"若干商家之宅与水的关系推向了共存共荣、须臾不可分的崇高审美境界。而其中吴绪均宅的临小流布局更令人回肠荡气，过目难忘（参见图59）。

吴宅门开二道，有两桥跨小流分上下入门进院落，以附庸"小桥流水人家"的雅致。两门入两院，知者两院内有门道相通，不知者误为各是一家。且临小流面门、栏、墙、道材料差异迥然不同。上流小院大部木构，下流小院门首全砖石之作。"材料误导"极易混淆判断。又是二桥各归各门，故而让人十分蹊跷。但两门构作不俗，上八字木门为骑楼门，骑楼为门庭四周走马转角楼内回一圈的部分。进门便是一天井，"堂屋"全无，又为过道，且不和门在同一轴线上。厢房空敞，故庭院显得极不拘束。精彩在二层走马转角楼上，它虽为内向型回廊，但以二层厢房联系，精湛处又在右侧临小流部分，凭窗探头俯下一望，小流潺潺，流势忙忙。流声不巨，恰到好处。再走到八字门右侧，原为一搁置在临水石墙上悬挑出的木楼，最风雅者莫如此间，疑为读书楼。然镇人说绣花楼、小姐楼。这是光线、环境、视野、位置、空间、作法最舒适的房间。外转角处凸出三面位置恰有水环护,下为石墙,高在一丈四五尺。把最优雅的空间安排给予读书人、姑娘,把最美的建筑和最美的事,最美的人生段和谐共构,只要国人有这样的条件,同样照修不误,这正是中华传统建筑不同凡响之处。

更精彩者在"堂屋"通道后的花园。花园无花,仅一空敞平坝,三围全为高数丈的砖墙,实在叫人赞叹不已的是:"爬壁虎"藤蔓彻底封满了墙体,没有一点砖的空隙,有的越过墙头直向瓦面铺开。这是何等杰作、奇想异开的花园绿化。对照木构部分的神工鬼斧,绝非野生漫无边际的浪漫。进得花园后的满目墨绿,由天井封闭体转而全开敞的绿色惊喜,再上回廊凭窗左右上下转承的心境起伏调动,身不由己,小小空间驱使你前仰后合。设计人通过建筑活生生令你流连忘返,令你神秘莫测,难以捉摸。这后面究竟要告诉人一个什么样的问题呢?

下流过石桥,经两折两转入砖门,为朝门(川西叫龙门)状,内有屏门斜开,显为风水所为。斜开方为正南,为方位的修正。而二进小巧的庭院,尺度极为拘谨,然整体中

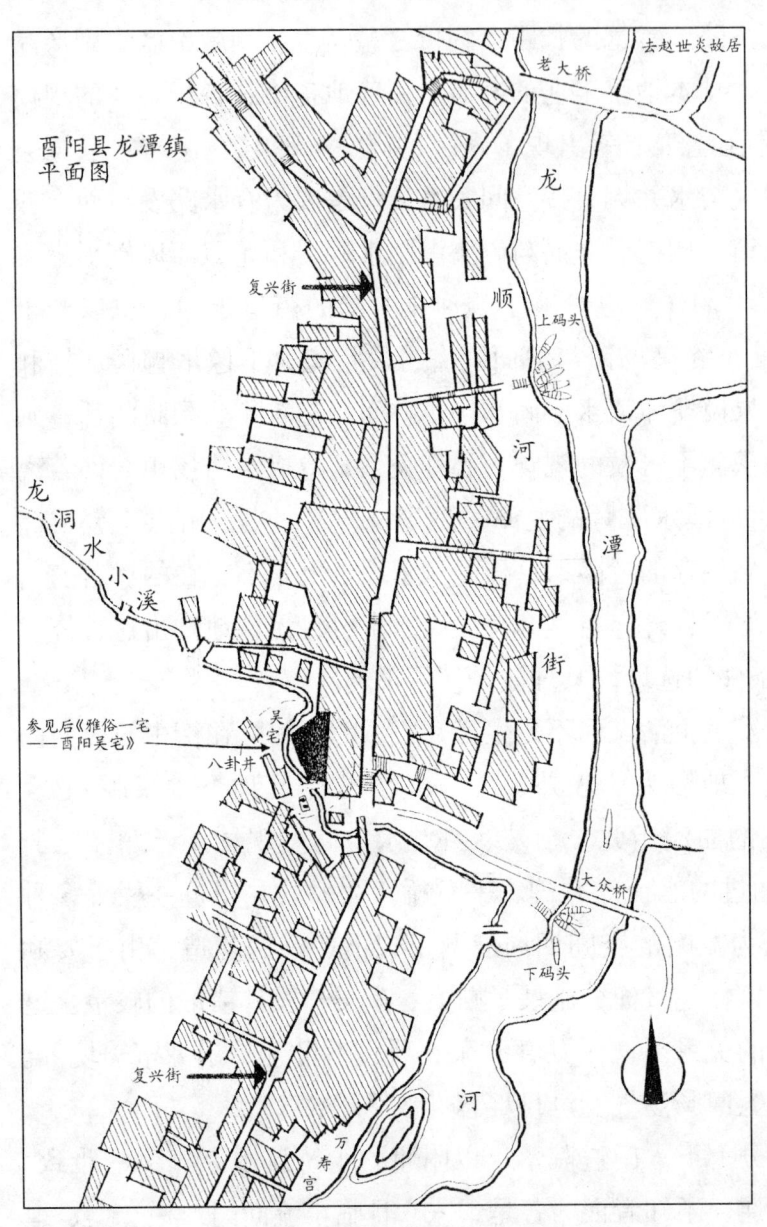

(图7)龙潭镇总平面图

轴空间除仅留一香火木壁之外,前后天井慨然通敞。于此进深也不过才四丈左右,如此空间还要做两个天井,亦算精工到极致。因此,前天井融进了朝门,把天井变成了多边形,后天井仅耳房左右,后仅一高墙为之。姑且不说小,还要再加楼、加楼廊。那么整个庭院是否狭长而阴暗了呢?不仅光线明媚,且照得镂花雕兽更加楚楚动人。此院为家人常居,故工艺规范讲究,格局方正。前述有后花园的庭院为读书、休闲、玩乐、后辈人居住,故

格局别致自由。两院并排,有一条小巷连通,穿过一道封火墙,即成一体。而这"两院一体"还仅仅是吴宅临街前店后宅的后半部分。

吴绪均,江西籍人,言在曾祖父手上就有此宅。吴已60多岁,故宅有一百五十多年历史。因做桐油、土漆、五倍子生意,长途贩运常德、汉口等地发迹。在吴绪均父辈手上败落,后花园一度曾开马拉碾房。但整个建筑保护完好,是龙潭民居,亦是川东民居精品。

吴宅虽精彩,亦是以井、泉、潭、流构成的水空间外围住宅一部分。其他围绕的住宅亦各具情态。由此共同烘托的镇情、乡情、水情、建筑情,以及多"情"共构的传统建筑文化氛围,虽不是场镇的街道、店面,无市街的喧嚣,且仅为场镇街后一小景点,但它深层次地传达出了追求商业利润后面,亦有人更本质的一面,即人为什么活着、怎样活法,更为潇洒的一面。而这一面又依赖什么样的思想在支撑着他们,于是又只有回溯到传统文化的立脚点上。

除上述外,南外场口有一幺店亦值得一提:川中古场镇于道路临进镇头处,往往于一大树下,巨石旁,流水边,桥梁头设一、二户人家。或卖凉粉稀饭,或干杂百货。此即闻名遐迩的川中"幺店子"。龙潭南外幺店夹两小溪之中,一廊桥一石拱树分列幺店两头。四周杂树斑竹,田野闲草。在整体空间上和场镇似无关系,然又明显依附场镇而生存。若

(图8)龙潭镇民居组团屋面

即若离的位置是传统场镇空间形态极为宝贵的规划财富,十分值得总结。

龙潭民间流传一首打油句子:"左有白岩挂榜,右有龙洞保山,上有猫儿镇潭,下有鲤鱼漂滩。"这是老百姓对于场镇大环境的整体把握,是自己处于一种特定环境的自豪感,是朴实的乡土环境观。在这样的自然环境中,经济一旦允许,它将把建筑类型尽可能地完善。因此,龙潭除店铺、住宅外,尚有水神庙、文武庙、万寿宫等等"九宫十八庙"的寺庙建筑和宗祠会馆建筑。这些建筑内几乎都有戏楼,伴随着清以来戏剧发展,控制支配着百姓很大的精神空间与时间。建筑上亦以宏丽、高大、精美丰富整体场镇的外轮廓线,又以精湛的工艺改善着场镇内部空间秩序和蕴含。这就形成了场镇人文形态从整体到内涵的统一。亦和优美的大自然环境相观照,适成一方儒雅风气出现,自然启动教育的开展。

龙潭素以文化教育之优享誉川东南,虽教育建筑已尽在尘灰之中,又无特别的壮丽、宏大、峻拔于镇民记忆里。然学子于完美自然与人文环境中胎孕而出,又置贫困山区强烈的贫富之差的巨大对比之中,就思想的接受必然以社会作检验。因此英才辈出不能说没有环境的哺育和熏陶。具体一点,单就乡间风雨飘摇的简屋陋房与镇中豪宅华居对照,不难追寻差别之原因,这往往成为震撼青少年心灵的"震源",而导至他们追求真理的"启动体"。于是,像产生赵世炎、赵君陶(李鹏母亲)、刘仁这样的一代革命者,亦是情理发展的必然。

总之,农业型中心场镇的发展,依赖着农业本身的若干条件。反过来它又带动包括建筑在内的诸多建筑类型的空间拓宽与空间深化。它和历代建筑选址、设计、营造的风水、儒化、宗教、民俗结合一起,极大地改善一方空间形态,改善人的生存状态。

惜土方寸——合江福宝(图9、10、11、12)

合江地图如两叶肺,东南"肺叶"几乎全在福宝和先滩两区。广大山地、丘陵、小平坝从南向北逐渐下落,各为一方中心。福宝界毗贵州赤水、习水两县,正处在山区与长江的过渡地带。因此,福宝地理位置兼农业中心和商业中心的作用。

四川是以山地、丘陵为主的省份,两者占盆地比例达92.8%。若尽选肥田沃土建场兴镇,亦是相当比例的浪费。古人场镇选址,就是在人口尚还稀少的时代,亦惜土如金,前瞻后顾,既想到今日可以生活生产,又顾及今后的发展,以泽荫后人不说,又兼得体的美感。更有甚者还利用天然特殊地形,有力控制场镇空间无序的恶性散乱膨胀,使意欲乱搭乱建者不得胡作非为,又迫使你依据特殊地形随整体而延伸。如此虽往往后来者选择建房余地尚少,有的甚至看似几无选址余地,被逼于穷境,然绝处逢生之地亦正是不少巴蜀场镇优美之处。论其内核,实为珍惜耕地所致。辟如,两河交汇的三角地,一河急湾的曲回地,山脊、山垭、薄土石滩、傍岩之地等等,均占据巴蜀场镇选址的很大比重。仅此一点,即应为当代现代小城镇建设必须看重和借鉴。后顾之患在于,若相反为之必将导致农

(图9) 建在山脊上的福宝镇

业耕地面积缩小和人口不断增加相互以恶性循环。

四川盆地复杂的地理环境,错综变化的地形地貌,大大小小密如蛛网的江河溪流,给古人选择场镇的兴建提供了珍惜耕地观念极大的回旋余地。既普遍如此,就不是一时兴趣所致。合江县以"泸、纳、合"三县之谓声满全川,意即是一个物产丰富的长江两岸一片有行政归属的区域。在这片土地上,历来农业发达,副业昌盛,因汇贵州北部的赤水河和迎盆地横穿而来的沱江于境内长江聚集,亦交通方便,是黔北、滇东北、川南物资集散中心。在形成泸州、纳溪、合江三大城镇中心外,其外围又构成数以百计的农商型场镇。它们起着跨越两省行商的过渡转承作用,又独自为地理、历史、行政、文化、经济等沿袭下来的更小区域中心,这些中心或以区,或以乡相称。其中心场镇选址多在河流之旁。如何选址得当,如何瞻前顾后,恐多属没有"长官意志"规划的民间俗成。

福宝居于塘河中游,是两山狭长地带中心,又是本区和贵州赤水、习水两县物资运输必经之地,同时还是辐射山区的交通枢纽。按理说此般场镇兴建,选一临河安全的平坝为之,对街道、对建筑的修建均带来不少方便,亦节约经费。更重要的是对过去以步行为主的客商,四周赶场的农民也减轻不少爬坡的痛苦。然而从福宝场镇选址伊始窥视,无论它开始以几家鸡毛店、幺店子开始,就似乎没有想占平坝良田美地的初衷,而是把自己置于一条高高的单薄山脊梁之上。这就出现了若干年后我们看到的现状:一个十分壮观的川南小山城。

圹河由山里流到福宝时,有一季节性小溪于此与其交汇。在交汇口约几百米的地方又转了一270度的急弯,急弯因山麓的余脉成脊峰状造成,于是形成鱼脊形半岛。"鱼头"向西,正是小溪急弯处。"鱼脊背"是场镇的最高点。"鱼尾"向东,紧连层层后移的山峦,一边又沿圹河川黔古道向遥远伸去。川黔古道顺"鱼脊"一上一下经"鱼头"石桥下合江,古道和圹河流向分道,各走一方。

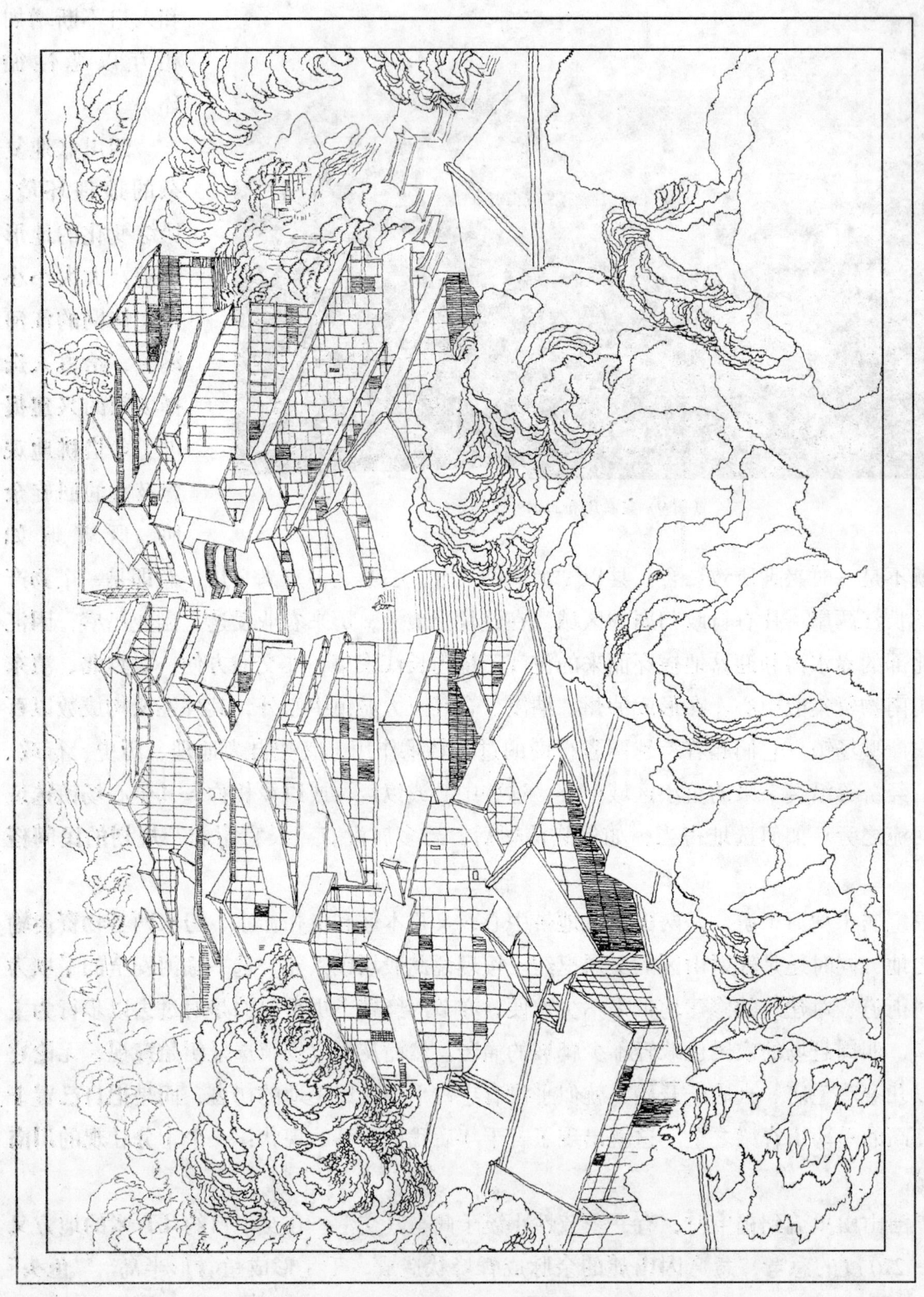

（图10）福宝集东侧面透视

若从最高处和小溪的垂直高差比,约在80米左右。山脊横断面宽不过八九公尺,脊上街长却只有100米左右。这样一条鱼似的半岛上建场镇,广兴建筑,其意义应为不占耕地为首要,其次才是风水之类。由于场镇为独路窄街顺山脊布局,实则构成了场镇空间稳定发展框架。而断面拱背状的两面陡峭斜坡,又把街两旁建筑的难度推向更高层面。但有一点,即为不出庄稼的陡坡,其地况往往是坚硬的岩石,即俗称"石谷子"滩滩。若在上面建造干栏式多层建筑亦可获得坚实的基础。且给齐平街面以下各层造成更多可利用空间。由于四方皆陡,各层的利用可直接组合卧室之类要求光照苛刻的一类房间,而不像多数临岩干栏住宅,齐街面以下各层仅作畜养与堆放杂物。因此,福宝街两侧民居不仅高达五、六层,且进深,或者说齐街面一间的伸出跨度有达30米的,虽间有若干柱子支撑成网。正是这些柱网的排列,构成了柱间联壁隔断划分空间的若干界限。因此,因陡峭地形不利建房因素化解成积极的空间利用。若是摆在平坝之地建房,恐难以成全更多的空间追求。且干栏建筑通风干燥,对人身体健康有利不说,山区物资集散屯积多为粮食、山货怕潮湿的品类,堆放在这样的仓房内,亦大可放心。也许正是出于有这方面的考虑,才选址了四面凌空的山头。

街道随山脊的一上一下,又形成三段:东段石梯加平台层层上爬;中段平街在脊峰约有100米左右成主要空间段,是赶场和行政中心;再下西段石梯经场口平桥出街。其高差约在70米左右,于是就形成了东西两段建筑跌落状态,直接暴露出了两面建筑大面积的侧面。尤其是穿逗、柱枋划割的数以百计的方格子,一下把东西立面大群民居有序地组合起来。面积不甚悬殊的竹编夹泥方格,是川中木构建筑普遍采用的墙壁制作法。它上面有的抹黄泥,有的在黄泥上再涂石灰浆,于是呈现出白底黑框或黄底黑框相

(图11)福宝西侧街道空间

互间杂的视觉效果,组成了极为优美的建筑构图。尤其像福宝东西场镇大面积的立面方格子组合,如果没有东西面地形的突然下落,是不可能暴露出如此面宽格多的美学效果的。

恰此全面展示，把福宝镇整体空间形态立体地丰富起来。而东迎晨光的金灿把东立面照得温暖有加，待夕阳下山前，西立面更是染成红中有黄的橙色。辉煌之体跃然眼前，大气磅礴之势油然而生，巴蜀传统场镇特殊的空间情调脱颖而出。如果是赶场天，那人声鼎沸熙来攘去的人流，更是躁动着山乡平常太遥远的寂寞。于此，建筑作为兴奋剂，作为媒介，显得那样人格化，那样的人情味，那样的通情达理。它和农村、农民那样亲切，那样富于融汇。它为广大乡间农民而存在，是他们乐于进入而可信步闲庭的。一个场镇就如一块磁铁，乡间便是它的磁场。它具有凝聚力，一种心理的向心力。因此，老人、中年、青年、儿童皆各取所需地与场镇发生某些心理联系。在各自的空间想象中都留有一个场镇的空间形象，然而，平坝中的场镇空间形态，由于视觉面总是局部琐碎地留给他们记忆，是极难在脑子里组合成明晰具体的整体感。而福宝就不同了，它那拥有复盖一个山头的整体感，

（图12）福宝街道民居组团

那满山皆房屋的重重叠加，不仅以心理联系紧紧地控制着日常生活中的部分思维，更以场镇建筑整体形象不断地影响他们的想象和憧憬。立体庞大具有宗教意味的建筑可以给人永恒的记忆，而巨大的若干单体的组合，尤为在一个山头的立体组合，其感染力应大大强于前者。内因自在单纯与复杂、局部与整体、平面与立体等诸多形式感染力深度不同。因此，作为一方农商中心，不仅包括可操作的隶属、交换、贸易关系，更应包括场镇空间的一切看不见的"虚"关系。也许这就是建筑文化派生出的穿透力。它是由客观存在物质体生发而来，而物质体的形貌的不同凡响自然亦会产生主观意识的特殊感受。由此可见福宝场镇在规划建筑上的不同寻常。所以它的建筑与文化价值是其他场镇不可取代的，是具有特殊意义的。

福宝小山城由于陡街独路，在小城镇改造的高潮中，汽车无法进入，使得公路只好沿小溪对面修建。一切"新式"建筑沿公路而立，小溪同时成为一道天然屏障。无形中保护下来的古镇，而且具有特殊规划意义的小镇应是人类共同的财富。何况此类精品场镇据笔者经历，无论历史、地理、规划的独特性，整体空间形态建筑与美学的科学性、趣味性，

建筑文化的高品味性,农业中心型场镇的典型性,建筑保护程度的完整完美性等等均是川中独一无二的。1996年元月江苏美术出版社经笔者介绍,已把此镇作为享誉世界的《老房子》系列民居丛书之一的《老房子——四川卷》里的重点场镇介绍。目的是唤起人们对传统建筑及文化的重视。同时希图保护巴蜀传统场镇于一隅,使其苟且于僻远,待有朝一日重放异彩时,从旅游者络绎相属于山道,对山区尚还不富裕的农民来说,不啻也算是一种帮助。也许这是最不值得一书的。

农业中心场镇空间概说

一、土地是农业的根本,即使古代人口尚还稀少,耕地又很多时,古人亦惜土如金。凡山地、丘陵之地,场镇选址多于山麓与平坝临界点上。这里不占平坝好田好土,土质次于平坝,又多有河流作为坡地与平坝的天然界限。从交通上讲,又利于山区与平坝之间的交往,亦可左右辐凑乡间,是非常利于农业、手工业经济活动的良好地理位置。

二、山区与平坝交界点有心理上的进退适体的中心感,是古人和大自然斗争,以及人类之间争斗防御意识的残存。这种意识经时间积淀,渐自衍成风水学说理论,亦渐自完善了空间与时间同构。在这个过程中,容纳了农业社会发展中的文明现象,因此,亦可说依山傍水具有时间和空间的双重含意。

三、从物质的第一性上理解,风水之初,应先有山川客观存在的利于聚落的地理条件。嗣后遍而仿效,"按图索骥"去完善这种地理条件,这个实践即解释物质第一性的过程。在科学落后的时代,"风水解释"如果不具有利于人类活动和健康的因素,那么这种现象则很快消失。但为了强化和渲染这种现象,又导致泥沙俱下。所以以这种地理位置为中心的农业场镇,是物质和精神并行不悖的历史结果。

四、于是农业中心场镇在建筑布局与整体规划上必然反映出物质和精神协调关系。因此,街巷河道与四野的联系畅达,有大量的精神建筑和民居、文教建筑、交通建筑等有控制地、有寓意象征地制约着空间的生成、发展、布局,直到带预见性的最后空间形态形成。其中充分地估计到作为一方中心,在物质精神两者间对周围地理、经济、政治、文化等方面的约束与吸引。

五、特别注重对赖以生存的自然保护,突出表现在绿化、水土流失、河流生态诸方面的强有力的保护。唯此虽泛滥了风水的迷信色彩,但客观上维护了中心的人文面貌,这是不能用现代治理理论去要求历史的。因此,川中场镇过去皆为自然、人文之美的大成。

沿江场镇

四川地势起伏显著,地质构造复杂。大部分地区降水丰富,使得河流纵横,水网发达。省内有大小河流 1300 多条,若加上支流小溪叉河,则不计其数了。所以川中城镇分布有 95% 在临水的江河流溪湖泽边。而可通航者主要是长江流经四川境内,从屏山新市镇到巫山碚石场的段落,俗称川江。还有嘉陵江、岷江、乌江、沱江中下游等河流。川江和川江支流在四川盆地构成庞大的水上交通体系,是古代交通的动脉。由于交通之利,商贸之便,沿江地区又是农业区。因此,自古以来绝大多数沿江地区都是经济集中发达区域。于是给城镇的产生和发展奠定了基础。至清代前漫长的历史长河中,这些沿江城镇多已毁灭。现保存完好者几乎都是清以来的发展。虽不少在毁灭的街道格局上重建,很难断言就是古制纯正的复制。不过重建亦有重建的韵味,所以,川中沿江城镇亦是风姿万般,仪态不凡。无论从城镇整体空间形态、人文风貌、格局布置、道路构思、房屋穿插与江流顾盼等等,均有不少特别之处。有的布局可谓万里长江孤例,独此一镇,堪称绝世之品。

云梯千步——石柱西沱(图 13、14、15、16、17)

三峡地区川江及支流,清以来人口激增,河谷与山区垦殖发展迅速,又为全川农副产品出川唯一咽喉之部,长江干流及支流城镇发展势在必然。如同治时万县江北有 31 个场镇,江南有 18 个场镇,其中以新场、武陵、龙驹坝场最为

(图 13)西沱街道及民居

繁荣。光绪时长寿县有 20 多个场镇,丰都到民国时已多至 76 个场镇。沿江有西界沱场、林家庙场、高家镇、蔺市诸场镇最为昌达,"户口稠密、生意繁盛"。而支流诸如大宁河之

二、巴蜀城镇类型

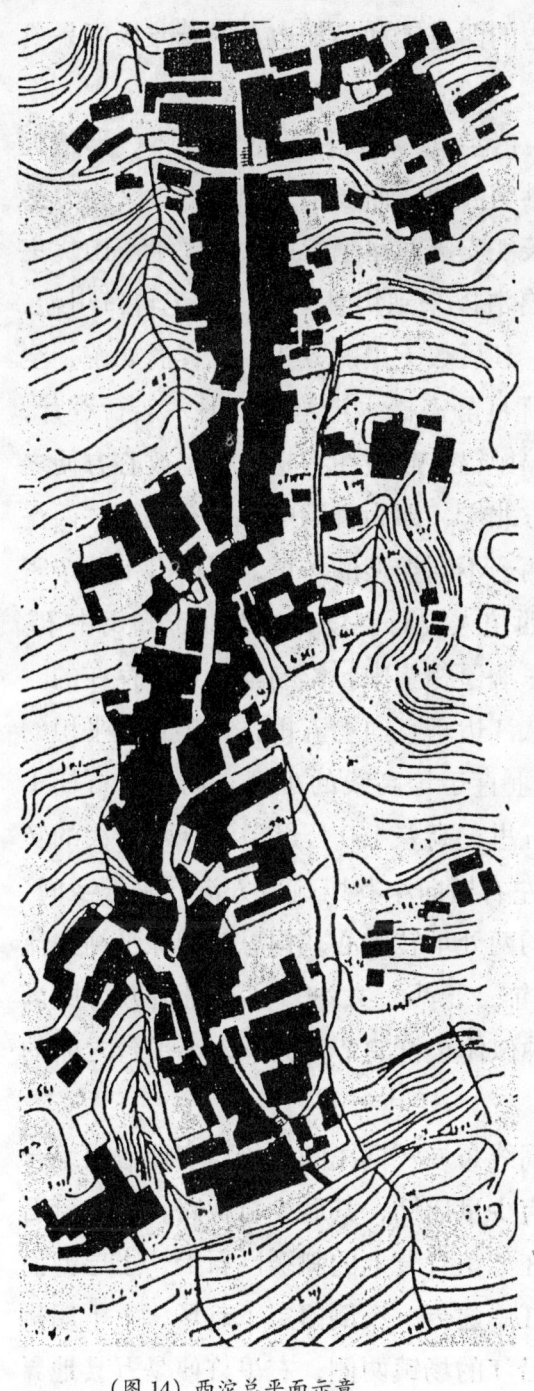

（图14）西沱总平面示意

（图15）层层上升的石梯街

大昌、宁厂，汤溪河之云安诸场，乌江沿岸场镇如江口、龚滩诸场，亦是热闹非凡。整个下川东沿江场镇与城市的食品消耗量，如民间流传谓之"千猪百羊万担米"，呈现出"场镇滨江者繁盛，山市小而寂"，沿江大镇与山区小场在繁荣程度上的强烈对比。青年历史学者蓝勇认为："一般讲大江两岸的城镇优于支流上的城镇，大支流的城镇优于小支流的城镇，开阔江岸的城镇优于峡谷江岸的城镇，东部和西部的城镇优于中部城镇"。一时各口岸纤夫如兵勇汇聚，骡马不绝，茶馆、酒肆、栈房毗列。人烟凑集，华屋连云，室宇门闼，高墙厚垣，檐牙相接。三峡沿江两岸城镇历史上最辉煌的时期自然产生众多个性特异、格局非凡的场镇空间形态与风貌。其中长江岸边的西沱镇和乌江边上的龚滩场便是典型之例。

西沱，原名西界沱，是黔江土家族地区唯一长江港口。属石柱县辖，为"一脚踏三县"之地。地处长江南岸，放眼江对面即忠县与万县交界地，而场镇东侧里许，又为万县界。西沱被置于"大水路"的边缘前端，实则成为长江支流龙河上游广大山区土产山货集散地，故山民言场镇必称西沱云云。更有湖北客商自清以来到川县一带于西沱转口川盐，并以山货作回头货，一时众多山道由西沱辐辏乡间。其后数十里的方斗山上客商如游，至夜仍有灯笼火把于山道闪灼。而西沱江面为凹字形优良静态深水港湾作古时木船行程计，由重庆、涪陵下万县，或由万县上水，此处无论泊船抛锚、起坡住宿吃饭都是放心方便之地。还有一点值得注意的，西沱斜对面的长江上游方北岸，即为誉满中外的石宝寨。西沱选址，轴线不以石宝寨为对景，虽咫尺之遥，仍属两个不同类型的场镇，但仍有十分亲密的顾盼关系，石宝场知西沱场人与事，如数家珍。西沱人说石宝场，亦老幼皆知街中事。其两镇都在相互视线之内，又经常走动，十分密切。遥遥相望中，影响也是互为存在的。

西沱汉代即有码头，全盛于清中叶。整个场镇从江边垂直向上五里，直爬到较平坦的地势。据笔者有限经历，是长江唯一全程也是最长垂直于等高线的小镇布局。故石梯千步，如登天云梯，又称云梯式场镇。千步之梯长达五里，高差160公尺，中有两个大的转折平台，80多个小的间歇小平台。大转折平台沟通左右横向小巷以疏散人流，聚汇乡间，联系街后建筑。此两转折构成从上到下，从下到上的两处承转中心。构思基础除平衡人流减轻主街的压力外，亦可说是一种主旋律的道路修饰，长短、大小、宽窄之道方可圆满"直通天上"的亢奋之歌。而80多个小平台则是一种似休止符的节奏关系，小平台之间的石梯就更像音节之趣了。

何以千千沿江坡地城镇，唯西沱全程按垂直等高线布局？据民间流传与实地考察综合而论，一是捷路，直线短于斜线；二是江边古时就有少量店铺，其后少石板路，多在巨石上凿石开梯，已成直线路坯；三是整个场镇就座落在如鱼脊背上的斜缓巨石上，土层薄而易干旱，占基建屋不足可惜；四若按平行等高线沿江岸建街，反倒懈怠了赶场、上下船货的人流。因为绝大多数人流均来自于场后山区，而沿江的场镇两侧，右里许便是万县地界的无路陡岩，左侧农业区不是大路，不少赶场人亦被江对面石宝场吸引。而沿江建街还要付出代价占据别人田土；五是场镇基础略高于两侧，利于场镇左右排水；六是垂直踏步面迎长江，行客可毫无阻碍地观察江船动向。综上诸般一句话：皆为因地制宜结果。

于是老人讲：在北岸看西沱，尤如一根乌梢蛇仰晒肚皮，蛇肚皮上横着的一白一黑的花纹恰是由江边直上山顶的石梯。那江边镇头的禹王宫是蛇头，左右龙眼桥是蛇的眼睛。这等于形象地描绘出了全镇的整体空间形态。而沿着骨干之道两旁的爬岩攀上建筑，亦血肉般地丰满了全镇的空间。从江面乘船而过，看到是层层上叠，鳞次栉比的人字山花墙面，墙面竹编夹泥墙体又被柱枋巧妙地划割成若干小方格，其色或白或黄。

二、巴蜀城镇类型

(图 16) 云梯街气势图

建筑特有的线、面、色组合空间韵致，作为艺术一下投入眼底。而垂直，大量的有序叠加重合，更以大气磅礴的恢宏之势谐以江流广阔的浩瀚，让人感受到一种特殊的空间巨制。如果按前述石宝寨场和西沱场在空间影响有某些内在的联系的话，石宝寨爬山附岩十二层寨楼尤如西沱形貌造型的街道与建筑的浓缩，只不过一个以阁楼式建筑攀附笔陡的巨石，

(图17) 西沱镇屋面与长江关系

另一个以民居为主体层层重垒于更为巨大的陡斜石坡上。一个是藏路于楼内折转回旋而上,以楼面为平台的精神建筑。另一个坦路于民居间以80个平台为承启的实用组合建筑群。若论二者不同,显然尽在建筑体量,而神韵之似,一点即破。如此酷似又近在咫尺,亦同在一视野之内,万里长江难觅二例。此难道是一种巧合?当然谁先谁后,谁影响谁启发谁不是至要,关键在两种内涵不同的空间形态居然有诸多太相似的生存条件和同样不凡的建筑面貌,以及绝然不同的建筑美感。如实有其古典民间匠人百姓的通力合作与借鉴事实,那么这种以神似和形似相结合的借鉴范例当属古典单体到群体民间建筑的极品。因为说到底它是因地制宜的创造是个性风格极为突出的孤例,是两种功能绝然迥异的结构体,是反差截然不同的艺术,更是中华民族特具巴蜀区域色彩的建筑文化。可贵者还在它对当代继承弘扬中华传统文化的应用性。这正是学术界焦头烂额争论不休的大问题,它至少给当前学人这样的启示:(1)如何创造有特色的小城镇;(2)创造中如何继承借鉴前人的"内功"手法。(3)不同功能作用的建筑相互是否存在借鉴基因;四、继承借鉴讲不讲"此时此地"的时空条件而因地制宜等等。

让我们再回到"云梯千步"两侧的民居。西沱场除前店后宅的大概念外,其式样仍是非常丰富的。它基于传统建筑集思想、功能、空间、地形为一体的思路,虽限制多多,仍遵循或尽可能地象征,把宗法伦理秩序揉进住宅的建造中。选址尽量利用高差,尽量凿宽基础平面。以石梯作为联系各平台基的过渡,过渡不怕多,多一步石梯,则多一尺平地。这样便利于传统合院制的开展,才利于宗法伦理赋给建筑的有效发挥完善。如此亦更把正房堂屋一层层推向最高处,高朗光照好不说,亦显得祖堂的神圣。而侧有朝门通道和街面相通,上有挑出的转楼俯览庭院江流。下石材基础坚固,上木质穿逗结构粗犷。围合而有天井的庭院虽大小有别,然情趣有不同于平原的阴湿,光线普遍明亮,亦显得干燥而不失必需的湿度。若宅基窄长,不利于合院式开展者,以店作门再以小门通往内宅,不少人家借此向空中要房,向宅后要"天井",或建三五层楼,或建后花园以阁楼以挑廊完善弥补宅基不足。恰此状况者,其建筑最有特色,最为动人。原因所在:先天不足逼着宅主非动脑筋不可,窄缝中求生存,反倒风姿绰约,格调雅致。川东沿江喜在薄土层上栽黄桷树,以其根长而大广吸水份的生长特点使得垭口、山顶、桥头、宅旁呈现生机勃勃又实用遮荫的特殊景致。西沱场两侧为山上水田多余水的排泄道,若干小石桥或卷拱或平梁式串通场镇,其边亦大小黄桷树、竹丛、杂树簇拥,从江上看,和建筑谐为一体。充分体现了窘境中建宅建场镇,亦不忘绿化不忘珍重自然的传统天人观。

最后,整个场镇高低错落的变化首先取决于整个场镇基础的丰富变化。地面不仅有石梯平台,它还包括堡坎、石栏、涵洞、天然石路面、转折的岩墙、石凳、街沿、小桥、流水等等一切与地面直接和相近部分,这些都是石作,自由发挥到极致。作一设想,把房屋全部都拆去,只留下地面部分,那千变万化石作艺术在长5华里、占地1350亩的大面积上,该是何等的辉煌。

峡街五里——酉阳龚滩(图18、19、20、21、22)

龚滩镇,古为涪陵郡汉复县。《寰宇记》:"涪陵汉复县,属巴郡,蜀立郡于此。"刘琳《华阳国志校注》:"汉复县,三国蜀汉置,属涪陵郡,治所在今酉阳县西龚滩镇。"建镇历史已有1700多年。

(图18)临岩而建的龚滩古镇一角

虽历代政权更迭,龚滩镇行政所属基本为酉阳县境。民国 23 年统计,辖 7 保,18 甲,1300 余户,人口 6000 多人。

　　龚滩古为巴人之境,是土家族先民——"巴蛮"中的一支活动地域。境内汉墓、画像砖可以证之。川东南土家族史称"西南夷"、"黔州蛮"等七姓,"龚"姓便为其中一姓,唐代居住龚滩镇上居民多龚姓,故得名"龚湍",后呼龚滩至今。据传那时已有因农副产品交易形成的市场。而真正形成市镇恐为明代。明万历元年(1573 年)乌江东岸凤凰山岩崩,大量巨石滚至江心阻塞航道,于是上、下船只只好卸货下人转至对方船上,俗称卸载搬滩。这古往今来的上下游一上一下,又在滩的上下游汇集数百船只,一时商贾、船工、搬运工云集,又带动周围农民为其生产生活服务,这就极大地刺激多功能市镇的发展。这种发展碍于极特殊的自然障碍,若兴镇于西岸,显无选择余地,西岸贵州境内陡岩在 70°至 90°之间,绝壁悬岩,可谓一筹莫展。东岸亦是陡坡,也在 40°左右,但无退路,惟此砌坎铺路择基不可,于是龚滩百姓极尽人类建房智慧之灵气,形成了巴蜀小镇中极为罕见的狭谷险境绝处逢生的建镇奇观。原酉属专员甘明蜀 1933 年这样描写龚滩:"龚滩处恶山环拥,险水纡回之中,环顾四周,悬岩壁立,无农作场地,无牧畜草野,仅能于湍如矢奔中流,看见几处如猛兽搏人形状的怪石,错立其中,把奔腾水流,激起绝大浪花。喧声震耳,如大雨打蕉叶的声浪,上下船筏,以此滩为分水岭,谁也不敢越雷池一步。"

　　龚滩之成要镇,与其说商埠不如说转运站,商品流通至此,本镇消耗微微。数百吨桐油、木油、生漆、五倍子、向日葵、猪鬃、牛羊皮、兽皮、粮食汇川、黔、湘三省边境之巨由此转下涪陵、重庆、汉口。然后又以数百吨的川盐、红糖、白糖、烟酒、百货由此再转而运销三省边区。尤为清中叶、清末、抗日战争时期以龚滩为中心的盐务繁重之势,更加促进了市面的繁荣,故至今无场期,号称"百日场"。

　　因此,沿着与乌江平行的东面坡岸上出现了一条长达 1.5 公里(民间称 5 里)的狭长街道。街道分为三段,上游段形成以"红庙子"即陕西会馆为中心的建筑组团。至"第一关"起到转角店罗家盐仓形成中间段。两段间以夏家院子后的一棵巨大黄桷树为天然分界标志,同时又形成两街间的对景。中段核心公共建筑川主庙、董家祠堂于是傍依其下,形成核心空间区域,众民居仰其项背形成三段中最长的街道与公共建筑组团。下游段由转角店到廖林贵宅,其核心是"杨家行"大宅,众民居皆围绕杨家行修建,适成下游段众望所归似的民居组团。

　　三段街道因历史上火灾、洪水之患,皆时断时续,恰展示出原密集之中的疏松、开朗,暴露出诸多民居的侧立面,又留出了大片产生距离美感空间空地,于是干栏之气势,石砌之宏伟得以充分展现,可谓因祸得眼福。而三段街道为一体的民居与宫观寺庙长廊中,又分为临河与傍岩两列式。临河一面多干栏(吊脚楼)式,它和石砌堡砍相结合,构成 1.5 公里长的干栏大观,形成三大空间特点:一是至少在巴蜀境内表现在城镇形态上的,至今尚存的最大干栏组团。而摆在全国比较,也还没有发现类似空间形态的壮观例子

二、巴蜀城镇类型

(图19) 龚滩镇解放街·川主庙·董家祠堂·黄桷树

报导。二是单体干栏之高有达近20米,共6层的多个实例,也是罕见的现象。三是单体面积有多达数百平方米者,同是干栏民居不多见的奇观。因此,从临河江岸仰视,干栏柱网密如森林,皆"生长"在乱石陡坡之上,粗粗细细,长长短短,正柱斜撑,多多少少之阵势，构成中国建筑三大起源色调，干栏式建筑大观，一座干栏建筑的博物馆。

傍岩一面虽数量上多于临河面，但家家建宅亦多费心思，家家有坎有梯，迂迴曲折，并处处又与干栏相结合，柱虽不高，恰是坡地干栏建筑深度发展的必然。因此，可以说龚滩干栏建筑群，不仅使今人看到了古代干栏遗风，又使人领悟到干栏的历史发展。另外，由于公共建筑占地面积较大，亦多摆在傍岩一面，也是形成傍岩一面建筑特色所在。

统筹古镇的道路系统中，自然1.5公里长的主干道路是脊梁。它的特色是，直中有弯，起伏跌宕，路桥一体，宽窄随意。并和江边码头、滩涂、石岸公私若干上行小道，傍岩若干下行小巷交叉构成十分方便、神秘、优美的道路体系及景观。惟石板油亮之色，石梯弯曲多姿之貌，净洁可卧的街面，综民风之情合成龚滩古镇道路之美。更使人在建筑深层次的审美中唤起在思想中埋得很深的隐秘兴奋点。叹为观止间，转而注意烘托，铺垫房屋与道路桥梁的堡坎，尤过江在对岸整体通览，其漫延之长，高差之巨，作工之巧，工程之恢弘，又使人一番赞叹。须知者，这是形成房屋错落、高低、大小、形式诸多变化极重要方面，谓之基础，正是此意。然而它的美感常被人忽略，实则工程、工艺、石质石色的合成美是一种更震撼心灵的崇高美。比如杨家行下码头的私家石梯道，本为专作盐巴下船入仓之用，其"之"字形宽敞造型，使人行走惬意，它依托宽窄不同堡坎和石滩凿步开梯，人行其间，全无狭谷陡坡间惊恐，反倒如履平地，简直是一种道路艺术了。当然，各家各户都有道路因地制宜的各种作法。统归一点，皆精心设计，用心构作，绝无马虎之状。实在是古人遇事皆认真，巧作德性之美的大成。

古镇水系，除镇后半山有一"四方井"自然泉源有溢水常流不歇之外，多雨水冲刷成形的水沟，雨大成溪，无雨干涸。因此，在与道路交汇时皆有桥跨越。故古镇又有桥多桥妙的美誉。如"一沟十八桥"，即邓家岩上观音洞有一小溪从群屋中穿行，百姓便于恰当处搭各种桥，有石拱、木梁、石梁桥，该宽则宽，该窄则窄，多桥面与街面齐平，不露声色，过桥还不知下有桥。这也是坡地建筑尽量不作桥栏，拓宽路面作法的因地制宜。

综上古镇选址、道路、水系三基础的千年磨砺，历代万人精心权衡，谁处该如何处置，多一步少一梯对行人有何影响？实则如今言已处处到位，这样复杂的特殊地形能处理好构成市镇基础的多方面因素，显然有一股人文力量在制衡古镇千年发展。那就是儒化之风的渗透，核心仍是"仁"为主脉的道德力量。虽然龚滩不是传统的农业中心场镇，但交通、商埠型场镇仍是农业社会体现农副产品交易、流通的特殊形式，或者说一种派生形式。所以，治镇之本是绝然离不开儒教制约的。那么在此基础上产生的建筑，则和其他类型场镇并无本质区别。

古镇房屋建筑分两大部分，一是民居，二是公共建筑。前面讲了，龚滩民居最大特色是干栏式，其次是石砌加干栏式。和至少表现市镇形态上的组团比较，尚存的规模是目前川、渝两地无与伦比的。而单体之高，面积之大也是罕见的。比如转角店罗家盐仓及颇负盛名的"半边仓"，"一半实地，一半凌空"，不仅体态高大，且造作独特，空间组合亦别

(图20) 龚滩镇傍岩临江人家

(图21) 龚滩"杨力行"民居透视

具心智。还有郑道明宅，独家占据一孤岩，面阔达约20米，进深约10米，面积在200平方米左右，下柱网密布，气象幽深。像类似大宅还不少，此构成古镇民居干栏部分主体。其悬空于河岸，间以若干小宅，高高低低，互为依托，使得木构干栏体系的空间特征得以充分展示。而多数还以齐街面一、二层少于街面以下三、四层的区别，产生出功能分区和物以致用。齐街面者做生意，作卧室。以下货仓、厕所、杂物、佣人居室等。

民居之结构通为穿逗式，全为通柱，用材粗壮，做工严实。因街窄，不像平原场镇屋檐伸出加檐柱以成檐廊。而采用长出檐，长排枋作法。实为同理，均为赶场人遮雨挡太阳着想，又保全板壁不受溅雨湿朽。临街一面因作铺面者，显得立面雷同之外，不少居家者仍把大门、门道、踏步、窗棂、栏杆、斜撑、吊柱、枋头等做得极为得体。无论何处如何构思，全镇似有一不成文的规矩，不与街道相争，以维护街道的畅通。就是在街面上加一步家门口的石梯，亦"倒棱"把锐励的方角打磨成圆弧形，以防伤及路人。在所有民居临江的后立面，家家都有门、窗、栏杆、挑台与江面疏通，亦成为装饰上最讲究部分。由此可见热爱自然环境的优美情操。另一部分石砌加干栏民居，因内部为干栏结构，外部有封火山墙左右挡护，下有层层堡坎叠砌，有的见不到街面以下的柱网，有的支撑柱变得短矮。所以它没有上述干栏全然以木构暴露得充分，因而姑且呼之石砌加干栏。封火山墙一式进入土家族地区，显然与苏、浙、皖、渝、涪等地商人来此开店设号有关，是土家族接受中原文化在建筑上的流露。而龚滩位于汉、土家两民族的交融点，其溯乌江之上15里，两岸各有一寨，左重庆秀水，右贵州鲤鱼池，各40多户与20多户人家，前为土家后为苗家。民居皆地道回廊重楼、翘角飞檐干栏式。龚滩以下再也没有如此淳厚的村寨了。因此说龚滩是多民族文化交融点，亦是此理。石砌加干栏至为典型者是下码头之"杨家行"。杨宅始建清末，估计在咸丰年间川盐兴盛龚滩转口时，因杨家行以经营盐业发迹方才兴建此宅，并以底层作盐仓，仓门之外有相当精致石梯下码头，于此形成一处局部设计非常优美、完善的空间组合关系，是龚滩民居最精湛之处。杨家行宣统元年乌江大水淹及街面二层之下三尺，上游偏房若无"石鼻子"以纤滕缠护固死，恐已被洪水冲走。今之杨家行展示出来的风姿仍傲然挺立，主宅三层与上、下偏房错位的造型，使其成为古镇一处独特的人文景点。分台构筑的石砌堡坎与道路结

（图22）生活情调浓郁的宅边一角

合，封火山墙的高大严实，"三宅错位"带来的空间变化是它的突出特征。同时它又形成古镇下段民居组团的核心空间。像杨家行类似者，表现在傍岩一面民居中还有冉家院子等。

古镇公共建筑全盛时亦九宫八庙齐全。有王爷庙、三抚庙、红庙子（陕西会馆）、武庙、川主庙、观音阁、董家祠堂、文昌阁等。今仅存三抚庙、红庙子、川主庙、董家祠堂。这些建筑和川渝内同类在平面布局与空间组合上大同小异。进门为门洞，顶上为戏楼，左右厢房，上为主殿。坡地者主殿远高于戏楼，厢房有楼，有栏，以便利聚会时看戏，同又显示主殿的神圣。

龚滩建筑之美，可从整体到局部组合，再单体到细部宏观与微观两方面去把握。地处峡谷的古镇，东西高山挟峙。可从上游渡口过河，沿河岸漫步下行，于是对岸干栏组团，层层叠叠的屋面尽展眼底。你可以欣赏到局部组团的气势，若行至蛮王洞，经"惊涛拍岸"石刻爬陡岩上山约数十米，古镇整体形态则全收视野。断断续续1.5公里长屋面，如巨龙游弋。若欣赏单体建筑，街道景观则非流连古镇内部不可了。这里街道时开时合，时

有屋,时有树,时有流水,时而半边街,这就在道路平面上极大丰富了人的空间视觉感受。如果1.5公里长街两旁尽高屋耸立,必成深街黑巷,恰处处有开敞段与乌江疏通,借此以接纳光线,或开梯下河,或植树绿化,或给路人驻足窥视江面、环顾左右,或仰首坡上巷道人家动态。因此窄街虽狭仍不感局促、孤立。使人感到处处受制于整体,又处处获得空间段落的自由,还不断接受到全镇各局部发来的信息。这就和平直一条街一眼望到底的空间趣味大相径庭了。街道狭窄,一上一下,左拐右转,尺度短促,又迫使两旁建筑在立体形态构图上的饱满和丰润,细致而精到。这种局部空间的丰富和开敞段空间的交替感染,彻底消除了窄街狭巷的沉闷抑郁。有时倒还觉得多几段封闭街道以暂时消化、回味那刚才的美景,以待享受豁然开朗的又一空间景观,方才过瘾。这种富于节奏的,利用建筑封闭、半封闭、开敞的连续空间构成,首先依赖于街道的平面构成多变关系。平面之谓不仅是水平状态的绝对平面,它还以斜面、梯面、曲面组合成非理论的变化平面。于是产生了平面上高低错落,迭宕有加的立体面。

若再回到街道整体审视局部,上、中段之间坡脊上的黄桷树无形中把长街在心理上分成两大段。巴蜀城镇自古讲究以形胜治城,讲究街道格局中的风水意义。其中"对景"术殊为普遍,或山或岩,或巨石大树,总要诉诸一险要一风物为联系城镇人心"焦点",既与所谓标志物同理。龚滩黄桷树,形大体美,枝叶繁茂,不仅成为古镇人心依托偶像,亦成为上、中段街的心理与空间界线。它无形中影响街道分区,建筑的布局、形式、朝向。据说有人断巨枝锯成菜板攫取私用,镇人极表愤然。可见其在小镇人心中的地位。以树为偶像的天人观,实质在保护自然,尤其大树稀少之地,以此为崇拜。乌江两岸巨树多以红布挂枝祭祀,深层心理有唤起对自然挚爱的呼吁,对家乡的热爱,对水土保持不良带来的恐惧。所以古镇川主庙、董家祠堂、红庙子、关帝庙等显要建筑皆环护其旁,不是说一点与树无关。

综上西沱、龚滩二镇沿江一横一竖的空间布局,得之为不失和江流谐构的气魄。二镇不龟缩于江岸的隐蔽之处,而是面迎大江激流,傲然于陡坡江岸,体现中国人对自然依附中的改造,顺应自然中的空间拓展和对自然的完善。比起西方动辄征服,以主观动机彻底改造客观环境而言,是两种截然不同哲学观的结果。

岸畔百家——双流黄龙溪(图23、24、25、26)

沿江河场镇,作码头,做生意,交通商业兼而并存。然在时间与空间的分配上,不可全在赚钱单调的生存方式上倾其全部,亦有悦心娱情、信仰寄托的多种空间形式以消耗时间、充实人生。亦不可满街皆民居,或密不透风或封闭自缚,把自己限制在单调的时空环境中。

巴蜀先民,素来爱惜场镇四周的一山一水,一石一树,视环境为生命、为生存之必须。即是生存困难、食不果腹的年代,亦少见转移怨情,结仇于自然。反而以朴实情愫保护自然与建筑,以圆满生存的企望。这是非常高尚的民风,是几千年传统道德观反映在自然与建筑的美好规范。临江场镇中,上述二者不可分者,皆是楷模。不同仅是存在的方式、空间形式、占据空间的比例等。然有一个共同特点,其时空关系、动静虚实皆与江河直接亲和。迎其风,听其声,观其浪,浴其水,

(图23)黄龙溪镇街后与河面亲和关系

闻其味,得其形,悟其理……,反过来再协调与之呼应之建筑,或组群开段,或吊脚悬岸,或巷道贯通,或多窗取景,或以多路并下,或水凳罾钓,或剪叶修枝以全构图,或植树栽花取江作背景等等,德性风尚之纯,令人赞叹恭颂不已。

　　成都郊区黄龙溪镇,不谙临江之趣的游人逛而散之。殊不知他们忘记了此镇大趣在临江,临江之美不在乎非江上漂游,或伫立江边一览全景方可得其真谛。个中之妙亦应以镇人身份、居镇宅中参与才妙不可言。

　　黄龙溪界双流、仁寿、彭山三县之地,汉代已是水码头,现址由清初河对岸迁来。之前在河对岸,曰火烧场。黄龙名由来,即东汉建安24年民间传说,言有黄龙现赤水(即今鹿溪河)因而得名。建场镇府河边已一千多年。府河为岷江支流,距成都40多公里,古时船由成都朝发,到此正中午时分,午时发则小住一宿,为下乐山、重庆首站。它的这种"短暂"商业收益及附近三县交界的相对贫弱经济能力,决定了场镇规模。和农业中心、水陆大码头比,仅边远小场而已。然恰是这类"三交界"之地往往受形形色色的各时代"新潮"影响较少。镇中居民久而久之自成对事物稳定的独特理解。因此小镇一统,偏安一隅,以延续古典生活模式中的清幽、恬淡、小康为宗旨。并以府河养身养心,以环境宜事宜人。在自然环境和人文环境的结合上,做得十分圆熟十分得体,甚至有点到为止的雕琢。这就塑造了一个完完整整的川西河边特殊地理位置的小镇形象,营建了短街、寺庙、码头、黄桷树、竹丛等诸多空间单纯而又形体突出的组合形态。若拿大江浩瀚旁充满阳刚之气的大镇比较,小流岸的小镇则似碧翠般的精玉一块,也是令人叫绝的阴柔之美。

　　黄龙溪镇四条街道,以近千米顺河岸者为骨干,中开敞为码头,左右两端各一寺庙,一为镇江寺居上游方,二为古龙寺座下游处。街如扁担、两头寺庙如挑起的担子,这就构

二、巴蜀城镇类型

(图24) 黄龙溪上游街头寺庙及环境

成了单纯、紧凑的组街格局。其他三条街或为斜穿,或为垂直转角衔接,均为骨干主街生发出来的叉道,空间形态自由随意,环境配属草率。而主街不然,严谨的廊坊式古典作法贯通上下。虽出檐浅仅两公尺左右,恰此更具川西平原场镇特色。一是采光要求,二是流动人员的多寡,三反映了川西、川东巴蜀两地个性在群体心态上的不同共识。尤其是平原、山地场镇建檐廊的地势地形不同因素影响等等。而左右两寺周围,寺中的大黄桷树,如云如盖,遮天蔽日,浓翠如岛的凝重苍迈。盘根错节,虬须龙爪般的漫延索挂。体量、外型、色彩、位置都与古寺融合,构成树藏庙、庙骑树人文与自然高度统一的景象。两端高大多变的形色协调体遥遥相望,一下对比出主街民居两条平行屋面。其实,这也是一种对景,只不过尺度特别近,又是寺庙与大树的结合体。但特殊之处就在于此,就在于两端都有对景。遍阅川内场镇格局,极为罕见,特色殊异。如果没有大体量的黄桷树两端呼应,黄龙溪则索然淡寡了。

两端为寺,不仅控制街道延长,在街两侧民居的立面上亦可获得精工细作的机会。街太长很难圆精湛之工,亦削弱主街中心地位。更牵制了客商、船工的顾客之利。主客皆不利,同时亦直接影响香客进寺的数量。因而与其说是由建街引起的寺庙建造,倒不如说是寺庙巩固稳定了街道格局。或者两厢情愿,两相默契,共同把顾客控制在一定的空间范围内,以达到共同的商业与宗教目的。如果此理成立,如果当今旅游黄龙溪人仍受到这种空

(图25) 黄龙溪下游寺庙与街道关系

间支配,那么这类空间导向,这类布置暗示,实在是不同功能建筑谐调的组合佳例。亦实在是民间匠人的大手笔之力作。反过来,作为场镇的内部制约因素,寺庙又是制约主体。镇江寺镇江又镇人,古龙寺以龙形威慑。两端雄峙,虎视眈眈在唯物论常识尚不具备的古代居民,迷信较深。居家街中出门左右一看,两寺近在眼前,非份之想,立即刹住。唯保全寺、街的完整昌盛是大局。所以主街及寺庙的整体如一格局至今完好,皆是物质精神并行不悖的必然。

场镇濒临小河大江,应是两种不同气质的动态环境。建筑与市街与其配属,亦应产生不同的构作与规范。大江旁之险恶坡岸建镇,重屋悬置,临江高搁。或出门可一览全景式山川,或在街道空敞段落半边街一睹较大场景的山水气势,空间性格流露出粗犷豪放、不拘一格的大气。小河岸畔场镇,缓流碧水,微波漪澜,平畴田园,为平远式长卷构图素材,是舒卷慢展徐徐铺开的画页,娓娓叙来尔后芳醉横幅。此般小镇天际线以低节奏慢板中见高潮。哪怕街中某段封火山墙微微高出屋面二、三尺,也令你目光久滞,品味再三。若在黄龙溪镇河对岸的两水汇聚的半岛上观察,高潮在两端,由寺庙大树起,亦由大树寺庙终,中间民居为平板式叙述,两端高高,绿云簇拥金碧。此构图尤两端高潮控制中段叙述,是再紧凑不过的布局美了。至于面迎河面的群屋后立面,原以木构干栏式结构为主,下有杂树竹梢从柱网中伸出,本为动静两态,风雨皆可婆娑的过渡绿化带,十分有机的联系着流动江面和凝滞建筑的关系。后多以水泥、红砖"偷梁换柱"适得其反地破坏了天然生机。幸得多数人家楼上仍是古朴木质材料,并留着古式作法窗棂,加之配以大面积深灰小青瓦屋面,主调稍有稀释,尚且还存浓稠醇度。

像黄龙溪街道和河面平行而封闭的空间,可以和河面疏通畅气者,除有限水巷和码头外,就是家家宅后的窗户了。水巷码头空旷有余,遮蔽不足,众目睽睽之下,易干扰赏景悦心的娱情。宅后室内纳景,以窗作取景框,坐而观景,破平原浅丘地形的横长单调为局部的饱满,或站或坐不断变换角度又可获得不同内容的构图。可静思,可独享,可边用茶边看书。建筑封闭了空间,同时又聚焦,变换着空间。疏通了河面远树和

(图26)黄龙溪复兴街夜色

街面空间，又联系着两者空间。视觉为心灵的窗户，视觉所向，心灵同行亦是"气"的管道。窗同为畅气匀匀之孔，是节制和选择主动行为抒发之处，广庭天穹之下为"不看也得看"的被动之境。所以，建筑于恰当处设窗又体现着对人的珍重。黄龙溪临河一排民居后立面多作窗，以连续的窗口不断解脱街内封闭感，亦是川中小镇为数众多的雅作，亦透溢出平原浅丘小河场镇局部构作与整体空间形态的统一性。此亦是特色中的典型。

综上，我们看见川西平原沿河临江小镇一个共同特点：在组成市街的空间格局中，虽然以体量、尺度大同小异的民居为主体，并在空间透视、整体轮廓、天际线上呈现较为平缓现象。然而，有九宫八庙之类的祠堂会馆、寺庙、道观参差其中，而此类建筑往往辉煌高大于民居，且历来有植大树相辅相成的文化习养，因它的多种因素构成的高耸形体，于是产生了诸类小镇整体空间形态的富于节奏感的生动变化。这些变化几乎直接和江河水面发生关系，除了物质形态的关系外，尚有诸多看不见的心理关系。建筑为人造，为何要这样造，为何要在江河之岸这样造，为何要在那个时代这样造等等，都是建筑发生发展中的形成因素。舍去这些，中国建筑就真的是一堆废旧材料了。也许这就是建筑文化内涵富有的层面。

似场非镇——北碚金刚碑（图27、28、29）

嘉陵江岸分布着很多个性不同，空间形态优美的小镇。原因虽多，充分利用自然之美恐属重要因素之一。三、四十年代，以梁思成为首的《中国营造学社》中，有一员主将刘致平教授在四川各地作了大量的古建筑与民居调查后，得出了一个感叹不已的结论："四川……，江河沿岸山峦起伏，清流萦回，风景很是佳妙，在这种美丽殷实的环境里很容易有优美的建筑出现"（刘致平，《中国居住建筑简史》，1990年版，建工出版社）。以刘先生见解分析环境与建筑，以其观点回首自古至今的川民建筑意识和空间形成，我们同时发现川民建筑观与环境观的超前性和刘先生的高瞻性。

在嘉陵江流经北温泉与北碚城之间，近温塘峡口有一短促山溪自缙云山跌跌撞撞迭落至嘉陵江中。距交汇处约四百公尺内，小溪两岸形成小小的山谷。就在这窄不过八、九十公尺，长不过二、三百公尺的山涧倾斜坡地上，居然生长着几十棵巨大黄桷树。抗日战争前，这里只住着几户半渔半耕人家。靠嘉陵江岸有一条小路，是北碚到北温泉的便捷之道。抗战期间，大量学校、工厂内迁北碚，经过此路往北温泉游览者渐多，方才发现这小小峡谷涧溪内，竟然有如此川味浓郁的世外桃源。恰此地正在名山圣寺之下，又距闹市不远，实在是栖身安养的好地方，于是渐有人来此建房居住。久而久之，有的三五几家并排而建，有的散户临溪，有的旁岩凿台搭桥过溪而居。住宅或为四合院，或为平房，或为加楼。有附近农民亦搬迁来此开店设铺，一时竟成近百户居民聚落。跨溪越涧的各式石桥出现了，一条宽约二至三米，沿溪上溯的青石板路串通人家，山谷开始热闹起来。这就是重

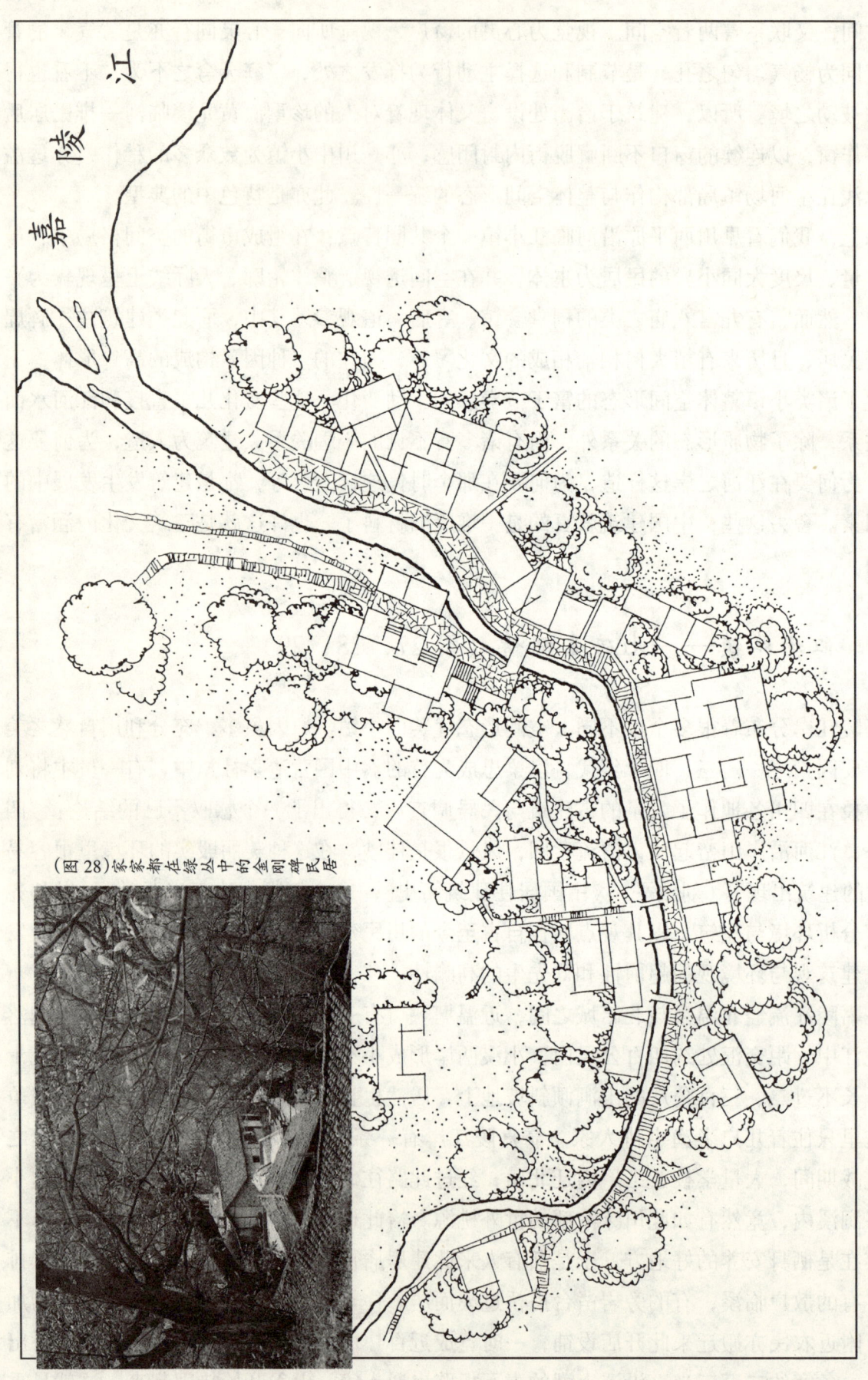

(图28)家家都在绿丛中的金刚碑民居

(图27)金刚碑总平面示意

庆文化人圈内小有名气的金刚碑。金刚碑名由何时何故来，无从稽考。因尚未完全形成场镇功能与空间形态，故不能叫场叫镇。可爱和价值就在于似镇非场的场镇发育初期的雏形状态。某方面审视，现状正是当今某些功能小镇发展的一种模式，而金刚碑位置又离嘉陵江仅一百公尺左右，是一个不及不离、若及若离的视听和江面皆能通畅的特殊地理位置。这类不直接以道路或空间近尺度地贴近江面，或平行或垂直于江岸，又是发育阶段的空间组合，相信条件具备必然形成别致小镇。然而，就居住与生活的单纯性和舒适性而言，就人类形成高文化素质更加亲昵大自然的客观事实与前景，就大中城市现代化后人口流动的趋向，金刚碑模式也许会成为小镇发展的结果，而并非发育过程的雏形阶段。建国后，附近大量高校师生常来此闲坐喝茶，视为有不同于风景区又不同于小镇的情调，感到人文形态和自然机理天然密合。潜意识的心理驱动方向同时也证明了高素质人群对建筑与自然如何结合的偏爱。这里面暗示着小镇发展导向和模式。

金刚碑无名小溪与嘉陵江成"T"字形。有一条石板街沿小溪右侧下约百多公尺后被一石拱桥引接左侧。街为开敞式半边街，即临溪岸侧无建筑。小溪在左侧街尽头再流百多公尺即入嘉陵江。此时，天空由狭窄而宽阔，光线由淡幽而大亮。在小溪两岸和坡地上有百年老树几十棵，棵棵皆高大，夏天茂叶贯满山谷，仅看见街与房子的斑斑驳驳，其下浓荫遮天一片荫凉。冬天，叶落枝露，冬日暖暖，房舍形出，又构成另一道风景线。从大树间距、栽种位置观察，显示前人绿化意识极强所为，亦即护岸保土，又固街稳房的另一意识层面。就在树与树间、组成了一条临溪房舍铺面时断时续的半边街，其间有小桥三、四座，以连接对面坡地上的房舍。半边街中有公共厕所一间，在离房舍有十数公尺的显眼半坡上。这在川中小镇过去不多见的，是净化环境与顾及行客，又和绿化统一谐调的思维周密表现。而时断时续的房舍间隙空地，或栽花种菜，瓜藤豆架，或打制三合土场地一块，看似不成街的"散乱"中。但凭一道凿制不甚工细粗壮条石护栏，沿溪岸直联系全街，使之与街面与天上密集的枝叶组成了一条空敞的空中视觉通道，通到尽头，便是碧波浩流的嘉陵江。于是我们窥视出前人聚落与小镇整体规划的端倪。若论建筑是一种文化现象，那么它既是原始的也是超前的。

人类行为的终极目的，都是在追求生存质量，中国人尤重生存质量的物质性和精神性。而部分人中把精神性看得更重。精神性反映在建筑方面，不仅是舒适美观实用建筑自身的完善，更为重要的是建筑与环境融洽至臻。拿俗话所说：建幢高贵的别墅在沙漠中你愿不愿去住？而修一座虽简陋但风景很美生活方便的住宅，在特定的年代中，对稍有文化素养者则正是求之不得的佳宅了。这种情操在科学家、建筑师、文学艺术家的著作中多有流露。说明建筑与环境的关系中，往往环境更胜于建筑。环境作为大空间概念，是涵盖建筑在内的。若以环境寄托精神，除建筑之外，主要就是山水林木之类的大自然了。人若能有保护、营建、亲善大自然的秉性，绝然不会出现腐败恶臭诸如此类的又一类环境。某种意义上讲，能在建筑与环境永恒循环的长期塑造中求得统一谐调，它应是一切环境中最具提纲挈领的环境意识与行为。因为它直接面对人类生存威胁的最前沿,更不用侈谈生存质量了。所谓建筑与环境原始的规划,首先就表现在安全的思考和布局,既考虑到选址安全,又在栽树、砌坎等行为中强化这种安全,而遮阳庇荫也是一种安全追求。如此形成规模较大的聚落行动,能够起到统一制约因素的仍是安全。这便是人类最初聚落意识和行为。可贵者在于,在安全的物质功能作用中,中国人时时不忘把思想寄托、以物谐意、审美情感、风水意识相揉其中。于是由聚落而市街的发展中,在"散乱"而规范的道路与建筑的建设中,人们在一步步地深化这种安全意识,深化着物质形态与精神形态的最初合理性。辟如,栽树,初为幼树,就必须充分考虑到大树之后枝叶的张幅面积与体积,不可以幼树体量论间距。再如建房,路为制约基准,朝向、房距自得规范,亦充分兼顾防火、邻里、相互习惯等关系。金刚碑随谷地成街,把小溪、坡地、山洪、滑坡合为考虑,又以栽树、护岸、成路、建房辅之巩固,再以间距、石栏、路面精湛、修

(图29) 冬日暖阳下休闲的居民

枝全其完善。而这一切所构成的一个空间体,一个建筑与环境的完整空间形态,正是物质上不得益于大江,仅精神上依托、享用于大江,自得偏安一隅乐融融的精神领土和山谷乐园。而其中所展开的规划思考,层次清晰,以大制小,以局部服从整体。虽为最初之原始,实寓意超前作法。

所谓超前性,无非是完善工业化与原始生态并存格局,以及两者之间科学的制衡。农业社会以原始生态环境兴镇,市镇往往太多人口流动的赶集,以平衡乡间太沉寂的空旷。金刚碑以半边街,断断续续的住宅店铺拉开建筑距离,又以大自然弥补空隙空间,更以大江不及不离的选址为寄托,还无场期的轰动,生活设施亦可小康。阴差阳错,镇没形成,似场非镇,反倒正赶上工业化时代人居环境的要求,正契投当代人对居住模式及环境的心态。虽原始色彩浓重一些,只要内部空间稍加调理,即为超前者无疑。这一信息最先被附近大学师生捕捉到,亦可窥视前景。

沿江场镇空间情理

历史上,巴蜀境内以水路为交通主干,凡通航的江河岸小镇,于此概称沿江场镇。岸有陡峭、倾斜、平缓、台地、平滩、两水交汇、岔河临江、三场一镇、回水沱岸、水绕半岛、岸上山顶、听而不见、不及不离……等等数十种地形地貌。在此复杂的地理环境里建场镇,必然繁衍出千姿百态的空间形态。基础决定于因地制宜,按地理条件最大限度地方便交通,节省建材,利于经商,适于居住。又要顾及防洪防火、顺层滑坡、坍岩垮塌等自然灾害。解决这些基本生存条件之后,还要给宗教集会、娱乐教育留下可施开展的空间。若再有风水看地,民间传说介入选址因素,那么,沿江场镇的兴建就面对错综复杂的自然与社会与人的问题。

对于自然与人为条件的限制,对于解决这些困难所产生的空间形态,可说是百场百样,百镇百态。但归纳起来,其基本规律是:一、沿江河岸,平行于等高线布局,此类居大多数。二、垂直于等高线布局,此类较少。三、部分平行、部分垂直的两结合布局,此类亦较多,尤其是陡斜坡地。像三峡的大溪镇、故陵镇等。四、在同一等高线上的平地上布局。此类包括台地、较高位置的冲积滩等平地,为数亦不少。在上述四类的基本格局中,场镇规模,特定的地形地貌等因素限制,又会衍生出二街平行、草子头形、十字形、口字形、丁字形、凹字形、凸字形、平行与垂直的对角线形、口袋形等等五花八门的市街组合。但无论如何变,均为上述四类基本规律下生发出来的变体,为四类控制在等高线上的几何形变化。在这种丰富变化的基础上布局市街,组合空间,自然产生出空间形态的多变性。以及由此而来的沿江一条街、垂直江岸的"云梯"街,一起一伏的"龙形"街、斜上岩岸的爬坡街等等空间面貌。

如果说地理因素是决定意义的,是不以人们意志为转移的,是整体格局发生的基本条件,那么,取舍、增减、多少、疏密、疾徐、高矮、宽窄、叠加、点缀……的组合构图则很大程度是人为的了。在完善丰富过程中,在创造一幅巨大的空间形象中,巴蜀民间艺匠和镇人的默契合作是空间艺术的主创人。在江岸之镇,兴建伊始,何处可堡坎,挖土填方,何处疾而砌梯,徐而筑台,何处可吊脚悬置凌空翔出,何处迂回转折,开合得体,何处需植树固基又得补景,正是这些智慧的实施巧作,才把建筑推向一种美妙的艺术境界,才产生了感染人的形式美。原有鉴论言这是空间形成的随意性,此言若仅限于感性抒发,尚无可非议,若作定论,显见以情代理。建筑是科学与艺术结合体,情理皆要,情由理生,理随情至。是空间产生相辅相成的两个侧面,去掉一方皆不成建筑,纯以情的随意性创造空间,实在自欺欺人。譬如,在镇中群屋之中建碉楼,若土老财还把乡间防土匪那一套照搬不误,用石砌用土夯,炮轰不垮,枪打不进,显即太不合时令。于是保持基本空间格局,改泥石为木板墙,改作观望楼、书楼、小姐楼、晒楼。这一来别致又风雅,又丰富了整体空间，又透溢出巴蜀人的幽默个性，意而不随，情理共生，恰到好处。再如临江一侧作吊脚楼，总不能好看不能用，形同写意山水画中物。总是在条件可能的条件下方可营建此屋，虽然有的在几乎绝境下还是立起了它，把情理之谐推向极致，然终是可能条件下产生。不过也有完全以情代理者，如临江一则楼层作假走楼廊，不作楼板，仅以栏杆形貌贴近山面墙壁，尽为装饰，幽默一通，这正是巴蜀人的天性所致。

沿江河城镇，无论平行、垂直于等高线或兼而有之，总有若干体、面面迎江河。江河开阔空间即为欣赏这些场镇与城市的大厅。若坐船又为移动的欣赏主体，于是城镇不断变换体面角度，不断以万花筒似的变化投以新的视觉感受。开始从侧面，渐而以正面，最后再以侧面全面地给你城镇整体的空间享受。因此沿江河城镇因其有江面的开阔空间的远近宽窄尺度的自由发挥，有先整体后局部的欣赏情绪调整过程，这过程恰又和由情至理思维同构。所以，人易于把握整体空间形态，易于分别各自空间特色，这是其他城镇在距离的尺度上所不及的。

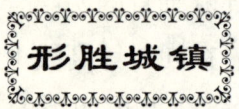

中国古代虽无系统的城镇规划理论，但有完善的统治制度来规划建设城镇。由于人类初对自然界的原始认识不可能持有唯物主义武器，所以在城镇规划上凭着经验总结，凭着统治者的意图，凭着高度发达的文化来解释自然现象。于是逐渐形成了风水、阴阳八卦来规划城镇和住宅的观念，它和政治、宗教结合起来，在中国历史上影响了几千年，形成了一些规划制度，直到具体数字的应用。比如三、五、九数表示尊贵。汉长安城开三个门洞，北京天安门开五个门洞，是以奇数突出中轴线布局，因为中大门洞专为帝王所用。故为尊贵之数。而这种"居中不偏"，"宫城居中"，又和儒家的思想有关。居于统治地位的儒家思想向来倡导尊卑、伦理、秩序。自然两者相互结合更影响到城镇和建筑的规划布局，故而古代城镇多规则的方形。这些思想虽然存在一些糟粕，也的确有不少是传统规划制度及规划思想的经验总结，是优秀的规划手法的总汇。它反映了我国古代高度成熟的灿烂文化和无与伦比的建筑空间艺术。《中国城市建设史》评价为："有些是代表统治阶级的意图，也有一些是城市发展中客观规律与经验的积累，我们需要下一番功夫，进行历史唯物主义的剖析。"

错位之"圆"——巫山大昌（图30、31、32、33、34、35、36、37）

从1992年起至1999年4月，在对三峡长江重要支流大宁河旁的宁厂、巫溪、大昌、双龙等城镇的四次考察中,直到最近一次才算较为清晰地弄清了这些城镇的大致轮廓,尤其是大昌镇,过去脑子里迷糊的东西太多,跑马观花式的浮在表面,终不得古镇城址、空间形态等方面要领。通过最近一次广泛和古镇老人们的访谈,踏勘及相关资料的互证,终于有了进一步的认识。

对大昌镇的若干论述中,可知翔实者为《四川文物》1993年2期之冯林先生《浅谈大昌古城及温家大院民居的建筑风格》一文。尤其是对古城南街温家大院的实测,至为准确,体现出科学的治学精神。又对古城城址进行考证得"近似圆形"的概念,亦经踏勘得到印证。

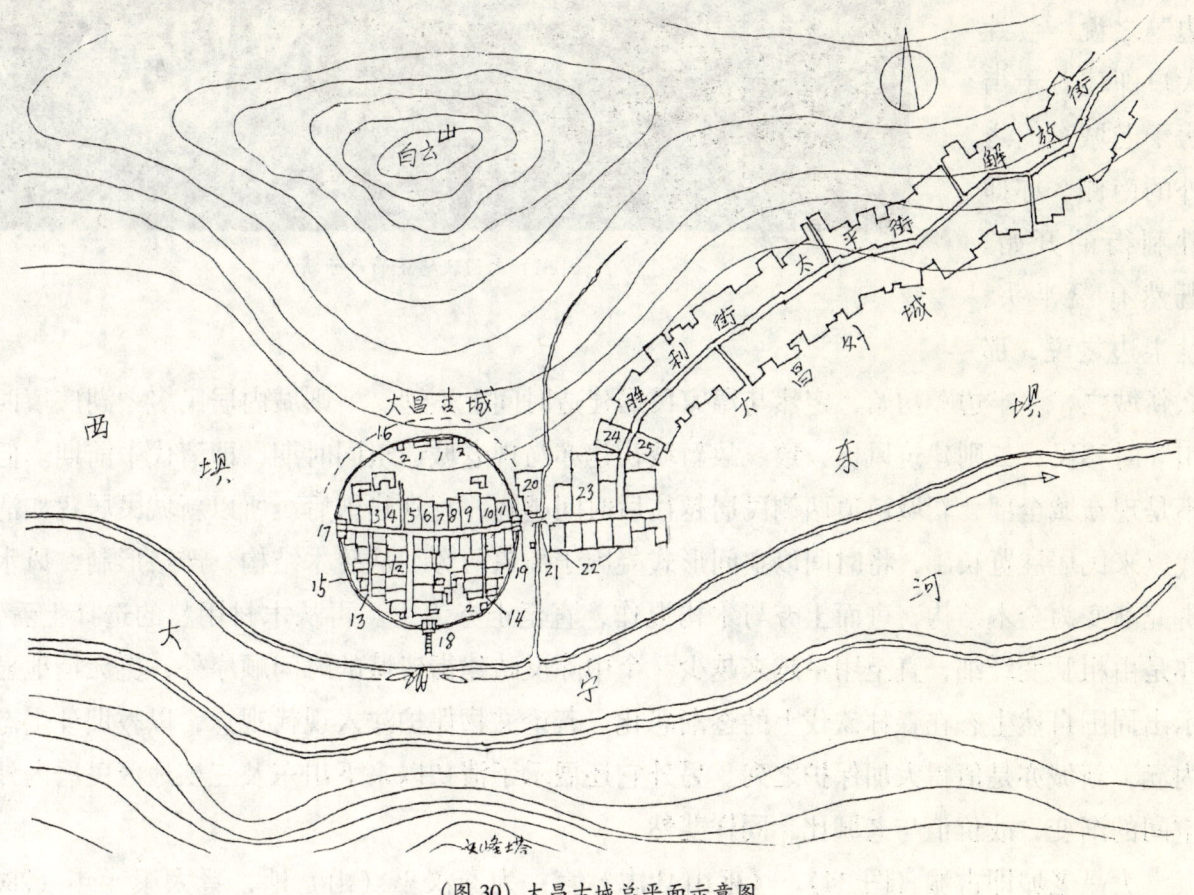

(图30)大昌古城总平面示意图

1. 营房,2. 炮台,3. 城隍庙,4. 南华宫,5. 天上宫,6. 观音殿,7. 万寿宫,8. 张爷殿,9. 帝王宫,10. 三皇庙,11. 普济寺,12. 温家大院民居,13. 草街,14. 神州街,15. 土夯城墙,16. 干壕沟,17. 西门,18. 南门,19. 东门,20. 黄大宽榨油、烤酒作坊,21. 紫气桥,22. "兰半边"民居,23. 文庙,24. 禹王宫,25. 清寂庵。

老城与新城

大昌镇现分老城和新城两部分(图30),当时百姓亦呼内城和外城。新城即由东门口起至兴隆街末端,全长约1.5~2公里,由东起兴隆街、太平街、胜利街组成。街道由老城东门起顺一浅丘延伸,大弯大曲,为一独街,间有若干小巷辐凑乡间。新城起始无疑是老城街道狭小，不敷使用的自然扩张，并随着时间的变化，先在老城东门外聚集成街然后逐渐往后发展。故有"温半头，兰半边"之说。兰姓大户即建若干街房于老城东门之外的南侧，亦即胜利街的开始。既然有温半头、兰半边之说，那

（图 31）南门城墙下的母子情

么新城之"兰半边"初始，定然与温家民居建造时间上不远。一则城内居民多"湖广填四川"时移民，二则建筑风格一致。故新城初建亦与现老城建筑同时期，即清代中前期。但不是现新城全部，新城街道两侧民居越往后时间越晚，直到建国后。所以新城民居犹如清代以来民居展览长廊，将时间以空间形式凝固于街道两旁。从砖木结构，严格形制，风水讲究渐变为全木结构，进而土夯与木构混作，直至土夯为主。再从木材用料的选择上看，亦是由粗壮变纤细，直至用量越来越少。个中除反映建街建城的时间顺序外，更无情地显示出周围自然生态在森林砍伐上的逐渐恶化。若论文物保护注入现代观念，以教训计生态内涵，新城亦是值得大加保护之列。另外它还展示了清初以来下川东及三峡地区民居内外空间的渐变，故价值与老城比，同样斐然。

大昌老城即古城（图 34）。《巫山县志》言：为秦汉巫（山）地，晋太康元年（280年）置泰昌县，属建平郡。北周文帝改泰昌为"大昌"。天康元年（566年）废北井县（今宁河）并入大昌。宋端拱元年（988年）改属大宁监。南宋嘉定八年（1215年）移治水口监。元至元二十年（1283年）并入大宁州。明洪武四年（1371年）复置水口监。永乐元年（1403年）又复置大昌县，改属夔州府。清康熙九年（1670年）废大昌县并入巫山县。古城已有1700多年历史，作历代郡、县治地亦有1300多年。大昌素为兵家必争之地，张献忠明末入大昌，清初李自成部刘体纯、袁宗弟以大昌为据点，嘉庆年间白莲教在此与清兵血战，1932年贺龙率红军于此路过。

大昌镇为大宁河第一大镇，也是三峡库区淹没第二大镇。1992年公布为四川省18个历史文化名镇之一，和石柱县两界沱镇并为三峡地区有名的古镇。如说"镇"，则应包括

二、巴蜀城镇类型

(图32) 大昌古城东门城门洞

新老城,如说"古城"则专指有三门一坊,即曾有围护的老城。

古城座落于长江支流大宁河左岸一冲积扇形平坝上。古城东、西、南三面环水,适大宁河于此形成弓状形,城址选在凸出的顶端,位置以南门近河岸。这样就形成了南门通河流(大宁河)对笔架山,西门通西坝对岗家岭,东门通东坝对核桃山,北对白云山环状带圆的城池格局。从古城河对面笔架山(原山顶建有文峰塔)看古城,南街后对白云山中顶,后面山势蜿蜒,山脉层层拔高,正是中国古城

(图33) 大昌古城西城门洞

选址风水意义上的龙脉结穴之处。按古代任何一家关于选址的书籍说法,大昌城选择大宁河北岸偏西的特殊位置,而并不在大昌平坝的中心,确实是有其道理的。笔者不在此赘述古代风水治域的要义,但历史唯物论者亦不回避曾出现过的历史现象,例如后面我们还要谈到,城门与街道的错位,温家大院前庭与后院的倾斜等,应该说是古城整体与局部现象的统一。这在封建时代是一个极平常的现象,亦如云阳张飞庙大门的歪斜,大溪古镇正对瞿塘峡口等等,如果这种古代城市空间现象仅以自然因素解释,显然是不能全其方圆的。

《夔州府志》说大昌:"诸山萦绕峭壁如画",有八景:"龙池夜月、金顶霁雪、羊耳秋枫、唐帽晴云、昌阳晚渡、七里春早、泮水拖蓝、聚奎耸翠。"还有城镇附近八景:"美女沐丽日、一桥两土地、石龙戏凤凰、九拐十八梯、一里三座桥、俯视倒流溪、一步两道桥、土地对土地。"

四川城镇,素有八景,十二景之爱,是儒化之风与风水观念对自然崇尚深入民心、互为观照的景观诗化,亦是环境观纳自然与人文于一体的整体环境意识框架,是中国古代成熟的科学环境规划大纲。如四川唯一县级全国历史文化名城阆中,其地理位置与大昌极近似,除大格局外,小的地理环境亦相似。《阆中县志》:"阆之为治,蟠龙障其后,锦屏列其前,锦屏适当江水停蓄处,而城之正南亦适当江水弯环处。"大昌白云山障其后,笔架山列其前,笔架山适当江水停蓄处,而城之正南亦适当江水弯环处。白云山是大巴山脉于此聚结形成的环境,对大昌气候影响很大,形成北面挡御寒流的屏障,南又可接纳阳光和暖湿气流,并和笔架山合为一抱,于城区及小盆地形成良好小气候。在景观上使北部群山层层后移,景象深远透迤,气势磅礴葱郁,使北部天际线变得丰富悦目。"仁者乐山",以此观照传统审美理想对人文灵气的启发和触动,当为"天人合一"的最佳选择。这些都是因为有了白云山而形成的物与人的感应。古人于是把这种山川格局谓之龙脉,龙脉因山势聚结,城市傍倚其下,又产生很多说法,繁衍出对龙脉山势、山形、山貌因物象形的评价等等。优劣之所在,核心仍在保护龙脉山系的生态,从而达到保护城市的目的。

风水又言必称形胜之地不可无水,阆中与大昌皆"金城环抱",得三面迂曲之水。"风水之法,得水为上",同是古往今来城市选址的一条重要法则。四川解放前城镇95%临水靠水,除国计民生考虑农业、交通等命脉所在之外,城镇所在还充分考虑水的深浅、水质优劣、水流缓急、季节导至洪水的凶吉,以及凭此天然设险等等。最重要是地球自转形成的偏向力,即科里奥力的作用,它使河道变弯,把东向流水的南面形成河曲,北岸凸出,凸岸积沙成滩,凹岸则不断受到水的冲击而坍岸。所以导至选址凸岸亦正是此理。1998年大宁河空前洪水,大昌河对岸坍塌之烈,席卷岸边田土房舍,而凸岸的大昌则安然无恙。同时又保证了河弯下游段的水平如镜。所以宋《大宁县志》说盐官孔嗣宗:"春日与客泛舟,饮于绿荫下",近建斜拉桥于下游段,亦均在此理之中。故大昌城址之位深含积极的科学成份。当然,城市临水,在人的心理上亦起到"智者乐水"作用。是陶冶性情、启迪智慧，与山动静结合不可倚重一方的传统自然观的反映。

"诸山萦绕峭壁如画"，再看大昌之东的巫山，及南面笔架山，西面金柿山，皆重山叠嶂，这就为城镇落脚点和街道走向适得与山川拱抱构成完整周密的格局，这正是地方性小气候良好生态环境的关键地形地势。也为城镇格局的展开有了确实的把握，同时为分析大昌古城与周围环境关系找到了依据。

古城格局踏勘

据有关资料记载，大昌古城格局的完善，始于明成化七年（1471年），为知县魏进所修。弘治三年（1490年）董忠复续三门，曰朝阳、永丰、通济三门。嘉靖二十六年（1547年）知县陈靖之将城墙增高。明末义军袁宗弟驻城内，与清兵恶战导致城毁。清初又重建土城。嘉庆九年（1804年）白莲教起义，清廷又屯兵大昌，修土城300余丈并复置东、南二门。并于西、北二面筑炮台各一座。道光元年（1821年）城墙被大水冲塌数十丈，门楼炮台陆续倒塌。时隔四年，知县杨佩之捐资将城墙门楼修补加固完善，又重修三门：东紫气门，西通远门，南临济门。

此段资料可以看出，在明成化七年（1471年）至清道光四年（1824年）长达300多年的时间内，大昌古城的格局全在断断续续变化之中。古城现状成形及格局的稳定，应在清初与后来"湖广填四川"移民高潮之间。即大昌历史上最后一次大的战乱冲击，白莲教起义前后这一段时间内。理由是：

1. 古城东、西街道北侧建筑布置几乎全被宫观祠庙占完，有南华宫、城隍庙、天上宫、万寿宫、观音殿、帝主宫、张爷殿等，皆庞大空间。这些"九宫八庙"兴起，并一律坐北朝南，是来自风水相地盛行的江南移民们共识的结果：历来风水认为"南向为正，居中为尊"，"故虽广邈，断有一高处，即为正穴"，"京都以朝殿为正穴，州郡以公厅为正穴，宅舍以中堂为正穴"。古城北高南低的地形，又正对南笔架山文峰塔的方向，尤宗祠会馆，各省及行业人士，极盼本省本业及子孙"发科甲"。而此位置正是《相宅经纂》等风水术经典选址的共同所指。又"公高于私"，所以东、西街道北侧被公共建筑几乎占满，是和四川同一时期其他城镇建设内涵同步同理。不过大昌显得更加规范，更有风水章法。这一时期自然是乾、嘉、道清代政治、经济、文化全盛之时。

2. 古城东、西、南三街民居风格，和四川境内其他城镇临街民居相比，本质上区别不大。说明建造人建造"俗从各乡"的恋乡情结，建造时间出入不大。临近东城门内南侧23号的刘锦兰老人，80岁，江西籍，祖上行医入川。他居入川后六辈之位，下有四代共十辈，算来正好200年左右历史，亦正是乾、嘉年间。民居风格为前店后宅式，三面高墙齐平，因临街立面要开店必须全敞，故称"半口印"房，此正是江西农村住宅"全口印"印子房适应新环境的变化。内部空间，平面亦全然原乡模式。后来又在临街封火山墙前端

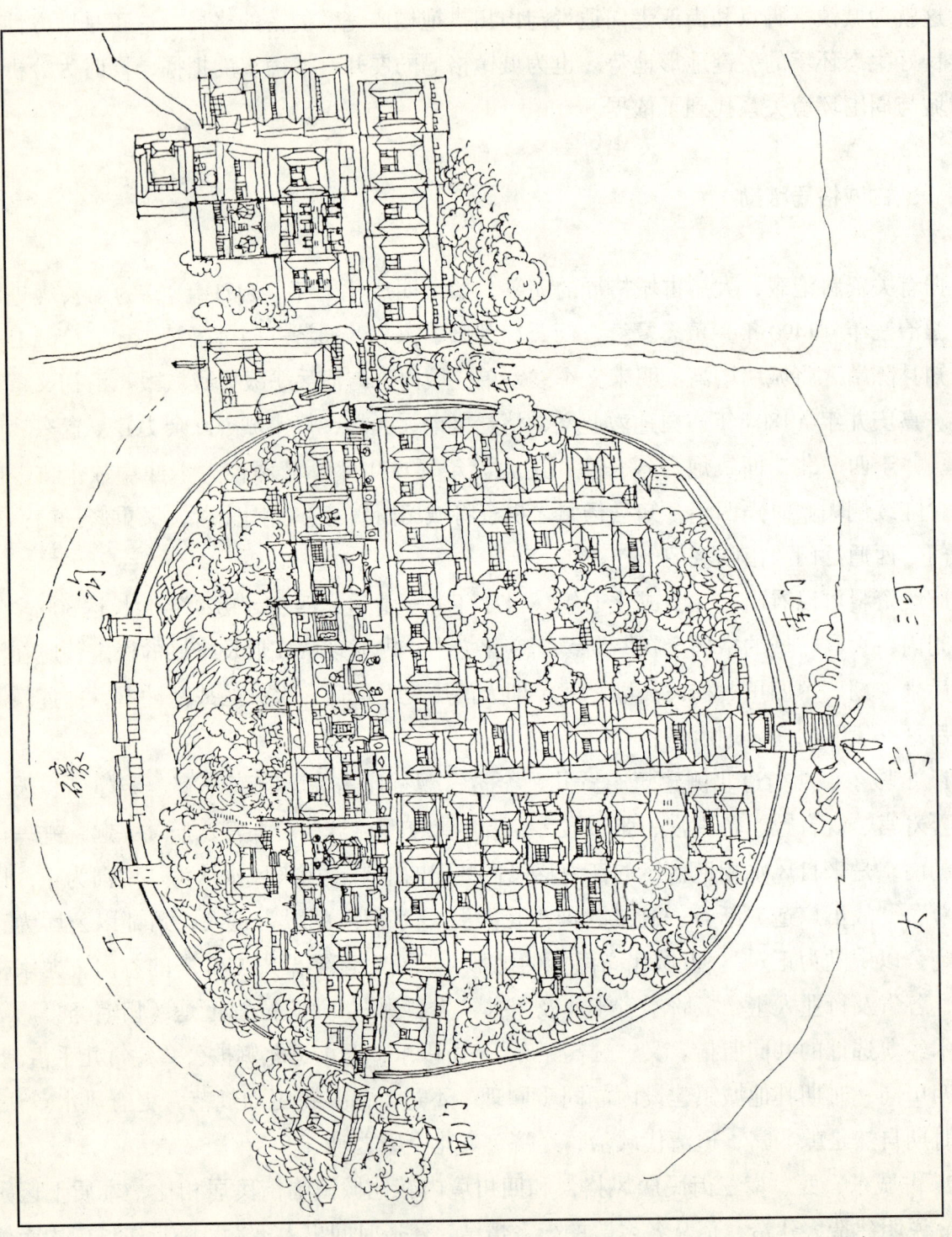

(图34) 大昌古城清代格局示意图

顶部截裁三段成跌落重檐式"三滴水",是五山封火山墙的局部仿造,也是全城建筑文化在新的环境下的融汇。包括南街（解放街）温家大院在内,其围护墙体形态也值得怀疑是否今状。据笔者向刘锦兰老人了解温家之兴衰,老人言实质是温家后人吃鸦片导致家境败落。但民间流传是文峰塔如笔舔干其墨盒内的墨汁,才汁干家败。"墨盒"是形容他家房子的形状,自然四墙齐平和"印子房"的外型相同而谐比墨盒。何况印子房比诸如五山式,半圆"猫拱背"式而言,更具小农经济的封闭性。但严重缺点是排列在街道上,外轮廓线平直呆板,极不优美。何况城中街房相联,防盗功能次于防火功能,加上材料浪费,是否才产生了现在五山式山墙,或者风水掺入其中,皆不可一言以蔽之。

大昌古城,明正德（1506—1521年）《夔州府志》即称"大昌县三街一坊,有220户"。这和前述古城完善于明成化年间是合符时间逻辑的。清嘉庆九年（1804年）筑土城300余丈。上述两者虽间隔三百年,但给我们古城空间一个完整印象,即有一个300丈土城围合的三街三门一坊的形态和格局。300丈内,大昌镇政府资料计算约占地一百亩。冯林在《四川文物》1993年第2期《浅谈大昌古城及温家大院民居的建筑风格》中说"原占地约42700平方米。平面近似圆形"。在面积和围合形状上也提出看法。今得刘锦兰老人亲率踏勘原土城城基绕城一周,刘老讲其土城为一般土夯土墙无异,高约八尺,厚仅一尺五寸,少年时已倒塌得只剩极少部分,余者为小土堆绵延状。墙基为石质,今南门至西门段仍清晰可辨,呈弧形长约200多米。若以此段推测其他三段,则正好为圆形,长度也约合300丈。城墙于解放前全部消失,故60岁以下者皆不可知。踏勘中还得古城布局新意如下：

1. "圆形"城墙北面地形明显高于南面,并呈北面向由高渐低倾斜。

2. 北墙外围有宽约3丈深1丈,呈弧形的长达数十丈宽的沟。估计即史学界考证的干濠沟。刘老亦认为是濠沟,儿时所见沟壁垂直,干硬,爬不上去。沟底向东西两端倾斜,无法蓄水。城墙就筑在内弧形沟壁上,两者呈平行状态。

3. 濠沟上城墙内原有驻兵营房两座,两侧各设一炮台。在河边的东南墙角也设有一炮台,共计三座。炮台即碉楼,作瞭望、防御用。北面炮台亦正在全城制高点上。

4. 原东南向有一条街,叫神州街。西南向也有一条街,叫草街。后皆退废消失。

综上而论,围墙土墙长300丈无疑。从明代以来只有东、西、南三门而无北门,故"三门一坊"至为确实。后不少论大昌古城有四门者,显见查证史料与实地考察不足。为什么无北门？笔者有这样几点浅识：

1. 古城之北即白云山并向后为层层高远大山区,不是农业区域,人烟稀少。个别山民全可绕城进入东、西门,且距离不远。

2. 古城之北为制高点,又有城墙围抱,从而形成一道阻挡北方寒流入侵的屏障,有利于城内小气候形成。若置街道,则防御与御寒二者皆无凭可据。

3. 古城老人们一致表示：从小就没有看到北门。

另外《中国城市建设史》（建工出版社 1989 年 7 月版 182 页）认为："古代还有一些规划思想与久已形成的阴阳、风水八卦等观念有关。如主要建筑物要朝南或东，不可朝西或北。城市北面往往不开城门，以免对'王气不利'。"

这样东西街长共 210 米，南北街长 152 米，两街相交成"T"字形。并在各街口用条石构筑城墙门，砌置券拱门洞，上面复以木构箭楼。三道城门即为联结土城墙的结合点，于此就形成近似圆形的古城围合空间形态。其中南门石砌城门总长 13.64 米，中间门洞宽 2.60 米，高 3.45 米，深 6.6 米，城门宽 6.6 米，高 3.80 米。

再则"三门一坊"的"坊"于大昌古城是何状态？

坊源于春秋战国间，其时为闾里的居住方式。即城市中居住区为"闾里"，后称坊里，是一种利于管理的封闭的居住区基本单位，或正方形或矩形。"闾里制度的规格化要求城市布局规划成方格网形式最为合理，每一块方格用地面积也相等"（孙大章《中国古代建筑史话》建工出版社 1987 年 12 月第一版）。隋唐时长安城中建造了一百零八个坊里，而大昌城仅一坊而已。显然，这是小城市格局，仅有 220 户人。一城一坊共 220 户亦见此坊较大。估计位置在现三条街巷，加神州街、草街及小巷共同组成，若是方形则有约 44100 平方米。坊的大小，南北各地不尽相同，随着历史发展也发生着变化。但大昌街道民居仍存在里坊格局，显示了古城内涵渊远。省内亦不多见，堪称弥足珍贵。虽然清代对坊制于大昌有所变异，但院落均围绕街道而建，仍是里坊制的核心空间控制。故大昌古城殊有明代遗风，其理正是如此。尤其是明末清初战乱使四川古城尽在毁灭之后，无从断言何城何镇是何时期的迷茫间，大昌古城却给我们提供了四川城镇诸多方面的研究机会，实在难得。

古城民居评述

综观大昌古城建筑，偕宫观寺庙与住宅共论，均属清代中前期作品，即乾、嘉、道时期遗存。可惜众多祠庙会馆先后消失，如帝主宫（现邮电局）原山门巍巍，门前一双石狮子，硕大精雕。进小门为戏楼（亭子屋），穿楼下而过为敞宽院坝继而正殿。唯此殿两侧圆拱脊山墙存在，体大壮丽，造型生动。还有城隍庙（现小学）、禹王宫（现粮站）、关帝庙（现政府）、天上宫、土地庙、南华宫、万寿宫、三皇庙、普济寺、清寂庵等。以上大部分毗列于东西街北侧占据了真正意义上的半城之势，又占尽坐北朝南风水之利，且建筑工艺远优于一般民居。因此评价大昌建筑若以现存之民居，则主要在平面及空间创造上。这里面各宅各院自作主张，充分体现了蕴藏在群众中的智慧。民居之所以被当代看重，即为此点。

大昌民居沿街而建，自然受到街道走向制约。大昌街道与东、西、南三门均有 5~10 度偏离错位。这一现象显然还是与风水有关。《阳宅会心集》云："城门者，关系一方居民,不可不辨,总要以迎山接水为主"。大昌之门,如前述各有"迎山接水"的山水对景。《阳宅会心集》继云:"无月城(瓮城—笔者注)者,则于城外,建一亭或做一阁、以收之"。而《相宅经纂》中说:"凡都省府县乡村,文人不利,不发科甲者,可于甲、巽、丙、丁四字方位上择其吉地,立一文笔尖峰,只要高过别山,即发科甲。或于山上立文笔,或于平地建高塔,皆为文笔峰"。这就是大昌南门河对面笔架山上的文峰塔的来历。

(图35) 大昌著名的温家大院大门

但要做到正对"迎山接水"山水间的塔阁,则以门正对为主。《武经总要前集·守城》:"惟偏开一门,左右各随其便"。故大昌南门与街道在城门与街道相接处就发生偏离,惟此理似才自圆其说。此现象更于明清时期四川各地城池与建筑比比皆是,实不惟大昌之罕见。一定意义上言,南门偏离是代表古城整体正对作为案山的笔架山,以及正对文峰塔是古城居民共同祈祷"发科甲"的意愿。理应不是专门对南街而言。而"左右各随其便"则以东、西门比较,其门与街的偏离人为痕迹不明显,多为自然弯曲,比较随便。

但是出现临街多进合院民居前半部分整体偏离而不仅仅是门的偏斜者,就比较罕见了。如著名的温家大院即为此例。若平面变异离开传统的中轴对称布局,并带来空间的更加舒适和更好使用,则称创造。而相反者,如温家大院一进天井的左右厢房因发生偏离轴线使得平面成为直角梯形,其空间因此变得不好使用,此况显然就有其他原因了。风水典籍关于历代住宅的相法,可谓流派纷呈。不过也就分成农村山野与井邑之居两大部分。村野之居的相宅风水术易于一目了然,而井邑宅院则比较复杂。井邑临街之宅风水相法多借鉴农村住宅辨形山川形法,如《阳宅会心集》说:"一层街衢为一层水,一层墙屋为一层砂,门前街道即为明堂,对面屋宇即为案山"。然而此也仅为风水井邑之术的极小部分,也说明不了温家大院偏离之因。例如还要察天气,大环境吉凶,"宅外形"的把握,宅内形的讲究。更有根据河图洛书,八卦九宫,阴阳五行的宇宙图式,把天上的星官,宅主的命

(图 36)大昌新城民居之一

相和宅子的时空构成联系起来,查其相生相克关系等,方才在宅向、布局、兴宅程序甚至结构作法等方面综合作出选择。这里单凭温氏造房始祖生庚八字"命相"一条至关紧要的条件已无从查找,显然破译温宅偏离之谜已无从说起。在以上总原则下,中国各地尚还存在相宅的各类"理法",诸如福元法、大游年法、穿宫九星法、截路分房法等。大昌一带清代流行何法?亦实在又是一道难题。何况上述还不是全部,亦有日法、符镇法等一大套庞杂繁琐的规范。

自中国古代"万物有灵"原始宗教始,经汉代董仲舒归纳推阐,形成系统天人感应思想,渐自影响中国学术发展达数千年。个中风水阳宅之谓自然充斥着不少迷信的糟粕。但就明清时期遗存在四川境内大量民居的这一事实,作为学术研究,是不能回避的。

非常明显,温家大院除偏离轴线的前天井厢房显得不甚佳妙,有些不好使用之处,其他空间则仍有不少充满个性之处。

温宅进深总约 35 米,前面偏离部分进深约 13 米。后自正厅起到后墙宽 12.8 米。临街正立面面阔 12.2 米。前后偏离 0.6 米。若加北侧厨房等空间,占地约 500 平方米。大院形制仍为传统纵向二进合院式,由于前小半部分偏离,适成不规则长方形平面。

宅院前立面屋面下横置披檐(挑厦)形成二重檐形式,其他三面以砖砌墙体并在三重屋侧山花处形成三列六道五山封火山墙。这样封闭的围合形态正是当地"印子房"的发展和衍变。

从面阔之间的街房进来,这一楼一底高 7.5 米。过有砖墙隔断门道即为变形的天井,左右厢房与正厅间又有砖墙隔断。但正厅于此以其高朗的气氛立刻突兀眼前,是街房一楼一底的压抑通过开敞天井进入正厅半封闭空间的系列对比,加之正厅之高与前街房之高相差无几。而正厅无楼层,且宽大,仅从空间尺度营造看,宅主用意以凝重、肃穆为构思核心,造成整个庭院核心空间,不像一般二进合院以此为过厅,马虎了事。温宅实质上把过厅之地改造成了堂屋的正房，故为正厅亦是此意。这是和一般之宅殊有不同的地方，亦为特色。其加强此空间核心作用又采取了如下之法：

1. 在大厅中靠后置木板隔断齐屋面桷板之高，以高偕威严于此设祖堂并立

（图 37）大昌新城民居之二

香火神位。隔断两侧各设一门退约半步架形成转堂。转堂屋正是三峡民居一种特色。亦必须是堂屋之后的位置。

2. 若为堂屋则定有次间。温宅居然为显正厅高朗宽大舍去右次间，压缩左次间，使得正厅空间失去平衡而不对称。变异之故和轴线偏离内在联系何在？尚无从稽考，亦再留下一谜。

3. 温宅木构系统唯正厅使用抬梁而大部穿逗，形成八架式抬梁结构，梁架皆用抬担托墩、角背、雀替，挂落雕刻吉祥图案，以承重，装饰镶嵌其间。用抬梁与穿逗的结构反差使用于正厅两侧，唯视抬梁高贵于穿逗。以抬梁跨度之和，粗壮之美，排列之势的结构与材料组合应用于烘托正厅气氛，显见又是一大特色。

综上三法结果，不但没有使人感到别扭，反倒使人感到正厅空间特别宽松、舒畅。且又不失肃穆，温馨之气。营造了民居艺术内部空间特有的境界，这是很不容易的。其因皆由不动传统大格局的前提下，积极调整功能、方位、次序、空间、结构等方面的重组所收到的效果。在封建营造法式制度最严厉的清代中前期，这样作显然是有一定风险的，无疑这是一种创造。也是它的价值所在。另外，为了于过厅之处设堂屋找一个说法，温宅还在本为二进合院堂屋的后院"堂屋"中开墙设门直通野外，似有造成不得已而为之的局面，用心周密与良苦亦是相互照应的。

所谓大昌古城"温半头"指温家不止一处宅院。在温家大院北向还依次紧挨着有好几家同样蔚为壮观，颇具韵味，各具特色的宅院。有的天井上建凉亭，有的正厅空间用料更显粗大，气氛更显凝重。所以，我们说温家大院要作为研究对象，并非是对上述所有民居的"研究"，仅是对温家系列民居中个别现象的看法。笔者坚信温半头是一个整体的民居

概念。离开整体孤立谈局部,一定是不全面不透彻的。另外,大昌城乡流传温家房子的传说颇多,诸如温家大院是温家有人得罪了掌墨师,在建造过程中故意把左边的梁锯短造成梁架歪斜既定事实后,平面不得不跟着偏离的说法。还有抬担托磴及雀替,工匠以母狮子造型致使温家"寡母子"多等等说法均不可信。

笔者几乎遍游古城街畔民居,凡清代作品者,均大同小异为一进、二进式合院。其"小异"处皆可成为兴奋点,亦小有创造。但总的格局和温家大院无本质区别。

得意山水——阆中(图38、39、40、41)

阆中为四川唯一的县级全国历史文化名城,地处四川盆地北部,嘉陵江中游,已有2300年建城历史,阆中一名沿袭至今。阆中自古为川北政治中心。秦灭巴以来,历代帝王在这里设置郡、州、路、军、道、府等行政机构。蜀汉司隶校尉巴西太守张飞坐镇阆中七年,卒于阆中。阆中又为我国古代天文研究中心,产生一大批天文学家,有创《太初历》西汉人落下闳,东汉任文孙、任文公父子等天文学家。蜀汉周氏三代不仅是天文学家,亦是风水大师。由于特殊的地理环境和深厚的天文学研究,吸引了历代天文学家来阆中研究,有唐代风水大师李淳风、袁天罡等。还吸引了杜甫、元稹、卢纶、李商隐、文同、黄庭坚、司马光、苏东坡、陆游、杨慎、顾恺之、吴道子等一大批一代豪隽。或考察观光,或瞻恋寓居。

(图38)阆中古城街道一瞥

阆中山川毓秀,人文化成,更是历代多闻达科甲鼎盛。仅读书岩、将相堂、状元街、三陈街、一元、二元、三元、四元街、状元坊、奎星楼、文风塔、书院、学院、学宫、考棚等诸多与人文有关的旧名,亦可看文化之昌达。在这样的历史文化背景下,前人选址以山水形胜使阆中得称,和人文环境有着互为因果的影响。

阆中得名,因山有环拱之象,有"阆水纡曲,经其三面"之势。《太平寰宇记》:"其山四合于郡,故曰阆中。"《资治通鉴·汉记四十二》:"阆水迂曲,经其三面,县居其中,取以名之。"若从阆中所处的大格局看,它处在大巴山脉、剑门山脉与嘉陵江水系交汇聚结点上,于此形成山水严密缠护的形胜之地。北通广元、汉中,东界大巴山、米苍山,西北至剑阁可上通金牛道出武都,实则处在中原与巴蜀的水陆要冲。加之四面是山,水护三曲,有金城汤池之固。又风光佳丽,人杰地灵,出产殷实,实风水宝地无疑。

(图39)阆中民居天井得趣

正是前人对从大到小的地理环境经过一番细致周详的考察和权衡后,决定了城镇选址的基础。建阆中于此正是如斯。如《阆中县志》所述:"城后倚蟠龙山,前照锦屏山,并本着风水穴法中山向选择最重朝案的意向而规划。"《阆中县志》继云:"阆之为治,蟠龙障其后,锦屏列其前。锦屏适当江水停蓄处,而城之正南亦适当江水弯环处……城中飞阁连危亭,处处轩窗对锦屏。"锦屏山即风水上说的案山。山在正南,成为阆中象征,故又叫"阆中山"。杜甫《阆水歌》:"阆中胜事可断肠,阆州城南天下稀"即指此山。锦屏山实际上是古人以此为寄托,观景陶冶情性得增进健康的美好理想,以其为城市布局的中轴线对景。让城市和自然互为观照对应,牵制人心于自然山水之中,这正是现在也提倡的。古人谓之砂。

县城之后的蟠龙山,系大巴山北来于此聚结形成的环境,对城镇环境影响极大,形成北面雄奇高大的天然屏障,北可阻挡寒流,南可接纳阳光和暖湿气流。和锦屏山合为一抱,于城区形成良好小气候。在景观上使北部群山层层后推,景象深远逶迤,气势葱郁磅礴。使得北部的天际线变化丰富悦目，"仁者乐山"，以此观照传统审美理想对人灵气的启发、触动，当为"天人合一"的最佳选择。这些都是因为有了蟠龙山而形成的物与人的感应，古人于是把这种山川格局谓之龙脉。龙脉因山势聚结，城市傍倚其下，又产生很多说法，繁衍出对龙脉山势、山形、山貌因物象形的评价等等，优劣之所在，核心仍在保护龙脉山系的生态，从而达到保护城市的目的。

风水言必称形胜之地不可无水，阆中除龙脉、砂山之外，亦是嘉陵江"金城环抱"之势。水的好处与人息息相关。阆中得三面迂曲之水，气候、生态、灌溉、居住、交通、商业、出产、健康、德性均得其滋润，民俗得其弘发。所以古人相度风水须观山形，亦须观水："风水之法，得水为上。"这也是古往今来城市场镇选址多临水而建的一个原因。

之所以水重要，除上述之外，风水喻水为生"地气"，"生气"的血脉，亦是农业命脉所在，直接关系国计民生。但水有深浅之分，水质有优劣之分，水流还有缓急之分，季节不同洪水冲刷又有吉凶之分，还凭此天然设险之利。甚至于河流由于地球自转形成的偏向力，即科里奥力的作用，使河道变弯，把东向流水的南面形成河曲，北岸凸出，凸岸积沙成滩，凹岸则不断水冲坍岸。导至选址凸岸亦正是三面环水岸上等等，都包涵了积极的科学成分。

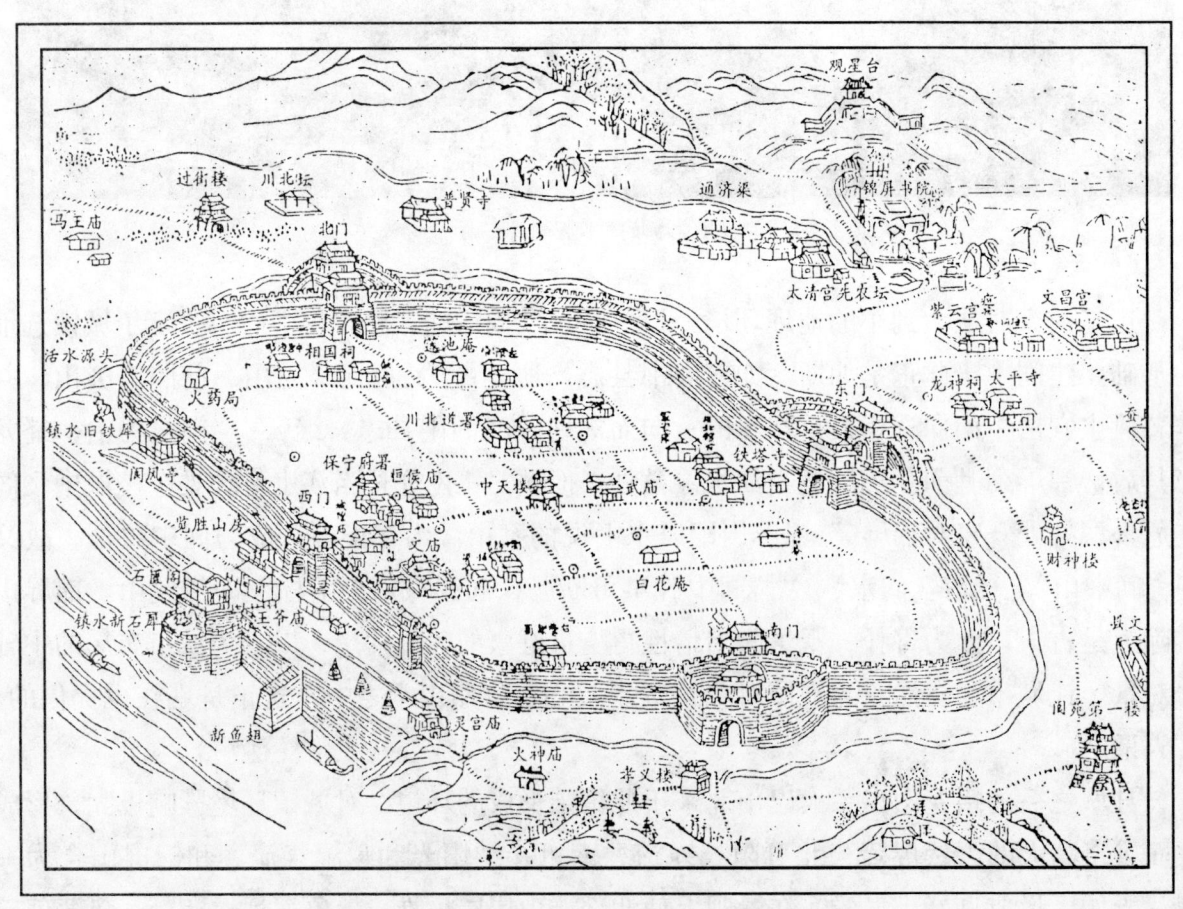

（图40）阆中治城图（清道光年）（图中⊙为城内九井）

二、巴蜀城镇类型

至于风景无水不灵，无水不能"智者乐水"以完善人的灵气与智慧，视水为改造陶冶人性的自然，自古即为国人所重视。还有水可界分空间。"山主静，水主动，山为阴，水为阳，山水交会，动静相济，阴阳合和。"意指山水一体不可倚重一方。等等。此即风水中"水法"。

上述龙脉、砂、水若总体权衡，又称龙法、砂法、水法。三法重重关拦，内敛向心的围合中，即是城镇或其他建筑选址的落脚点。这种倚托周围山川拱抱的格局，在于"内气萌生，外气成形，内外相乘，风水自成"。亦即选穴方法谓之"穴法"。城镇选址于这样的穴，可御风寒，迎纳阳光，形成良好生态小气候。且龙、砂、水景观和意象与穴观照，人在其中神情舒畅。这样就达到了选穴与龙、砂、水之间的综合平衡。穴在龙脉止聚，砂山缠护，川溆潆回的大格局中，亦称明堂、堂局。"明堂容万马"，形容明堂宽平是山水大聚结、中聚结之势，可在此大者建藩镇省城，次者为大郡大州。

这样的山水格局中，还有赖于择定明堂及穴位的"山向"。裁成南向为正，居中为尊的意象，然后根据前为案山，后为束龙组织明堂的中轴线。再前后左右照应权衡组织横轴线。两线相交得十字，即所谓"天心十道"处，亦即穴位所在。也就是城镇的中心点。于是展开的城镇格局才有了意象把握，才有了控制。穴位找到后，尚还有明堂中地势最高处正穴至为重要。"故虽广邈，断有一片高处，即是正穴"。明堂中之正穴位："亲都以朝殿为正穴，州郡以公厅为正穴，宅舍以中堂为正穴，圹墓以金井为正穴。"这才真正从国都到小邑，从阳宅到阴宅完善了风水中的龙脉、砂、水、穴之间的权衡。于此观照前述阆中城址选择，其慎微周密，可见一斑。

阆中城市中心十字交结处，建有"中天楼"，有北大街、西大街、东大街及南对案山锦屏山的双栅街于此相交，正对应"天心十道"。城内其他街巷皆以此为干道围绕其展开。并各取远山为对景，街名亦随之对应。诸如蟠龙街、笔向街等。尤南对锦屏山，下为水陆要冲嘉陵江渡口和北往关中，南通蜀中的通衢，街正对江南南津关"气口"。《宅谱问答指要》说："南门、东门、生方。宜高昂轩朗。"所以，街中建有华丽雄伟的华光楼，形成阆中一大胜景。华光楼又名镇江楼，是风水学说城市规划一大杰作，它不仅予城市、场所的识别性，丰富完善环境景观，美化了城市天际轮廓线，还合理的组织了城市交通、道路疏通。亦可作防卫的望楼。它的合理性是不言而喻的。

城中成片的民居和街道谐调，构成了古城的基本色调。而风水理论对于民居的影响亦是十分明显。包括选址、择向、造房、截路分房穿宅之法，其具体至微又和"修身、齐家、治国、平天下"的传统社会观念观照，在民居中以空间表现出"礼、序也"的区别。诸如"礼别异、卑尊有分、上下有等，谓之礼。"亦同中国其他地区的民居一样，充满了浓郁的礼制伦理色彩。同时又深深的制约着邻里、街坊之间的人际关系。

阆中城由于历来是郡、州、路、军、道、府的行政中心，那么诸如衙署之类必定择明堂中之"正穴"的高处以修建。阆中城内西大街张桓侯祠西的高地，即为唐宋以来**历代刺**

史署、知府署所在。其居高临下扼控全局的地位，正是正穴之位。至于教化之地，诸如文庙、学宫、书院、考棚等，其选址布局亦至关重要。风水理论据此和传统儒、道、释相谐和，把地理、人文、自然风景纳入统筹观照。以文峰塔、奎星楼、文昌阁之类文化建筑规

（图41）阆中华光楼与民居、山川关系

划在重点位置上，以平衡社会心理，激励人崇尚文化教育。《相宅经纂》："凡都省府县乡村，文人不利，不发科甲者，可于甲、巽、丙、丁四字方位上择其吉地，立一文笔尖峰，只要高过别山，即发科甲。或于山上立文笔，或于平地建高塔，皆为文笔峰。"阆中东南方塔山文笔塔，黄华山奎星楼即为此理。二千多年来，经风水学说、儒学、社会民风民俗相互浸染，致使阆中学宫之类蔚为大观。并促成读书好学代代相传的良性循环。加之山水人文佳妙，又吸引了历代俊杰豪士游阆寓阆。这就给阆中营建了人才辈出的氛围。自然这些成就不独因山水形胜的制城术才如此，但不可否认，自然环境和人文环境的有机结合，对一方风气的形成是有举足轻重地位的。所以再说阆中是四川历代状元最多的地方也就顺之天理了。

金汤之固——广元昭化（图42、43）

古城昭化，现属广元市昭化镇，它是四川建立最早的一座县城。秦灭蜀后，首建葭萌

县于此。其因在苴、蜀战争。苴、巴联合请兵于秦,秦乘机伐蜀,袭苴,灭巴。遂改苴侯都邑葭萌为县。北宋前曾历改汉寿、晋寿、益昌、益光等名。"宋太祖开宝五年(公元972年)改益昌县为昭化县"至今。从东汉建安十八

(图42)昭化古城东城门外

年(公元213年)刘备攻占葭萌改为汉寿县始计,已有1700多年历史。之前,《昭化县志》言:"原葭萌故城名吐费城(今土基坝)。后因三江水涨被淹,遂迁城至距土基坝东南五里,桓水西岸。"即今嘉陵江西之昭化城。谓之"曲回老街"。

昭化自古为兵家战略扼据要地:秦遣张仪从子午道代蜀,蜀溃葭萌导至秦军长驱直入。蜀汉刘备、姜维于此屯兵。唐明皇幸蜀经此曾"在桔柏渡东岸休兵摆宴三日"。故昭化有"全蜀咽喉,川北锁钥,虽信夫弹丸之域,而有金汤之固也"之称。元末明初,昭化成驿道大站,川北政治中心从广元移至阆中,战事渐疏,昭化得以休养生息。观照汉唐前的动乱,其选址建城意在扼守川陕咽喉之险。故而城周围武将墓穴尤多。而建城要旨和选址布局则以防御为主。但建城之初正是下游百多里的阆中以易学最为昌盛之时,城池风水正为炽热,又早建城达500年之久,从地理和交通比较,最易受其影响者莫如昭化。时恰昭化地理位置正形似阆中,也是一曲回形河弯,又同一条嘉陵江,故《昭化县志·舆地志》载:"汉江左绕,白水右环,亦称形胜。"因此,我们可以在昭化的龙脉、砂、水、穴的山水格局中处处找到阆中的影子。不过,昭化地势把握权衡的用心,明显防御胜于儒化。元、明之后,方才完全笼罩在阆中的影子中。于是在嘉陵江的中游上段,形成了一文一武,一大一小,互为辉映,相互观照的两座形胜城镇。尤其昭化城墙保护因其僻远还要比阆中好。格局昭然,规化清晰,一目了然,实为罕见。

大剑山脉以雄奇嵯峨之七十二峰蜿蜒至昭化城后,正是西北方向。其言始可说西北,说聚结亦可说东南。龙脉意象层层向后推移渐高,至最高峰牛头山1214公尺,绵延数百里之遥。和昭化海拔相差在800公尺左右。《管氏地理指蒙》:"指山为龙兮,象形势之腾

伏。""借龙之全体，以喻夫山之形真。"大剑山脉形如真龙，来龙去脉的意象最易把握。龙脉之貌胜于阆中蟠龙山，谓之翼山。《昭化县志》："城池座地，南坡斜展，白天雄关远望，犹如凤翼展翅，故城池其翼之末，巍然待镇。""峰连玉垒，地抱锦城，襟剑阁而带葭萌，距嘉陵而枕清水诚天设之雄也，故又名天雄关。"昭化即聚结倚傍在翼山之下，其山为屏帐之势风水佳妙巍然"镇山"。是进可攻退可守的险要之地，其高耸状亦可阻挡北吹之寒风，接纳东南之阳光。和南之笔架山，西之白卫岭相拱抱，周围群峰昂首，自成一方良好生态小环境。

这种龙脉蜿蜒聚结之处，为昭化古城选址铸定了座北朝南的择向。前阆中风水治城中谈了，古人城镇规划中最重朝案的意向，那么和昭化一江之隔的略偏东的塔子山即为案山之象："道光四年（公元1824年）邑令谢玉珩倡建'崇文塔'一庙，由此以塔取名。"再往南五公里，山势弯长，似玉带缠腰，隔江绕城半径，形状如刀，故名刀环山。以"刀"命山名，取山象以慑敌。风水不事儒化而专防御，似觉偏颇，有违中国人文教化初衷，故

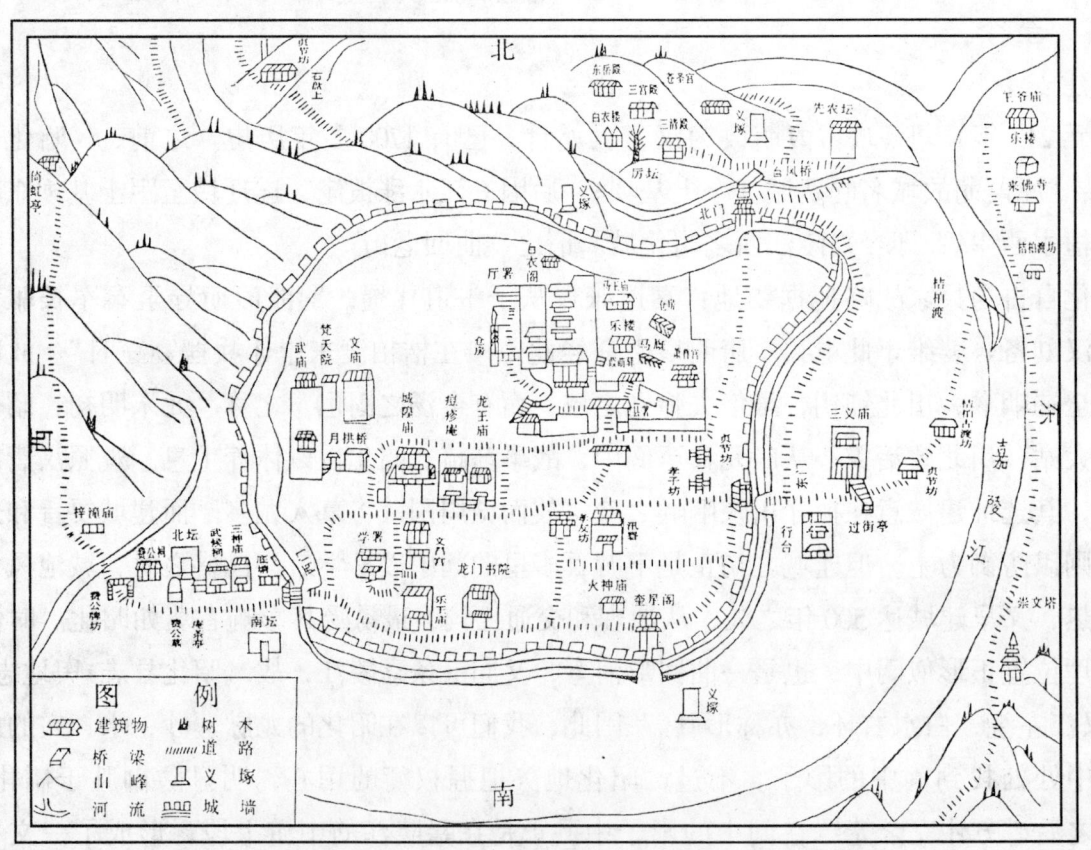

（图43）昭化城池布局图

邑令谢玉珩再建"文笔塔"三座，"三座石塔依偎耸立，中高两低和'大堂'对峙，每当春明景和，雨住天晴，彩虹戏水，塔影映入嘉陵江中，韵味无穷。"所以嗣后改称刀环山为笔架山。其名变异自然有阆中风水格局的影响。其理亦是统筹规划城镇格局，同为平衡

社会心理，激励人心崇尚文化教育："以发科甲"。把险关要地润发为学风昌盛之邑，时间上亦正是清代社会安定之时。而"笔架山"中高两低的塔形正对镇中"大堂"，实则成为城镇布局的中轴线对景，不仅造成城镇和自然的对映呼应，把人心纳入自然山水之中，亦是观景陶冶性情增进健康的美妙向往。这种龙脉与朝案山之间的意象，即为砂。

昭化得水缠护，恰在嘉陵江、白龙江、清江河的汇合口。城三面临水，自是"得水为上"，风水相度城镇规划中不可少的形法。目的与上述阆中同。除了视水为农业命脉和"水法"诸要之外，昭化古为重要渡口亦无不处处充满神秘的风水色彩。《旧唐书》云：明皇过昭化城边之桔柏度，"有双鱼负舟而跃，从臣议为龙也。"群臣争宠媚词曰"龙"，何止"双鱼"，何止"真龙天子"之明皇。不在幸蜀路途中其他地方，而偏在昭化渡口上，这里面显然有产生"龙"的山水地势、地貌环境奇特背景，触动了从臣的献媚灵感，方才以鱼谐龙。因为历来谓龙之产生地，不是巨潭便是深渊。那么，能有"龙""负舟而跃"，显即不是一般平庸的河流。

这种神话般的传说，无非是把河流这种环境于特定空间注上神秘色彩。而绕城三面的曲回嘉陵江亦恰如"龙弯身"形态，其缠护于昭化古城之貌，亦仍是以防御为主调的社会心理平衡的反照。

有了龙法、砂法、水法三法的内聚围合之势，有了山川雄峙拱抱的"全蜀咽喉，川北锁钥"的环护之固，于此产生城镇选址的"穴法"自在理想格局之中。因此再相度观照昭化城镇布局则更清晰醒目了。

昭化城墙四周，方中带圆。道光《昭化县志·舆地志》载：旧系土城，明天顺年间（公元1457—1464年）包以筑石，周围三里七分，拱墙438丈，高3丈，厚1.2丈，上覆串房四门有楼：东门名瞻凤，南门名临江，西门名临清，北门名拱极，四周城壕有水环护。明崇祯二年（公元1629年）为了守城，又增筑一台，名曰"金线系葫芦"。乾隆三十一年（公元1766年）邑令李宜相遵保宁府邑令吴庭相之令，拆修东、西城墙多处，费时五年竣工。城墙周长482丈另5寸，高1.5丈，垛高0.5丈，底厚1.2丈，顶宽0.8丈，外围砌石，内面石脚砖身。改东门名迎凤、西门名临川（道光25年改登龙至今），北门未变。南门因防洪封闭，三道城门楼系嘉庆十年（公元1805年）署令邵友渠劝捐重修。经历代维修，城墙部分保存完好，格局仍较清晰。于此把握南北纵轴线和东西横轴线交叉，中心正在城中龙王庙处。亦即"天心十道"穴位所在。以龙王庙为城镇的中心点制约全镇街道展开，足见昭化以"龙"的意象和内涵控制城镇空间的宗旨。

当然，任何古代风水城市的穴位确定后，正穴之处亦是关键。"断有一高处，即是正穴"，正穴以公厅为选址。正是昭化风水治城遵循的原则，其历代厅署亦正是座落在此之略高地势的纵轴线上。亦正对正南笔架山。喻意明清以后，城镇由防御转为儒化，以启迪镇人崇尚文明的读书好学风气。这样把"修身、齐家、治国、平天下"的传统思想纳为一统，以南北轴线贯穿一道，自然就给昭化清以来街道布局建筑功能分区，制定了规划的蓝图。除城镇的北半部为历代县署、公厅外,其西南面均被"龙门书院、学署、文昌宫、文庙"等大片建筑占满。由东桔柏渡上岸,再由东门入城内,沿途渡坊、节孝坊四五个,并直通西南大片"文教"之区。此实则是教化中,孝道与修身等多种内容的互为观照与统一。孝道之谓,不仅是一般说的"节孝"与"贞节",还包括"孝子","孝友"等内容。昭化东街三内容牌坊齐全,集中在东面片区。从城市精神建筑角度言,构成了极为独特的市街景观。和两旁民居、道路及城门相配属,烘托出建筑形象多种统一的丰富气氛,是中国传统建筑大别于天下的复杂共生体。而为什么非要把此般教化建筑摆在城内东西面不可,这里面显然又蕴含了极为隐秘的风水规划准则。东为正位,正则纯一不杂,又为太阳升起方向。风水上把东、西、南均制为"吉"向之方,所以才出现了如此空间格局。

本为以防御为主按风水格局规划的古代小镇,何以渐自儒化为文风拂拂的书香市井,这恐怕与中华传统文化传播方式和途径有关。建筑作为一种古典意义和历史形态的文化,是一种大自然、小人事的宇宙图式,它充分表现了中华文化的内涵。秦汉以后,发达的农耕中原文化向蜀中进发,它的成熟与活力,在空间上具有持久张力,它以战争伴随生产力与文化同时进击四川盆地,并以生产力的社会伸张为文化在空间上的拓展开辟道路。而紧临中原之界的富庶川中,又为中原文化的张力铺展提供了影响的深度和广度。这就在中原文化于蜀中的主导地位打开了缺口。而文化制度又是文化传播的最有效的途径,任何一种形态的文化向另外的空间扩展,总要依据一定的文化制度向前推进,诸如礼仪制度、教育科举制度等。虽然过去没有严格的城镇规划制度,然而,上述制度必将从城镇大格局的把握到具体空间形态以至微小构件尺寸都烙上这些制度的印记。而风水制度虽不可言全是中原文化成份,但根植于传统文化中,恰它南进过程中碰到了易学昌炽阆中地区一带的风水滥觞局面,实则是同一文化在此地区交融互惠。这不仅更加巩固风水观念,亦更加完善了阆中地区风水治城的格局。昭化以风水早先防御规划治城,后儒化渐变,所以建筑多为明清时代,亦是"九宫八庙"为主体,自是多种原因的综合产生结果。

巴蜀"形胜"城镇一斑

巴蜀古代城镇,不能否定一个事实:明末清初农民领袖张献忠五次蜀中纵横南北东西的焚毁是造成今天城镇几乎都是清以来的格局和建筑的重要原因之一。当然,清兵的毁灭,吴三桂的两次入蜀,边境苗民起义,灾疫等也是部分原因。

清初移民运动,移民主要来自鄂、湘、赣、闽、粤、陕等省。其地均素以风水流行发达著称,他们后来成为巴蜀建设的主力军,必然在城镇、聚落、宫宅、寺观、陵墓、道路、桥梁等方面,从选址、规划、设计、营造诸般引进原乡风水理论。而此时川中仅存土著不到9万人口,又广为分散,因此,在大规模的建设中不会起到主导作用。何况川中原先亦重风水,所以清以来上述各类建筑的风水经营畅行无阻,亦属情理中事。

面对地域广大的川中城乡，稍加留意，你便发现无论城镇、乡村，无论建筑组群、单体建筑，无论寺庙道观，还是住宅陵墓，凡历史稍久远一些的，在自然景观和人文景观的结合上都显得十分有机而谐合。有的甚至达到很高的空间环境和整体处理的成就。这种和西方完全不同的空间现象难道仅是中国人，一个文化有五千年历史的灿烂古国所随意处置的吗？有学者提出，中国人历来重大自然，是画家、文人在指导着规划与设计。也有学者进一步研究：认为中国古建筑成就非常高，然而理论却是空白。这种矛盾现象的后面是不是有传统风水学说在起作用？渐成学术思潮的气氛还引来不少西方学者的关注，并以自然和人及社会的关系拿中国为代表的东方与其西方作比较。并得出西方与自然对立、征服，东方却与自然顺应、协调两种不同的观点结论。当代杰出科学史家英国学者李约瑟就认为：中国传统建筑同自然环境的完美和谐有机结合美不胜收，包含了显著的风水理论和美学成份及深刻哲理。是地理学、气象学、景观学、生态学、城市建筑学等综合的自然科学。国内学者普遍认为：风水理论虽然存在一定的迷信成份，但广泛存在积极的科学道理，"重新来考虑它的本质思想和研究它具体问题的技术，对我们今天来说，是很有意义的。"

基于这一事实，基于巴蜀城乡广泛存在的风水观念及传统建筑选址、规划布局、经营建设的风水行为，我们是通过审慎周密地考察研究，提取它中国传统建筑环境科学与艺术的历史真知呢？还是一概否定？是有节制地利用自然，改造自然，顺应自然，创造良好的居住环境，提高人的生存质量呢？还是把反映我国人民长期实践发展中积累起来的古代科学、哲学、美学、伦理学、宗教、民俗等综合智慧视为糟粕总成？这都是不能视而不见，刻意迴避的问题。若我们把它看成是综合性、系统性很强，内涵又丰富的独特理论体系，那么，对于建设有中国特色的社会主义城乡建筑和面貌一定会大有启迪和补益的。

中国人对山水风光的迷恋，对大自然的情有独钟是没有阶级、贫富之分的。浪迹天涯的文盲和腰缠万贯的豪富，以及文人墨客、行武出身，凡说到他蜀中家乡，说到他山青水绿的宅前屋后，说到他常去赶场的集镇，无不表现出深深的眷恋。笔者60年代中期曾在云南深山中和一个家在乐山的养路道班工相遇。他原为地质队员，后患关节炎转业。他用浓茶招待家乡人致使我彻夜亢奋。其实中了他的计，他是想把对家乡多年的痛苦思恋浓缩在一晚上，向偶然遇到的家乡人全部倾述。这难得的机会他抓住不放，竟用浓茶把我灌醉，致使我们喧哗到天明。这难忘的长夜并没有说其他，专拣些儿时小溪捉鱼捕虾，上山打柴掏鸟窝，赶场吃油果子麻花的小事。然而他竟哭起来了，哭得那样深沉和缠绵。我知道是被思恋之苦折磨的原因，是家乡山山水水的亲情与美丽醉哭的。后来我想：如果蜀中山水风光若是换成沙漠雪域，他会不会产生如此让人记忆永恒的感情呢？当然也可能是另一种更深的眷恋。

笔者80年代初曾随吴冠中到大巴山腹地写生，我请吴先生对四川山水风光发表见解。吴先生精到而情深地说，他抗战在重庆住了七年，建国后又多次来川，感到四川山水风光除了没有沙漠大海之外，几乎囊括全国各地特色景观。草原、原始森林、高山大岳、山地丘陵、田园小景、大江小流、平原阡陌、江南水乡等等于川应有尽有。而各类情调的风光又多笼罩在多雾的气候中，这无形中把庞杂的景观概括起来，犹如画面必须强调的层次事先已经自然优化组合，显得极为迷人。所以，国内近现代画家，尤为大师们，包括黄宾虹、齐白石、李可染、徐悲鸿等，无一例外没有到过四川写生作画。有的画家更是长期寓居、游荡川中，数川中风光景物如家珍，离去恋恋不舍，谈起神采飞扬，给他们人生、艺事重大影响。此全因川中山川太美，太多之故。至于文学家，诸如巴金、叶圣陶、朱自清、曹禹等等，对川中景物的独特美丽描写就更多了。

那么中国现代建筑学的奠基者，像刘敦桢、刘致平诸位"中国营造学社"里的大学者们又是如何评价川中山川与建筑的关系的呢，1939年夏到1940年春，刘敦桢教授在川中纵横东西南北，所到之处，山光水色感触良多。

重庆北碚法门寺："蹬道迴旋，修篁蔽日颇具幽趣。"

北碚缙云山："沿途林木葱郁，景色甚美。"

北温泉崇胜寺："负山面江，林木茂盛，流泉环带，极富自然之美。"

重庆南岸："重游老君洞，登南天门及凌霄殿，北望渝市，隐然若云雾中。"

内江县："东沿沱江北行，新雨之后，路洁无尘，饱观途中景色，亦快事也。"

成都草堂寺："东有万佛楼，八角四层，皆林木密茂，野趣横生。"

灌县："沿岷江两岸而南，阡陌纵横，村落相属。……折西入山，两侧丘陵环抱，古树婆娑，石径迂迴，别具风趣。"

青城山向道亭："适居山中轴上，引领东望，平畴千里，岷江如练，气势雄伟。下山返常道观，已暮色苍茫，映钟频催，炊烟四起矣。"

青城山："岗峦起伏，崖壑幽窅，其佳处在'幽且曲'。幽为天然之景，曲则蹬道蛇盘，引人入胜，峰迴路转，异景天开，诚有目不暇接之慨。"

灌县二郎庙："利用山势，随宜布置，甚富变化，故远望若仙山楼阁。"

雅安："城在万山之中，雨量甚多，俗有'清风雅雨'之称。早晚稍凉，宛然高原气象。"

夹江："沿青衣江东下，两岸石壁屹立，仿佛吾乡夫彝水风景。"

乐山乌尤寺："寺位于东岸山上，树木菁深，蹬道蜿蜒，俯瞰江流与对岸沙渚，宛如图画，不愧为当地第一胜景。"

梓潼大庙山："至此之官道，翠柏夹峙，巨者约二、三抱，殆四、五百年前物也。"

剑门关："两侧石壁如削，一道中分，久为千古要地。"

苍溪："寻慈云阁。阁东北向，上下二层就岩石凿建，下瞰城廓，宛若图画。"

渠县："买舟顺流而下，两岸风景清幽，迥出嘉陵江之上。"

遂宁广德寺："柏林茂密，风景绝佳。寺依山结构，规模颇大。"

大足万古镇："遥瞩南侧诸山，宛如米芾山水，不禁叫绝。"

以上摘录刘先生《川、康古建筑调查日记》(《刘敦桢文集·三》)之川中山水景物描述。于建筑学家眼中的绝妙自然景观，多不单纯就景论景，亦常有宫观寺庙、城邑民居于景观之中。再看另一位建筑学大家刘致平教授是怎样审视川中自然山水和建筑关系的。

灌县："风景更是优美之至，西北群山高峰终年积雪。岷江萦回漾荡，青城山、索桥、二王庙、都江堰、离堆等处全很可观。"

夹江："县正当青衣江出口，山水清幽，风景美好。"

乐山："农村住宅多三、五错落在田野里，草顶木架构很经济，布置多三合头或四合头，猪圈牛栏、碾房草堆等置在房外，很有乡村风味。"

宜宾李庄："颇觉乡居景物的优美，山野村居或三五家或十数百家，连聚错落着，它的外围常种竹丛，溪水也很多，所以感觉有点江南风味。"

刘致平先生抗战时期在四川南部和岷江一带以及川西，主要从事民居调查研究。他处处把自然环境和民居相揉在一起作空间形态的整体观察和把握。他的《中国居住建筑简史》巨著中，附专门章节对四川住宅作详述，对自然风景和建筑的关系虽叙及不多，但极精采和独到，他结论说："赤色的丘陵上面覆盖着绿色的植物，给人的感觉是很温暖热烈的。""西川一带是川中最富庶的地方，在岷江两岸山峦起伏，清流萦回，风景很是佳妙。在这美丽殷庶的环境里很容易有优美的建筑出现。"这最后一句十分准确地肯定了自然环境和建筑的关系，是极其卓越的见解。遍览川中风景山水类型城镇与民居，何尝不是先生所言之理。

桃源秘境——江北偏岩（图 44、45、46、47）

四川盆地内第一高峰，华蓥山主峰宝顶海拔 1586 米，为江北、合川、华蓥、邻水诸县市交界的汇结处。南麓有一条仅六、七十公里的小河叫黑水滩河，是嘉陵江的小支流。上游从华蓥山崇山峻岭中蜿蜒流出仅几公里，地势便略感宽阔，于此形成了山口和河谷的结合部，此正是巴蜀场镇若干选址最佳"旺地"。有进退自如的地形不说，心理上亦有依托和进击的双重性。更有甚者这些环境往往背负大山，面向河谷或平原，山水皆有，树木繁盛。更汇山货于一处，形成盛极一角的山水场镇。偏岩场于是逢生而立。

川中凡三县、四县交界之处，往往是贫瘠之地。因行政区域划分多以分水岭为界，以河流流域为范围，这就把本来水土寒薄的上游地段置于天高地远的穷境。穷境之谓，习惯以粮食出产多寡而论。恰忽略了这些地方另一致富资源，即山水风景的佳妙，以及青绿山水中的质朴场镇。

偏岩场正是此般场镇的典

（图44）偏岩镇黄桷树，小溪，房舍密不可分空间

型。唯僻远路陡，至今处于原始状态。川中古典乡场之韵最为正宗，皆出于山水精灵所致，十分迷人。

偏岩场一名，实无岩可"偏"，仅上游场口几家幺店子临岩。而整个场镇布置在一河湾冲积的窄坝上，背后即一斜缓大坡，是华蓥山支脉的山麓。偏岩之"偏"，理应"偏"华蓥山这匹大山的岩，因其是华蓥山南麓唯一起始场镇，是南麓广大山区农民唯一交易中心。据说场镇清初已具规模，先铁匠铺、饮食幺店子，为山区农民下嘉陵江水土沱赶船，静观场赶集的歇脚处。后自兴一场，渐自成市，遂成今场镇。规模百十人家，一条百多公尺的独街和小河平行，三桥分上、下场口和场中跨河相连，适成偏安一方的场镇山水空间。

偏岩之绝有三、一为山，二为水，三为树。三者殊为亲密，又各有形态。山势于此向北向东向西皆层层拔高，山貌嵯峨，犬牙交错，一层比一层淡，一层比一层远，一层比一层高，渐自消失，消失处即为华蓥山主峰宝顶。山近处墨黛，中景翠绿，远浅微蓝，皆植被葱葱方才有此满目青山。于此背景丰厚、绵延，山象气势磅礴跌宕。人居山麓，自感背山的安适，面迎河谷视觉的平远高畅。亦是古老防御意识的遗韵。而悦目爽心的绿色，随山势渐淡的变幻，化解了山的过分威严和凝重，又给人起伏跳跃的想像。爱大山、佳山不独文人才有的雅兴，中国人自古栖林莽山野，取其食，筑其巢，素择居高临下俯瞰为生存之道。独善其居如此，群居聚落亦如此。久之便有高瞻远瞩的品行，亦共生整体大局的观照。故平旷狭隘之景，不易产生一览众山小的淋漓。后来文人把远古人对自然的情愫逐渐升华，衍成诗文，又代代传习，所以人对自然之爱，应是生命基因和儒教的合二为一，

二、巴蜀城镇类型　　75

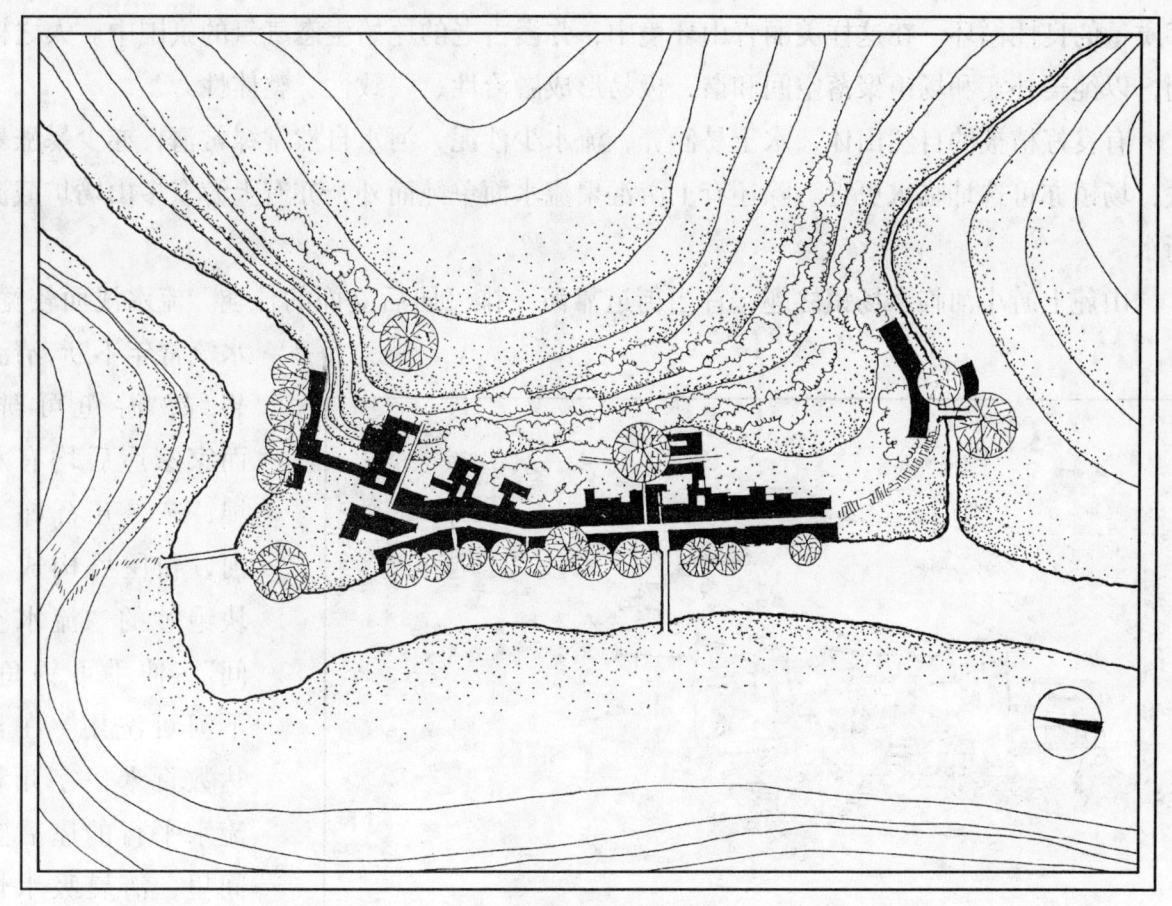

(图45) 偏岩场总平面示意

才产生了有别于其他民族的生存观和自然观。山为自然之父，平生阳刚之气，为刚烈、坚毅、高大的象征，是崇高的同义词。故自古中国人以登山为乐事，以征服险峻高峰为力量和意志的展示，也才把山比着男性的化身。"九九"重阳节，老人登山，以山和太阳观照，意喻人生高远的辉煌。青年人以登山的险、高、远为快事，是检阅能力的比试。携小孩爬山，是家长想注入孩子心灵一份胆量，一份坚强。于是人类产生了对山的崇拜，视山为图腾，视山为神灵。羌族就认为："神灵是居住在天庭上的，人与神有密切的关系，高山离天庭最近，是通向天庭的梯子和关口，神灵下凡上天均须经过高山，而人间的祭天，祈雨等仪式，自然也应在高山举行。"《神秘的白石崇拜》书里又说道羌族对白石的崇拜："在古羌人的观念中，雪山似乎就是一块巨大的白石。"汉族对高山的崇拜往往和宗教结合一起，把自然崇拜人文化，把寺庙道观融入高山密林之中。而落魄的文人，失意的政客视山为寄托归宿，匿隐其间，品味山野。陶潜："悠然见南山"便是此般对山的向往和挚爱。

　　因此，像诸如偏岩场一类的川中山麓场镇与其说"靠山吃山"，不如说视山为背护，为心理的崇拜和寄托。所以，才会产生对山体植被的热爱与保护。百姓之间才会产生纯朴的民间保护山林的制约机制，哪怕它是充满封建迷信色彩的，至少一时间内（也许几千年以来都如此）是行之有效的。这等于保持了水土，避免了场镇受山洪冲击，维系了人的生存质量的良性循环。在这样美丽青山环境中,弥漫古老的原始生态气氛的氛围中。人之格调,以纯美朴实和场镇聚落空间和谐,极易形成融洽性、一致性、整体性。

有良好植被的自然山体,水土易涵养,流水少沙泥,河水自然常绿常清,亦少暴涨暴跌,场镇亦可选址临水更近。除还有上游汇聚流水面单纯而外,亦有上游众多山塆圹截流断水。

山麓上游小河临水场镇之趣,首当街道靠河一排民居后立面的佳趣。流水浅而较宽,水流常年不断,清澈碧绿,游鱼可辨。而家家屋后均有水埠,三、五石梯下河,和屋后构成一块绝妙的"流水空间"。伸手可钓鱼,下河可洗用。在长达数百米一字儿和流水平行的屋后空间里,清晨吸水忙碌上上下下,傍晚消闲和潺潺之声低语寒喧。水的生味纯美飘荡中可呼吸

(图46)溪畔人家与黄桷树速写

可识辨,厨味的甘美中可闻出菜肴的新鲜。

山的阳刚,水的阴柔,缠护着场镇,更有数十棵老黄桷树,间距相当地沿场镇后立面护堤展开。其大大小小的根须像倒生的水草,随着流水在水下摇曳。巨大的苍老斑驳主干上搁置不少由屋内伸出的木料,有的是梁、檩的延长,有的凉晒衣物的组架,有的把青瓦直接盖在木板和树身上。而冬天退去叶子的大干小枝,千枝万条,更在屋顶上组合成蔚为壮观的树的褐色经络,就像是小镇的神经,统而覆盖在整个屋面的上空。落叶几乎全遮住了屋面,因而也成了黄褐色。夏天它又似一堵绿色护墙从空中庇护着小镇,给家家清淳,给行人浓荫。

看似一台山、水、树、场镇的无序大组合一切顺其自然,顺其天理。小镇全被自然包围,被溶解。那本来有些枯燥的灰色瓦屋面也似乎振作起精神,一年四季,阴晴雨雾,变化多端。若只就场镇建筑而言,远看论体量,论色彩,它几乎消失,偶尔从树缝隙露出一两块白方格山墙,方才感到它的存在。可就是这些看似无序的大组合,大纷乱,却又组合成一种深沉一种宁静。就是赶场天的喧闹,那铺天盖地的树叶如吸音箱、隔音墙,也把吵

闹变得柔和，变得温良。这自然是上述绿化诸多功能外，不可忽略还有隔音的功能。

　　川中城镇，历来以栽树植草为美德。尤其城镇乡村喜栽黄桷树成为一种风靡的习尚，是其他省不多见的绿化好民风。从盆地内各大小城市、城镇观察，几乎都有黄桷树的栽种历史。有人认为，川东、川南较热，宜于黄桷树生长，其数量较之川西、川北为多。此实为误解，盆地内温差不大，都宜于它的生长，像峨眉县一中、二中及城内的大黄桷树，五通桥大面积的黄桷树，洪雅县若干场镇的黄桷树等等，其体量、树干的巨大，数量的繁多反倒在川东川南不多见。因此四川盆地内各城镇把黄桷树作为一种实用与美化城镇空间的手段，十分有机地和规划与建筑结合在一起，改善着生态，丰富着城镇天际线，完善色彩组合，增强空间形态的识别性等，使之成为国内罕见的约定俗成的城镇绿化民风，成为巴蜀城镇空间形态的一大特色。其数量之巨大，树龄之久远，单体之庞然均是生态学科值得研究的课题。

（图47）浓荫下的民居

　　川中何以如此亲昵黄桷树，是何种力量推动它的广泛栽植？自觉的绿化行为后面是否还存在更多的背景？典籍上于民间行为，尤为栽树种草"小事"之类，素记载较少。我们仅能从现存川中黄桷树普遍较大的一类臆断，估计大面积在盆地内流行栽黄桷树之风，出现在清朝中叶，它和清中叶川中场镇兴盛同步，亦是乾隆、嘉庆以来太平盛世在绿化中的反映。之前，是为野生？或为幺店、山垭、路口、码头等处的风景树，还是清以前就已成为习惯的绿化行为？均不得而知。但从现在树龄和数量分析，一百年前和两百年之间，川中曾出现过大规模的民间栽植黄桷树的运动。它不仅包括城镇，还包括屋前屋后、桥头、幺店、路途等一切可以植树的地方。因其如此，才有今日巴蜀到处有黄桷树的美景。这种优美民风的传承是必将继续下去的。笔者曾在武隆县长坝乡场镇后山路上抄录一石碑刻全文如下：

风景树管理规定

　　林木茂盛，芳草青青，宅旁路角，溪河岸边，是人往返之地。有树，则精神豪爽。无树，而忧愁之感。原鹰嘴岩有参天黄桷树，形成独特风景，行人经过，名传四方。黄桷树年久枯死，幸承退休教师陈泽益、杨君武二位老人，新培植黄桷幼树两株及花草，为此经乡政府决定：在鹰嘴岩坟坝以下培植花草及黄桷树。凡损坏黄确树者，罚款5元以上，情节严重者，报有关部门处理。

长坝乡人民政府

一九八八年元月

　　偏岩场镇建筑，处在山、水、黄桷树的簇拥之中。从稀稀落落的场镇两头建筑开始，民居、店铺、半边街、檐廊、石桥……皆顺小河布置，全又在树荫笼罩之下。建筑皆全木构穿逗式平房，越往场镇中心靠近，建筑越紧密。中心一段即成封闭式独街。街虽窄，抬头看天，远山近岭，黄桷树如盖。环顾左右，叉巷小路不时有河面一掠而过。人行街中处处时时与山、水、树为伴同行，又时时处处感到在大自然的怀抱之中，似若游荡山水间，却又在街中行，别有一番自然与人文景观高度有机密合的天成情趣。又说街中行，临河一侧民居中，家家后门敞开，有的横长方，有的竖长方，那黄桷树枝桠绿叶从门框中透出，恰似一会儿横幅，一会儿条幅山水画。人在街中行又如欣赏展厅一排排悬挂的画作，一家一幅，更有人进人出在画中，实在是美妙之极的动态画面。

　　偏岩场镇为一方地形的"死角"，往里走即是华蓥山的陡坡悬岩，已为绝路。历来无名气，仅是一些常逛山野而具慧眼的画家偶然发现。所谓落后是指山区交通、经济的地理因素所至，故为秘境。自然状态的人为因素破坏甚少，恰生态环境的欣欣向荣又似桃源之貌，而进山二里还有胜天水库一大景观与其呼应，再而有盆地第一高峰的宝顶相辉映。这充分保护其原始形态，必是重庆郊区又一优美景点。特点是：山水古镇，高山湖泊，清流大树群。

峨眉山后——洪雅柳江（图48、49）

　　巴蜀多名山，名山多圣寺。围绕名山四周亦往往多名镇，多优美的民居，这是人们常忽略的。峨眉山前有绥山、九里、罗目、龙池诸场镇。山后有柳江、高庙、炳灵诸场镇，山西麓更有一派古典山水风貌的望鱼场。电影《被告山杠爷》外景精选之处即为此地。而青城山前、山后亦是美镇罗列，像山前的灌口、玉堂、街子镇，山后的水磨、三江等场镇。川北窦圌山下武都镇，凌云山侧箧子街，玉印山下石宝场，剑门山下普安镇，玉蟾山

二、巴蜀城镇类型

(图 48) 柳江场口环境一瞥

下福集镇等等等等。

　　山或因寺观而知名，寺观或因山的知名而扬名，尚易理解两者相互依存关系。而名山四周的场镇与其有何关系，是不易被人察觉的。其实处在名山圣寺周围的场镇和民居，无论在自然与人文关系的整体把握上，在聚落与单体的建筑气氛上，包括建筑造型、内部空间、局部构造等方面，都受到名山及寺庙的影响。尤其是心理影响。这就产生了名山周围场镇与民居"神似"寺庙聚落与自然的谐调。

　　峨眉山北麓花溪河汇集峨眉山北坡丰富降水，形成若干细流急水，或溪或涧，密如蛛网。这里是四川境内降水最充沛的区域，年总量达1600毫米，山区竟达2000毫米，相当于热带雨林的降水量。加湿暖气候，肥沃的土质，使得峨眉山及周围山地、丘陵、平坝溪河纵横，植被非常丰厚，同时储存了大量木材。这就为当地的场镇与民居提供了建筑的基本材料，倾斜的地形和温湿的气候又决定了建筑的形式。所以，干栏式建筑成为当地一大特色。北麓花溪河上游及支流即聚落着不少以干栏建筑为主的场镇，像炳灵、柳江、花溪等。这些场镇和峨眉山东南麓峨眉县绥山、罗目、九里、龙池等场镇遥相呼应，山前山后，一北一南，构成了峨眉山麓外围主要的建筑聚结点。这些点都和峨眉山发生着某种关系。或空间的或时间的。并直接间接地受到峨眉山的影响，影响着他们的生产与生活，影响着物质与意识形态。

　　花溪河最终流向青衣江，青衣江又与岷江汇合。在这美丽殷实的平坝与山区交汇处的若干场镇中，花溪河上游的若干场镇又与青衣江、岷江保持着水路交通关系。花溪河上游的柳江镇即是后靠峨眉山，面迎洪雅县城、青衣江下游各城镇的一个枢纽，亦是一方山区与平坝中心。

　　柳江镇依靠峨眉山区丰富资源，造纸、木材、茶叶、竹笋均是获取收入的大宗。并有浅木竹筏直达乐山。返回物资又由此销售峨眉山区广大农户。因此形成了几家聚财大户，亦产生几家大户嗜好特点的民间谐说：诸如×家谷子、×家女子、×家银子、×家房子。意即发财人各有所好。其中以曾家房子最为考究。原因在曾家喜爱建房子，且修建得古怪。由于场镇有较好的经济基础，又有几户大家支撑起场镇空间框架，因此，柳江场镇特点在华屋单体与部分街段与山水之间的亲合关系。而这种关系又让人领会到是在峨眉山麓特定环境之中亦显得似乎受到峨眉山自然与建筑的影响。此不仅仅是视觉上、地理上的关系，恐怕心理影响是最重要的方面。

　　柳江镇选址河边，和河面相距不过3~4米之间，稍有大雨，即水齐路面。街分两段，下游段有宅无店铺，仅为半边过路"街"，但有市，猪、牛、鸡、鸭于此交易。住宅建得极有情致，极为优美，均取河中圆石垒砌地基，又在上面立柱架梁，干栏的空透中又间杂穿逗楼房、平房。有的挑楼加美人靠临河悬出，做工亦很精致。由于木料丰富，外墙壁带楼的侧面上下通用木板，面积一大就显得特别奢华。而一两户挑出的楼廊上，装饰适度，和横竖伸出的屋侧山花墙配置一起，富丽中溢出朴实。且各家外观造型均不雷同，变化有

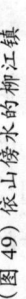

（图49）依山傍水的柳江镇

致，一字排列，立面非常丰富多彩。进得各家内庭，平面杂而有序。尤以王姓大宅，平面狭窄且长，却要追求传统对称合院格局，在里面作了很多"假过场"。他把大门从中把宅院分成两大部分，左为住宅小院，小院看似对称，其实靠河岸一排的开间小得多。但光线好，干燥，还可临窗观览风光。于是读书、居室、会客都放在这一边，此可算右厢房。左厢房稍宽，靠岩坎潮湿，全安排成厨灶，用餐、堆放杂物之类。象征性的正房只有一坡屋面，空间狭小不能大用，权作祖堂，仅设香火神龛而已，不像一般堂屋在此议事待客，恰也因此增大了天井采光面，感觉既宁静又明朗。

大门正中有一阁楼，是碉楼变体，武为文用作休闲瞭望之途。大门左边大群建筑，有戏楼、过厅、院坝、后院及众多房间，且多为二层。因座落街头镇旁，亦作栈房。这样宅院就聚集了住宅、阁楼、戏楼诸多功能，杂而有序。空间组合随意中又有一定规律，不规范中又有一定制约。当然这是受到河岸地形狭长的控制，但它并不因此而恪守传统仪轨的僵局，而是变通传统，丰富空间，所以进宅院后，立感活泼欢畅。联系起峨眉山寺庙选址的局促，平面的随意，其中似有诸多类似。

而最为动人是此段建筑全部面向河面，河面与路面仅一、两公尺高，房舍与河岸又二、三公尺距，全在水边。河清且浅，乱石搭成跳磴。过去居然还充当码头，停泊如此多的竹筏何以成全航运，实不敢想像，却又是事实。还有河洲两岛之间，有草屋水磨房一座，河水流畅水车咿咿。鸭鹅戏水，白鹭成排低翔，灰鹳水边伫立。渔翁蓑衣斗笠垂钓，镇妇捣衣洗菜匆匆，远山蒙蒙，近水汩汩。就在此段河岸上，高数丈的巨大麻柳树和小山一般的黄桷树相互交织、穿插、错落，全覆盖了房舍、道路、河岸。光线有些暗淡了，石板路边长青苔了。然阳光一出，浓荫伴着柔和一并倾下，镇上躲荫乘凉的人都出来了，那布满河岸的无数大卵石，如清爽石凳，密密麻麻坐着赤膊露腿的人。更有的躺在洁净的石板路上，忘乎所以山水、大树之间，欢声笑语，水声浪声，勾画出一幅山水小镇民俗图。天庭之大，天籁之美莫如我蜀中，更莫如我偏安一隅的峨眉山后。而这一切的场合景况又不全发生纯粹的自然山水间，恰就在房前屋后路街之边。河流犹如家用，更在咫尺瞬间。还有河斜对岸的曾家大院相映照，把河岸房屋布局与山水的默契揉合得至臻至善。

曾家大院是柳江最著名的大型庭院。由于平面按"寿"字笔划组成，造成内空间曲折迂回，扑朔迷离。建筑风格又中西合壁，仅戏楼就有三个。且方向、形制各异。而外立面或墙或楼，为追求寿字笔划，造得形似残缺。尤临河一排楼房如锯齿状，一弯一拐。楼上楼廊、房间、栏杆亦随之一波一折。怪异诡谲，神秘莫测。但做工雅致，装饰不俗。墙体下砖石、上木构，色彩深褐，至为老辣。因此建筑古怪中亦显出没有偏离传统建筑文化的韵致。怪异中亦感到分寸的合理。能造成这般气氛，显然是很不容易的意匠。由何人设计何匠所作，诚民间建筑大师也。

曾家院子虽然在场镇河对岸，自立营造独立于场镇群体，似有从众不如独善的孤傲。若把这种大型庭院与场镇布局和平面构图的关系整体比较，应是最佳之规划方案。场镇为主，曾宅为次。主次明晰，又一河相连，空间顾盼视觉可达，隔而不断。而相互之间容山水于视野面，无遮无阻，一览众山。若建曾宅于场镇一体，挤在一起抱成一团，望四野倒是山山水水，却少了一道人文景观的风景线。故曾宅选址，不仅可面河观峨眉群峰，亦可把柳江大树群中的房宅一并相加组合成自然与人文谐调的完整传统景观。然而从场镇往曾宅看、同理如上。相互皆得眼福，正如传统山水画的构图，凡神品、逸品之作，何幅仅仅自然而绝尽人气，皆点缀房舍一、二。须知者，人居自然，享用自然是人之本性。于峨眉山麓建宅院兴场镇，若忘记了此一特定的时空环境，在过去，均是漠视，甚至篾视对有宗教意义的名山持轻慢之嫌。局外人不置可否。宅主之心隐情难了却，何必冒犯，何故自我作难。顺其天成顺其自然，客观上又不是费时费财之事，何不两相成全。美了人心，美了宅院，更美了场镇与自然。

于是再回到柳江整体空间形态上，场镇共分成一街一段一点，中有一河隔而相连。一街为封闭式主街，街道空间平平为一般川中场镇雷同。一段为场口麻柳、黄角树笼罩之民宅与河岸，为半边路街。此为最精采之路段，一点为曾家大院子。若把一街面积较大空间比喻成"面"，一段比喻成"线"，曾家院子为"点"，那么在柳江空间整体上就呈现出点、线、面的完美形式立体组合。而这种组合又是在峨眉山北麓，山水相依的大格局之中。这样的场镇设置何等悠哉游哉，何等的让人留连忘返。

前面讲了，像柳江之类峨眉山麓的优美山水场镇远不至于此。何以如此面貌，首先是一千多年峨眉山寺庙建筑与环境的有机结合，在感受最频繁最深的山周围百姓中留下永不磨灭的印象，产生了极大的建筑模式的震撼力和影响力。而修建寺庙者绝大多数是山周围的百姓工匠。他们转而建场镇和民居，有意无意中就会把从整体到局部的运作与构作带到民间，带到最易接受他们空间形式的山周围的老百姓中。这便是心心相印，两厢情愿。从整体山水与建筑的契投到单体营造，峨眉山与寺庙的关系，通过工匠们媒介，找到了生存播布的土壤。虽然建筑功能、类型等都不同了，然而神韵却处处时时存在。即常说的"神似"。形似是不可能的，若是，峨眉山周围则全部是寺庙了。

"仁者乐山，智者乐水"

早在东周时代，孔子即论断"仁者乐山，智者乐水"，把山水与人的美德、气质一起论述，表现出古时山水审美的高尚情操。到了魏晋，欣赏山水美蔚成风尚，士大夫以不会欣赏山水为耻。此间出了很多礼赞山水之美的大家。像王羲之、鲍照、郦道元等。郦道元在他的《水经注·江水》节中写道："山松（袁山松）言：其叠崿秀峰，奇构异形，固难以辞叙。林木萧森，离离蔚蔚，乃在霞气之表。仰瞩俯映，弥习弥佳，流连信宿，不觉忘返。未尝有也。既自欣得此奇观，山水有灵，亦当惊知己于千古矣"。可知早在东晋时，袁山松就发现了长江三峡的山川之美。

中国人对山川之美的感悟体验，有着特殊的文化理解基因，为其他文明古国为早为深刻。故又产生了中国山水画，产生了历史上灿若银河的山水画家，五代范曾："居山林间，常危坐终日，纵目四顾，以求其趣。虽雪月之际，必徘徊凝览，以发思虑。"宋代郭熙历数诸名山特征："嵩山多好溪，华山多好峰，衡山多好别岫，常山多好列岫，泰山特好主峰。"而历代诗人墨客对峨眉山的赞颂则数不胜数，李白："蜀国多仙山，峨眉邈难匹。周流试登览，绝怪安可悉。青冥倚天开，彩错疑画出。"岑参《望峨眉》："寺南几十峰，峰翠晴可掬……"。尽把华夏山川与蜀中名山描绘得淋漓尽致。

对于自然山水，中国人除了讲究画、写、游之外，还讲究可居，只有长时间的浸染其中，四季不同地全面领略山水之美，方为尽兴尽致，于是便在山水间有了楼亭阁台、茶房酒肆，产生了建筑。于此间可驻足常览，长寓久居。也因此对建筑有了要求：诸如建筑与山水的协调，不可以次充主、喧宾夺主，遮挡了山水之美。色彩不可太艳丽、太雕琢，以静淡素雅为尚，以获得与自然统一的融洽关系。王安石在《答平甫舟中望九华》诗中说："穴石作户牖，垂泉当门帘。"更是把居住环境的理想诉诸山水之间。表现出居住建筑审美追求，亦是中国人对居住环境重视自然美的集中体现。这些山水与建筑的关系来自老庄哲学对自然的挚爱和崇拜，主张顺其自然而不作更多的人为修饰，力求保持自然原貌。任何人为的增减只是完善，而不是削弱自然天真的内涵，并以此获得了一种淡泊宁静的境界。几千年来，老庄思想深刻地影响着和正在影响着我国的传统建筑发展，影响着小至一户民居、大至城市万千户的空间形态。

近年，钱学森提出"山水城市"观点。"所谓'城市山水'，即将我国山水画移植到中国现在已经开始，将来更应发展的，把中国园林构筑艺术应用到城市大区域建设，我称之为'山水城市'。这种图画在中国从前的'金碧山水'已见端倪，我们现在更应注入社会主义中国的时代精神，开创一种新风格为'城市山水'。艺术家的'城市山水'，也能促进现代中国的'山水城市'建设……"。显然，钱学森先生的观点来自"金碧山水"画，来自把"我国山水画"中自然与城市的融洽表现和启发，来自传统建筑文化的精华部分的弘扬。他至少说明中国人对自然山水的维护和珍惜。

当然，具体作起来，不管单体民居、场镇聚落、城市大邑，古代即重视选址的合情合理之地。诸如凡娱乐馆厅宜山腰、山麓不显眼之地兴建。聚落、市街、场镇占地较多，功能齐全者则尽量在山麓隐蔽地带，宜"躲"则尽量躲、宜"藏"则尽量藏，以不干扰破坏山水完整格局美为准则，以突出自然美为构图基本思路，保护一切有审美价值的一草一木，一石一水。清人周清源《游雁荡山记》中甚至提出有不如无："灵岩有寺废久矣，而群峰益刻露呈秀，固知天地自然之奇，非斧凿所能出，稍一点缀，反掩真色"。可见古人视自然于心底，是何等的深，好山好水之爱几成病态。

巴蜀之境，山水得天独厚，不仅山麓之地风景如画，丘陵、平原之势亦各具特色，其间场镇或多或少亦珍爱自然，使建筑和环境能充分协调。一个场镇或全部、或一般、或两头、或局部均保留着和自然的亲密,保护着自然的天然状态。这既是物质财富,也是一笔宏巨的精神财富。山水优美环境必将滋养人的"仁智"素质,培育更加崇高的民风。

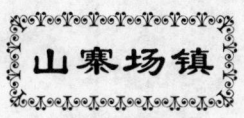

山寨场镇

自私有制的产生,就需要城廓沟池来保护奴隶主的私有财产。城廓沟池形式不同,但性质是防卫性的。传说中夏代就已"筑城以卫君,选廓以为民。"这种古代中国城市产生的雏形,非常类似川中一些山寨式场镇。

四川山寨,远古时先人就习惯山居,"依山之上,垒石为室"当属山寨之最先。《四川通志》说到三国时就有"纳溪县保子寨"。唐代山寨建筑从数量,规模都有较大发展。"大足城北之龙岗寨,可谓一时期山寨建筑之代表"。寨内,"筑城堡二十余间,建敌楼二十余所"。宋代,元蒙入侵,宋军在合川钓鱼山寨扩建发展成多功能的防御工事,并沿嘉陵江、渠江一线建筑城寨。就在距钓鱼山寨东北约四十多公里的渠江边上即有涞滩寨,清末寨内形成市街,进而场镇,成为山寨式场镇典型。而川南著名的自贡三多寨,隆昌云顶寨却以家族式山寨形成市街与场镇,一个兴市街于寨内,一个建场镇于寨旁,各具形态,蔚为奇观。

山寨内不少因地宽水足,田畴交错,可资耕耘。又山高势险,风景佳美,于是除防御性的碉楼、望楼之外,同时亦产生池塘、水井、水槽、民居、街道、寺庙等建筑。合川钓鱼城"城内建民房、街道、帅府、阅兵场、指挥台、仓库、泉井、州县署衙等,使钓鱼城内房舍相连,机关相通,军民相济,水裕粮足。"显然,这是宋代钓鱼城为抗拒蒙军,踞险久守不得不做出的建筑选择。且已经形成街道。此可谓巴蜀山寨式街道的最先,亦是场镇于山寨内最初的空间框架。与之同时代的还有蓬安县运山城,"宋时城池市井俱备,……军营、民居,甚至孔庙、寺观均有营建。"合江县神臂城内"衙门四周为街市区……,曾发现街道排水阴沟,庙宇脊瓦等。"宋代抗御蒙军的山寨在下川东一带,明、清时有的又续作了镇压农民起义的堡垒和庇护豪富绅粮的巢穴。像云阳县磐石城"大兴土木,重修城池……,嘉庆四年,仁宗下令推行坚壁清野,世道动乱加剧,磐石城内住家猛增,城内房屋栉比鳞次,还有店铺,馆居"。

由于历史、地理位置,场镇发育的基本条件不具备等原因,山寨内街道多空有其名,仅存街道与房屋框架,并没有真正形成市街和场镇。清末,正是上述条件具备者,反而渐自有建寨又兴场镇的现象,并延至今日,不能说不是巴蜀建筑的一大特色。

围合兴场——合川涞滩（图 50、51、52、53、54）

涞滩场位于合川城区东北 45 公里的渠江两岸，其"场"为寨，选址江畔鹫峰山巅的平坝上。据瓮城题记载，寨墙建于清同治元年（1862 年），是当地人为防太平军及李、蓝农民起义而修筑。寨墙大部完好，寨南北长 330 米，东西宽 260 米，有城门 8 道，西面 6 道为瓮城。其中正门门高 3.1 米，宽 3.8 米，深 3.8 米。东面为东水门，城门洞宽 1.8 米，高 2.6 米。南门略同东门。寨墙共存 973 米，其中东段长 140 米，

（图 50）涞滩镇瓮城城门口

高 2.8 米，厚 3 米，南段长 200 米，高 1.7 米，厚 2.3 米；西段长 253 米，高 3.1 米，厚 3.4 米，北段长 380 米，高约 1 米，厚 2.4 米，均用 1×0.3×0.28 米的条石叠砌而成。寨内尚存清代街道、民居、戏楼及唐宋摩崖造像和明代石坊一座，还有建于清乾隆十年（1745 年）的鹫峰寺殿宇等。

鹫峰山东面临渠江约 500 米，有陡岩处设小寨门直下江边，江边民居数间组成一街，谓之小涞滩。所以也称山顶之寨为大涞滩。若把大、小涞滩这种空间现象摆在巴蜀城市与场镇的格局中审视，也是十分别致的空间序列递进格局。比如，成都与郫县，郫县与安德，安德与附近村落。由大空间而小空间。反之由村落而场镇再城市进而大城市，表现出一种空间变化秩序由大到小或由小到大的变化。这种随人的情绪变化而变化的空间体量等建筑因素的变化，或者说，空间大小的序列直接影响人的情绪变化，都是中国传统建筑从单体到巨大群体组合整体构思的惯用手法。而就一场一镇一城来说，这种整体的连续序列中，各空间群体，各城镇出入之道又有属于自己的变化序列形态。辟如，有的场镇不远有廊桥和小院、大树组合一景，以幺店子形式构成场镇外围

（图 51）涞滩镇西城门

景点，实则以此和场镇谐调空秩序，对比由小到大的一种序列变化。变化中深深调动、控制着人的情绪。再辟如古时彭县城外，由密到疏的牌坊渐自向成都方向铺展牌坊间距由窄渐宽，直到五里外一长亭作停顿。深含出城远离家乡情绪的和谐变化同构之理，反之由远

方回城,由宽到窄的尺度紧紧扣住心弦,有一步近似一步的急迫感。大、小涞滩即如此理。下船登岸先于小涞滩暂停稍憩,以调整情绪,装点行李再踏步向前。若无建筑作为接纳荫庇,情绪显然是苍白得多。

大涞滩选址于鹫峰山上,从河边小涞滩上来有约一里石板坡路,抬头仰望,即见悬岩缝中开石砌山门一道。其势高耸、虎视眈眈。寨门雄峙,直面渠江。寨门为双心圆拱,高约二丈,左右为高约数十米的绝壁,上部稍缓处又嵌以石墙,再向左右成圆形后移,绵延以围合接北门和西门。人还在江上时即有雄奇之感,步步逼拢,尤感险峻景象环生。待靠近有较好的清晰度才发现寨门城墙悬岩之上仍有大屋民房数间,并横向错落铺陈在上。其势使人惊异又使人产生疑窦,尤为屋顶之貌,除硬山式屋顶外,居然有四角高翘的歇山顶。虽可断言有寺庙之类隐于其中,然何以偏在岩畔寻险作乐,又何在寨中设如此多的建筑?其用场如何?进寨门之后方才发现,那大屋即文昌宫,恰在寨门之上,寨门之大尤如城市古城门洞。门内即一个90度转弯,数步石梯急上,天地为之一变,俨然市井之街,左右两列店肆敞开,木构铺面与民宅相间,和一般川中平坝丘陵场镇毫无二致。尤感不同者,刚才还在惊恐的古寨绝险寨门外的感觉之中,瞬间便又是一番人气暖暖的场镇温馨。如此顺街道直往西去,西寨门更以奇特之貌跃然眼前。

(图52) 涞滩场西门和瓮城图示

(图53) 涞滩场小寨门速写

西寨门为石砌,高7.6米,墙厚3米,同为双心圆拱圈,拱门高3米,宽2.5米,拱顶墙上石栏分级下落。有"众志成城"四字镌刻拱顶门额上,再书"大清同治元年壬戌发季夏月建立"诸字。此为城门外的瓮城门,进去即为瓮城。瓮城又名月城,据戚珩、范为《古城阆中风水格局:浅释风水理论与古城环境意象》一文考释:"这格局,据1950年出土宋初营城纪事碑述:盖宋初已始此,而旧志载明清格局,城门建置情况与宋初同。"《阳宅会心集》云:"城门者,关系一方居民,不可不辨,总要以迎山接水为主。……故其如有月城(瓮城)者,则以外门(瓮城门)收之,无月城者,则于城外,建一亭或做一阁,以收之。"《武经总要前集·守城》:"某城外瓮城,或圆或方,视地形为之,高厚与城等,惟偏开一门，左右各随其便。"《元史·顺帝纪八》："诏京师十一门，皆筑瓮城，造吊桥。"这种为加强城池防御力量的围合体，看来肇始于宋初，是宋代筑城广为应用的防御模式，营建时又考虑了它的风水意象，不仅"迎山接水"，还与城门错开，"惟偏开一门"。

涞滩瓮城门与城门在一条直线上，但瓮城内有左右耳门贴主城墙疏通。于是瓮城便有半圆形平面四方四道门，城内共400平方米。川中古城墙，凡山寨城池，除阆中等县清以来建有瓮城外，少见有更多的传闻，尤其至今格局完整、形式规范、建筑完善者更鲜见。涞滩瓮城除瓮城楼已毁外，其他概然全全是川中极为罕见的城墙范式，极为宝贵的古建文化遗产，极其珍贵的古建筑。

从下船上岸的东寨门到西寨门瓮城之间约半华里，全为封闭式街道，南北两列街房紧密排列，街道略有起伏。有小巷叉街不时向南北穿出延伸，直到寨子南北边缘的悬岩处。这样就勾画出了涞滩寨的围合概貌：东、东北、东南面为天然悬岩。西、西北、西南面为人为寨墙。除东、西外，寨门分三道。东北面悬岩处还有一小寨门，谓东北门。门拱上恰生长一黄桷树，树干高直，枝叶茂密，高出城墙高度几倍。当地人谓之"风水"。景观奇特而蹊跷，亦和寨子内建场镇时奇特格局同构。

涞滩街道两头连结东西寨门，寨门不在同一直线上，街略有弯曲，有缓坡街面。街道北侧覆盖大片民居和寺庙，尤以二佛寺遐迩闻名。

二佛寺原名鹫峰寺，明代正德13年（1518年）碑记："全蜀大佛有三，而岩渠涞滩镇曰鹫峰盖其二佛也。"二佛寺因而得名。碑文又称："寺雄峙东川，与成都大慈寺，古渝崇胜寺相为并称"。全寺有山门、玉皇殿、大雄宝殿、藏经殿、南北长廊组成的一个规范布局的四合禅院。殿外东面悬岩旁建有两座法眼正宗高僧舍利塔，两塔间雕有一卧狮，长19.8米，形貌粗犷，塑形大胆。

二佛寺临岩北向之悬岩间壁处，有石刻造像1673尊。最大主像释迦牟尼，高12.50米，即俗称之二佛，整个造像群几乎围绕似成垂直洞穴的北、南、西三面石壁上，拟构成众佛听释迦牟尼讲经说法的向心凝聚态势。恰天然石壁启发了古代匠人的绝妙构图。又在众石壁上再建宏殿其上，故名二佛大殿（下殿）。二佛大殿依山就势，全木构垂檐歇山顶建筑，金碧辉煌琉璃瓦面于半岩之中，和二佛寺上殿诸建筑，包括石牌坊、石塔、石狮、风火墙、石围墙等，构成了一组庞大的"二佛建筑群"。并以其高大、精致、造型别于民居，色彩绚丽多端的特色间构杂揉于场镇民居之中。又有古木老树疏通联系它们空间的跌宕起伏，相互致为一体，融融乐乐，甚为谐调。而再放大空间观察，这一切又均被围护在寨墙之内，悬岩之上。居高于河岸，凌驾于渠江。气势、山势合围，建筑内涵丰富多样。场镇空间分布明瞭，格局摆置清晰。在这样有限的山寨范围内，布局这样多的各种功能空间，梳理得条条是道，形成了一个完整的空间体系，实为巴蜀山寨场镇的孤例。

涞滩山寨式围合是否受到合川钓鱼城的影响，应是不言而喻的。其建筑单以用材上就有共同之处，始不论建筑形式、格局，涞滩实为处在一大石滩之上，石滩即川中俗说为一

二、巴蜀城镇类型

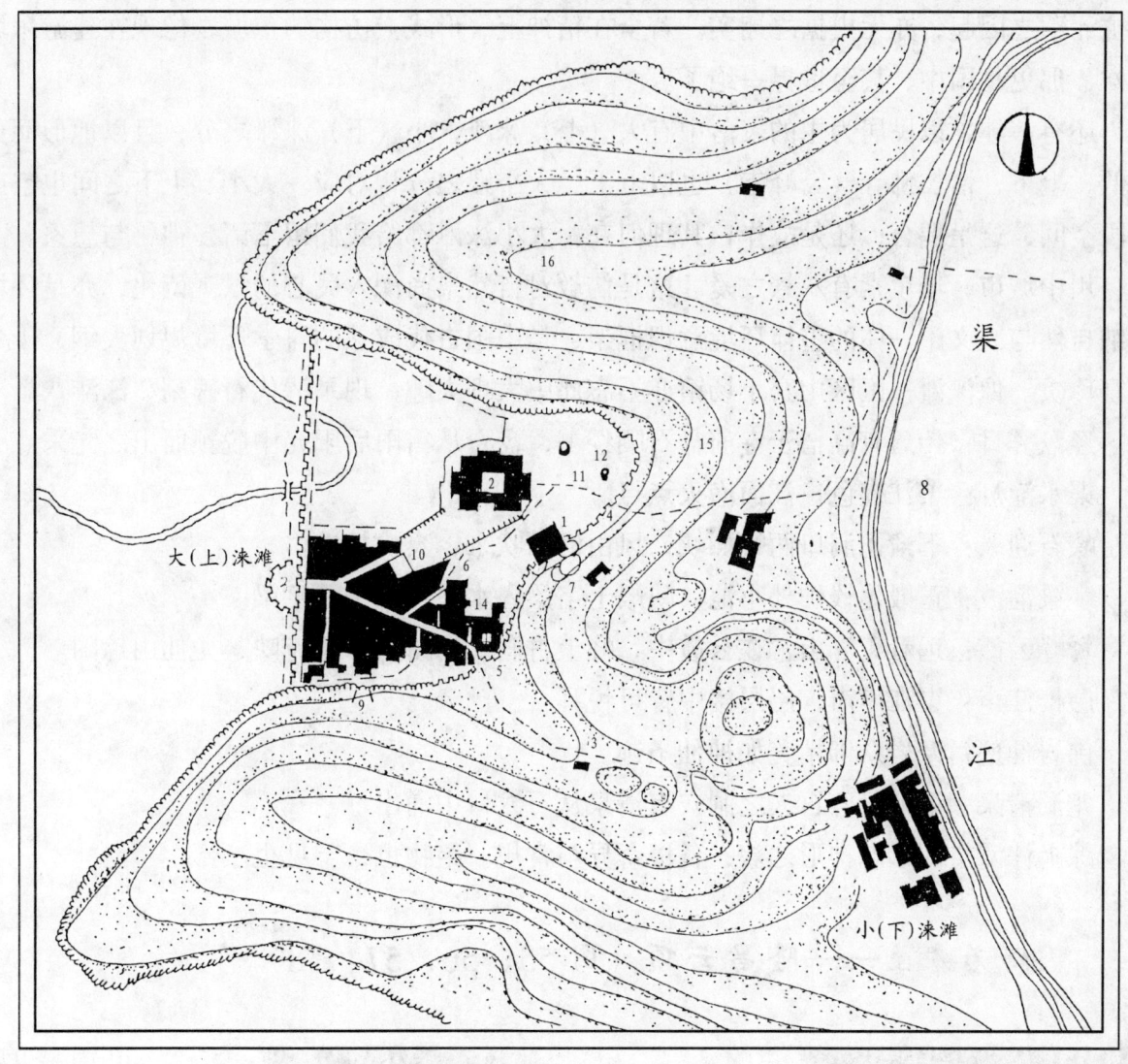

(图54) 涞滩场总平面示意

1. 佛岩仙迹（石刻古迹）	5. 古寨遗门（小寨门）	9. 长岩巨洞	13. 古榕驭蟒
2. 鹫峰云霞（碑刻展馆）	6. 鹫峰禅林（石牌坊）	10. 迴龙古庙（遗址）	14. 文昌古庙
3. 众志成城（瓮城）	7. 经盘霁日（孤石）	11. 石刻巨狮	15. 飞进遗座（天缸）
4. 老树锁门（东水门）	8. 渠江渔火	12. 佛子墓塔	16. 流石山垮

巨石。若在上面作为山寨，或构筑房宇或兴庙宇，或造像，均有取之不尽的材料。而城垣1.2公里的建造时间远晚于钓鱼城，影响所在，自不成问题。但钓鱼城内至今无场镇的格局发现，甚至于全川亦无完整到寨、场、寺、宫、佛刻等大统一于一城寨内的空间体系发现。尤其至今逢二、五、八场期如旧，充满了生机勃勃朝气，这就更加烘托出了建筑与人与社会于一寨的特殊性，和任何场镇也不能取代的典型性、价值性。说得直白一点，它就是江边悬岩顶上的一块巨石，巨石上兴建了一个面积约9公顷的小城小场，还有若干精神功能建筑，然后用石墙围起来。但究竟围起何用，防御是肯定的。防御谁？至今没有查到缘起资料。若推测，匪盗当为首要，清以来尤咸丰、同治年间川东并无战争。若和钓鱼城

同抗元蒙之因起，亦无史据之翔实。若全在精神上、形式上仿构钓鱼城，像现在建游乐城一样，那更是国中、甚至世界一绝了。

还有一趣，以民居为主的聚落中有大（上）涞滩，小（下）涞滩之分，且以地形而分高低、上下，恰二佛寺（鹫峰寺）也以上下、大小殿之分相对应。大小、上下之间也空出一段空间，这是偶合，还是故作，其理何在？大小涞滩都给我们留下诸多神秘与想象。

川中城市，场镇素有八景之爱。这是儒教对自然崇尚深入民心的景观诗化，亦是环境观纳自然与人文于一体的整体环境意识框架，是中国古代成熟的科学环境规划大纲，十分丰富珍贵。像涞滩一区区山寨小场镇亦不忘此中大理大趣。现录清代石碑刻"涞滩八景"：

经盘霁日：传唐有高僧于寺前盘石晒经书，盘石从雪雨后阳光中脱颖而出之光采。
渠水渔灯：渠江夜色，江面渔火点点。
峡石迎风：下殿龙洞口两峰如峡，风由河面吹来，爽快如洗。
字梁濯波：正殿化钱炉外小池，映殿上字梁入水中，如洗濯字梁。
鹫峰云霞：远看鹫峰山常在云霞中，峰上古刹、场镇与绿树掩映，尤仙山琼阁。
层楼江声：渠江声声，层层楼中皆可悦耳。
佛岩仙迹：摩岩众佛精美如神仙圣迹。
龙洞清泉：下殿可容百人之洞穴有清泉从石龙口中涌出。
综上涞滩空间形态神形之貌，备极奇异与常规。绝物也，罕见也。

场为寨生——隆昌云顶（图55、56、57、58）

（图55）晨雾弥漫的云顶场街道

川南隆昌、泸县、富顺三县交界的云顶山，海拔600米左右。山上隆昌县辖一侧山顶，有郭氏家族建于明朝永乐年间的大型庄园式的山寨，占地约245亩。后经清咸丰九年、光绪二十年两次扩建，适成今貌。整寨近长方形，周长1640米，寨墙为条石垒砌，底宽6米，平均高5.2米，开6门。寨内设炮台、碉堡、哨棚、寨务局、药室、邮政、俱乐部等寨丁、管家活动空间，并形成两列式街道，但有街无市。位置在大寨门通永门入口处不远。另外即明清两代建大小庭院54座，建筑面积达42000平方米，庭院布置或散居，或相连，或错落，蔚为壮观。常住179户，人口1244人。各类生活、生产设施一应俱全。经历次农民起义军攻打，均不能破。一般土匪袭扰更望寨兴叹。

郭氏家族自明洪武四年入川已传二十九世，经三个朝代617年，至嘉、道间鼎盛时，人口约1500人，田租高达九百七千多担，至民国时人口增至2500人。像如此几百年的世系大家，经历三个朝代的大地主，在中国是极为罕见的。有专家言除桐城方家，恐怕没有其他家族可与比并了。

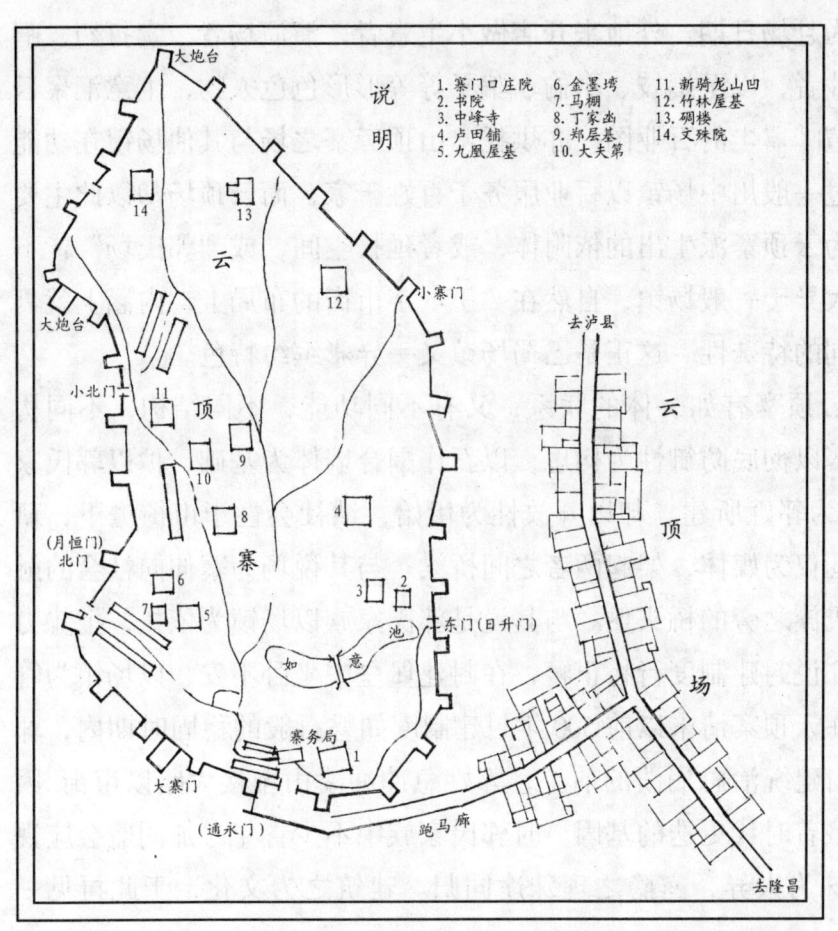

(图56) 云顶场与云顶寨关系平面示意

云顶寨座落山顶上，附近十里之内无场镇。虽寨内有一段有街无市的建筑排列，但功能不具市街，更不具场镇作用。郭氏家族两千人左右寂居山幽，物质生活概然不愁。唯感封闭如禁，缺乏与社会交往。而附近农民穷困潦倒，有点农副产品也无处换钱购灯油盐巴。郭姓中人亦有寻求独立人生者，遂窥视附近设店开铺以两全物质与精神自主。云顶寨的僻远山高似乎造成以上诸难，也造成别无选择的地理条件。因此，云顶山居然建起场镇，实有违一般兴场镇的规律，也决定了场镇地理位置的特殊性，服务功能的依附性，集镇赶场人流高峰时间的独特性，以及场镇人口构成的家族性，场镇空间形态的趣味性等川中场镇中的极特别例子。

云顶场兴市之初，仅在西向大寨门通永门外跑马道前的空地上，有附近农民卖小菜、鸡牲鹅鸭等农副产品。随之便有挂面、醪糟、稀饭熟食担子叫卖。久之有人向郭姓交点地皮钱，即在坝子上搭起竹草棚子以作暂时摊点。买卖渐自多起来后，郭姓视为建市兴场势在必然，便由族人郭雅南于清末时会同泸县举人万慎，报请省里批准建云顶场。郭雅南率先在寨外建铺面十余间，郭姓其他人紧跟其后亦竞相兴建，一时寨外乱石坡和几块小田间被占满，初成两列街道并向南面山垭梭箩垭发展。梭箩垭为隆昌响石铺、胡家寺去泸县太和场的分水岭凹陷山口，中有山路连接两县。于是在垭口大路两侧亦再修建东西向店铺若干，两街相接成"丁"字形。即初步形成了场镇市街框架。丁字形街，川人谐此推磨的磨担，所以也叫磨担街，丁字之下一竖一钩尤如磨担推磨时扣进上磨盘木柄孔的铁钩，所以有民间戏传云顶场如磨担在推云顶寨这乘大石磨，钱财如流是推不完的。

  街道店铺的兴起，百业应运而生。茶馆、酒店、饭铺、钱庄、字号、百货、山货、绸缎、纸火、粮食、豆腐、找扎、油腊、医药诸铺，屠宰场、猪羊市，菜市，甚至赌场也随之生起。还定了三、六、十为赶场日期。外地来开店做小生意者，溜溜场者，卖打药、唱戏、说书、算命卜卦、卖鸦片者，以至娼妓、小偷、骗子等等形形色色人物，生意汇聚云顶场，勾画出川中场镇市态喧哗嚣尘的百业图。亦烘托出山顶旁寨之场与其他场镇在功能上的完善性和一致性。只不过一般川中场镇以百业服务于百姓千家，而云顶场却以此主要服务于一族一姓。说云顶场为云顶寨派生出的依附体，或者延长空间，或"郭氏场"皆不为过。服务功能的本质变化大异于一般场镇，自然在"丁"字市街的布局上，内涵上就具有了与一般"丁"字形街不同的特殊性。这正是巴蜀场镇又一异彩缤纷特色。

  特色之二：云顶场既与云顶寨有如一体的联系，又有不同功能，不同结构，不同构造，不同造型的区别。云顶寨以彻底防御性为构思，以石作围合墙体为基础，护以郭氏家族以封闭。云顶场建筑95%为郭姓所建，却以开放性为伊始，纳社会性于市街檐下，藉此又融入社会之中，场镇空间仅为媒体，架起两者之间桥梁。与其说场为寨伸向社会的触角，不如说反成社会建立在氏族之旁的桥头堡。与其说是郭氏家族以场镇为依托，把势力以场镇掩庇，扩大影响，不如说封建制度行将正寝，在封建堡垒中坐卧不安，以场镇为管道作为对整个社会的窥视。在云顶寨清末以前500年封建制度如磐石般的稳固时期内，郭姓无兴场镇的萌动，恰清末封建统治总崩溃的前夕，郭姓急冲冲凌山垭接大路以市街。因此，云顶寨之兴起，深层蕴藏着时代更迭的基因。时郭氏家族中不少青年参加同盟会应视为与之同构同理。表现形式殊为大异，露隐之理殊途同归。建筑之为文化，于此再见一斑。

  特色之三：在山垭口上建镇施街，地理位置理应欠佳。风口之道，风水不容，且镇人身体易遭风寒。川中此地势罕见兴场镇者。若有，多为幺店二，三家。即是有成场镇者，或横向顺等高线沿山脊布局，以街背后挡御风势。或山口前后转折以躲避，或栽大树以削弱，皆视寒风为天敌，不作冲煞冒犯。而云顶寨垂直等高线，随翻越山垭口大路两侧建街，无疑以街两旁建筑更形成"风巷"，加剧了风的烈势。虽有垭口两旁斜坡阻挡北风豪

二、巴蜀城镇类型

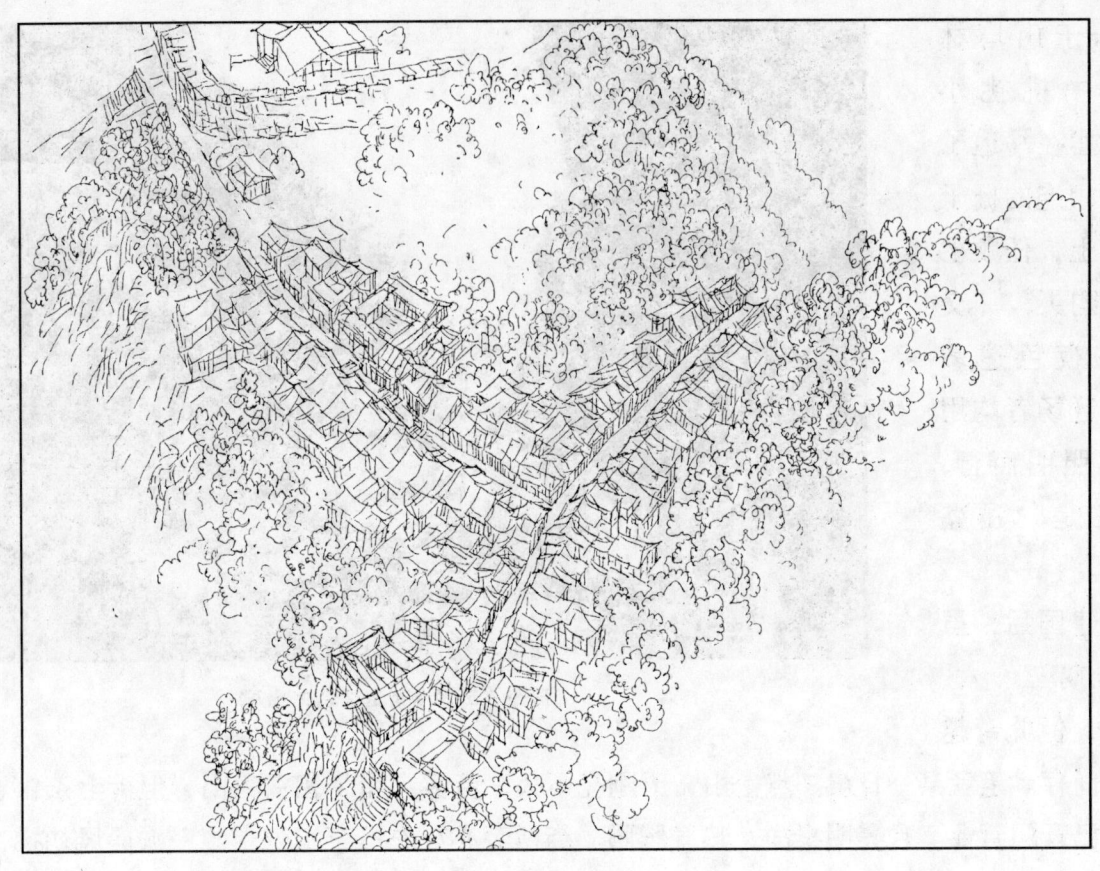

（图 57）云顶场鸟瞰

劲，然地方姓小气候中东西风亦不可轻视。此也许是不足，亦有"饥不择食"建镇的匆忙内因在其中。

不过此一来，由西向爬山进场口，顺垂直等高线的街面登石梯，则在街道与两侧店铺的建筑景观上，出现移步亦景的空间变幻。变幻视线焦点在街面逐级随坡上升。上升一级，仰视视角下降一级，整个空间形体为之变幻一次，渐次上到顶端，突见"凹"而垭口豁然开朗，街面平直铺向东方，顿时又得宽松之感。这种情由景生，移步亦景的街道空间递次纵深发展，不断刺激人欲求急登山口，又被街景无穷的变化所牵制的滋味，真是欲留不得，不得不留。其个中微妙被市街空间组合调动得不由自主，情不自禁。虽建场者无意，然人而有情。情景交融山间，更感天上人间。

特色之四：川中赶场一般在中午前即达到人流汇聚高潮。亦有"早场"者，也是天亮后才形成高峰，谓之"登场"。而天一亮尤如露水见阳光就溶化的"露水场"。拂晓前打起灯笼火把赶场的"强盗场"。虽有，仍不多见，辟如崇庆县羊马场，为专营猪内脏集市。其因一怕久放易腐，二要供应早市，三有路途要赶。与其不同的云顶场素以"露水场"享誉三县之境。原因和羊马场截然不同，全为郭氏家族而形成，厨子与家人为早餐和全天食品的新鲜储存不得不使周围农民起早摸黑适应郭姓需要。加之川中农民勤劳早起习惯，黎明前赶场不误农时的细算。因此，"每当夜雾迷蒙的凌晨，即可见由四乡集攒而来的火把，闪烁于山弯林际，一挑挑小菜，摆在马道子与场相连的栅子内街上，任顾主挑选购买"。"交易在夜色迷蒙中，赶场者均用火把照明而行，故又是'强盗场'"。

建国后，虽改场期三、六、十日，但此奇趣

（图58）云顶场街道及两侧民居

遗风尚存。笔者某一日晨7点上山，天刚亮不久，流雾穿屋、雀鸟鸣山，但街上茶馆、饭店早已开门营业。且凳明桌净，热气腾腾。街两旁亦有农民菜担列市。一派晨风初拂，夜色刚去的清新。

场镇的围合形态

居民点与聚落围合，早可追溯半坡人之濠沟。巴蜀古代围合形态，有学者认为，早期阶段"三星堆古城的聚合成形，……城市开始聚合起源的时代，城墙就是最早的产物。"而早期成都，"管钥成都，而犹树木栅于西州"，亦说构木为城。这一泥土一木质的围合建筑体，无论功能如何，围合形态早在三、四千年就已出现。亦是城市与围合的共同形态一部分。秦灭蜀后，成都、郫城、临邛、江州、阆中等城亦构筑了城墙。这种与城市共生的以防御为主的围合建筑必然影响各地居民聚居点，直到形成市街、场镇的围合空间形态。清以前经明末战乱四川场镇几尽毁灭，极难考出当时和明以前的空间概况。然作为不少原街道基本格局重建发展起来的古镇中，仍可看出一些端倪。时各省移民入川，又把各地民居与场镇的围合特点带入并相互融汇，产生出不少各具形态场镇空间组合。其最具广泛性的应属具有围合性质的栅子围护。次为碉楼，再就是城墙。

一、清以来，场镇无论多少条街道，普通采用栅子以圆围合意识。凡街口之地，均用木条成排穿枋以栅成门，有的竟有两道木栅。二更闭栅，五更启栅，或为专人护守，或为打更匠兼护，几成一种制度。有的在栅子之上作过街楼或无楼的瓦栅，以防潮湿和攀越栅门。街长者或交叉路口，以及个别豪富街巷，亦有再分段构建栅子。栅子为木作，仅能防君子。于是同理如上，用石砖，夯土成墙，中开门洞，门以木作或铁皮包护。是地方情势、治安环境不同的一种围合质量在材料上的发展。场镇边缘各住宅后立面本为开门较少或不开门的封闭墙壁，家家如此相联，亦起到围合作用，有的垒石，夯土成墙圈以后院。于是场镇构成了栅子门一关，无处可以进入的围合封闭体。此算最朴实的防御体系，多为社会较安定的地区之为。上述云顶场、资中罗泉场、彭水保家楼场等均用此法。

二、场镇四角构造碉楼以围合，此仅见涪陵大顺场。因其街短而直，又为檐廊全覆盖，是以守为攻的积极防御场镇围合形态。但碉楼之间无围墙连接，仍以各家宅后立面兼作围护。

三、以城墙作围合体，川中古代城墙诸如阆中、昭化等地，先作土墙，或中为土外包以条石成墙。或后来全部用条石中杂以不规则石料成墙。城墙外形不一定因顾及方位而非方正不可，各地城墙多不规则形。内因由地理条件所约制，或防御、防洪所考虑。原则为因地制宜，也是自古以来一条重要的围合原则。战国时《管子》主张："因天材，就地利，故城廓不必中规矩，道路不必中准绳。"城墙高各地也有差异，云顶寨墙高有达二丈者（6米多），而射洪太和镇为县治地，城高不过才一丈二尺（约4米多）。至于厚（宽）度差别，直接和高度有关系。一般而言，高者往往亦宽厚，这从城门洞可以看出。石材城墙的砌筑用料皆十分讲究，各地城墙选料亦不惜从很远处搬运，青砂石、红砂岩均为上等石材。规格各地不同，一般视取材远近而定。多长2米左右，宽、高0.30米左右。外墙面加工精细、平整。条石按一丁一顺交错砌筑，嵌缝灰浆至为严谨。亦多用糯米石灰浆，此乃古代建筑技术的非凡成就。

有的场镇城墙城门洞上仿有的州、县作法，在上面还营建箭楼之类，以和城墙在尺度上谐调。西平场即仿三台县城墙门洞上建楼的意趣，以其和城墙比例整体小于县城的围合，显示场镇行政等级小于县城的规范。否则就不成其为小镇之城了。像云项寨个别凌驾于三县之境的"山大王"似的寨子，墙高胜过县城，亦是非行政隶属关系的我行我素之为。家族势力的居高自傲视县治于不屑，"云顶国"之说亦从墙高可见一斑。所以，山寨式城墙各地均有不同的尺度，亦视当地情况而定。

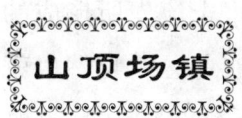

在山地向丘陵的过渡地带，常出现深丘的地形。与陕西交界的米苍山、大巴山脉，地势由北向南倾斜。在巴中、平昌、通江、宣汉等县境内，山体经流水切割后，形成台状、桌状、方状式低山，海拔600～1600米，相对高度200～1000米，这里即为深丘地形与成片的冲积平坝间杂地势，农业耕地绝大部分就分布在这两种地形上。因此，也就伴随着产生服务于这两种农业区域的场镇空间形态。即一类建于河谷冲积平坝的场镇,另一类是建立在山顶台状、桌状、方状式地形上的场镇。后一类场镇不少沿山脊兴街集市,更是呈现出大别于川中其他场镇的空间形态与建筑风貌。由于选址山顶,自然没有河流可傍依,街道顺山脊走向布局,脊高则街高,脊低则街低,起起伏伏,街道两旁建筑亦随之起伏。远看犹如从土里生长出来,和山脊融为一体,显得分外壮观。从东南西北四个方向朝场镇走去皆为仰视,皆为上坡路。赶场聚四乡农民,犹如烧香朝庙人流向场镇中心汇集,更把人、自然、场镇空间纳为一体,极为淋漓地展现出一方农业中心的凝聚力,表现出山区场镇为依托的民俗民风立体图。平原、平坝场镇可得水平状态之平视和俯视,唯此仅可仰视,一反常态的空间视觉效果使人耳目一新。犹此达县地区几县凡百例之巨,百场百镇之多,亦是川中场镇一大特色,诸如巴中之平梁、梓橦,平昌之德胜、界牌,通江之麻石、民胜,宣汉之隘口、凤鸣等场镇,皆为山顶或平台上建场镇,或山脊上建市街。归根结底为依附农业生产特殊地形而生存。其空间体量、场镇大小、街道长短、建筑优劣均视所辖耕地面积大小,土质出产好坏多少而定。故其存在与发展,是农业经济产生的必然。空间效果别出一格中又寓含了可预料性之内。

脊上兴市——通江麻石(图59、60、61、62、63)

麻石场在通江县南,夹于通江河和澌滩河、喜神河之间。有十多条溪流由三河包围的广大山区里发源流向河中。溯众溪流而上,如众星拱月,均可到达麻石场。民间有谚曰:"麻石场上下泼雨,条条河沟都有水。"形象地表达了其所处的地理位置。因此,麻石场镇居于整个乡所管辖的面积中心点,同时又是制高点上。站在场镇东南西北四方,即可俯瞰山下乡境内一切。居高临下之势,有一种四周归我属的中心位置感,足见这样的天然地势亦是构成行政区域自然划分的基础。其中间高周围低的地势特点,亦自然把场镇选址推到四周距离到中心点大致相等的"圆心"中。再形象点比喻,全乡地势就像竹编的锅盖,锅盖顶尖便是麻石场所在地。因此,这和附近几县不少场镇在台状、桌状、方状式的山顶上选址还有一些区别。所同者是都处于中高周围低的位置。所以,又是一种典型。但造成这种地貌的原因是相同的,都是由于千万年来水流的不断切割、水土流失所形成的。于是正如前述,形成了河谷冲积平坝和山顶斜缓坡地两大耕地集中的农业区。自然也就分成了两大部分场镇的不同选址的归属。这样的高差悬殊,素有"坝下打谷,山上薅秧,低处摇扇,高处烤火"之说。气候上的差异,应该说对场镇选址也相应地构成影响。但从考察看这种影响次于地形的影响,原因是四川盆地即使是冬天,也还是较温暖的。如靠北的通江县城一带一月均温5.5℃,七月均温27.4℃,极端最低气温-6.2℃。显然,南部一带低山地区和上述地带气温应是相差不多的。所以,麻石场的选址没有看出气候对其影响的太多因素。

麻石场选址在山脊上，脊峰斜缓、狭窄，一条略为曲折的石板街，宽不过丈许，几乎占满山脊。两列式店铺民居如马鞍骑在脊背上，封闭了街道。左右有火巷间小道不断契入街中以疏通窄街的公共空间。小巷虽陡，却承担着组织、疏散赶场人流的作用。若无此通道，人流仅从场头场尾往街中拥挤，左右又无空间可退让，其拥塞程度可想而知。所以麻石街道既是封闭的，又是可"出气"的。街两侧民居，皆前店后宅，宽丈许，进深可达三、四丈不等，多有一半悬置岩上，适成干拦式结构。穿逗作法中，依赖山区木材丰富，普遍构作工稳，粗中有细，用料粗壮、大方。由于居民不少是农业人口，后半段多楼层空间均开梯阶下到底层，并有路直下田野。还在底层布置畜养、堆放杂物之类空间。而非农业人口居民，则在后面各

（图59）麻石街道民居

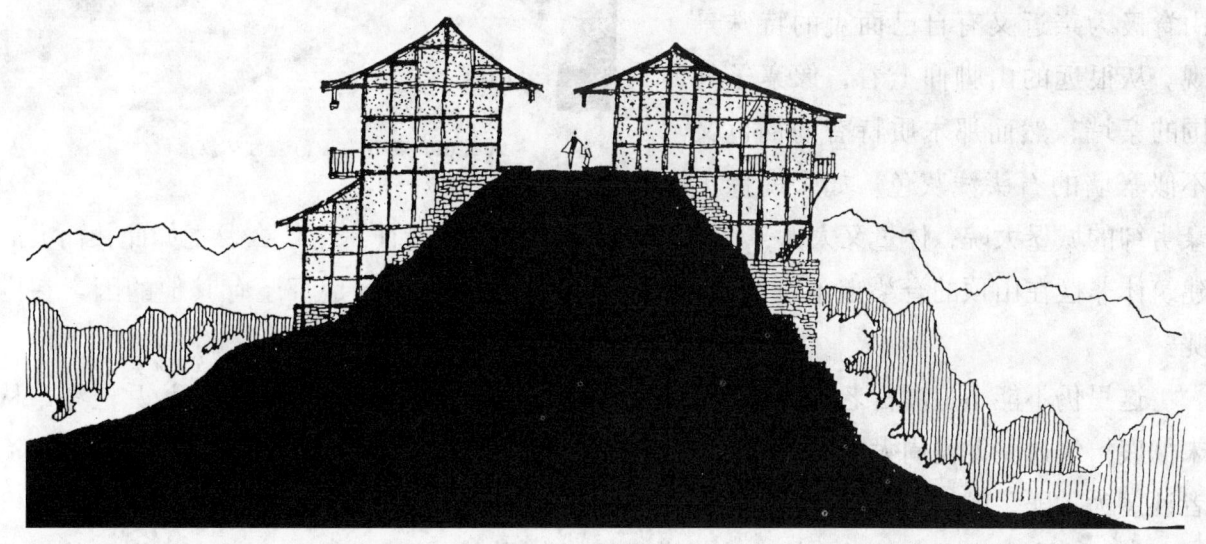

（图60）麻石场剖面示意

层布置卧室、厨灶、小花园之类。所以，仅丈许的门面不甚起眼，看似狭窄，往里走却有

越走越宽的感觉。若走拢窗口、挑廊，极目眺望，河山空旷，山峦层层，翠谷绿野。这就在特定环境中产生两种不同空间感觉：门和街道及前屋有窄而紧、光线幽淡之感；后半段敞而宽，有光照明媚空旷之感。而这种变化仅发生在三、四丈的距离间，尤使人情绪为之一振。若设想同类构作于水池，于平坝，其后半段在光线上不会表现得这样充分和满和。

原因在于麻石场选址有高屋建瓴之势，有居高临下的环境，后有广阔天空的光线来源。本已高山之巅，又在巅上建房而居，且为聚而场镇，大迥异于一般常理的居住选择。里面蕴含的奇险，凌空之感，亦让人有飘翔、悬空刺激。然事实是粗大坚稳的建筑结构与材料全可冰释这般疑虑。于是顿时心境宽松，悦情油生，可居可乐，发现者皆是美物，实安全为第一要素而来。

如果把这种山脊上的全木结构组合在一起，长可达五、六百米。那么犹如在山脊上再人为地建了一层"山脊"，也等于改变了此段山脊的轮廓线。然而毕竟为木作、木身、瓦面，色彩与土层植被又有区别。因此，整个麻石场两侧屋后立面呈显出一种和山脊极为亲近又有自己面貌的特殊景观。从很远的山脚仰上看，像寨子外围的寨墙，然而那木质特有的褐色又不似寨墙的石头浅灰色。如果说像土豪劣绅的城堡大院，体量又太大，且无门楼、碉堡之类的特征。为什么要把如此长而大的建筑体非摆在山顶的脊梁上不可？除了前述中心地理位置外，是否还有其他的因素在内呢？

（图61）麻石民居普遍的双挑出檐作法

这里仍不能不追溯古老的居住防御意识。建国前的四川盆地山区，可以说兵匪盗窜从未彻底铲绝过。尤盆周大山区，清以来仅是相对平静。局部动乱，兵匪流窜，甚至被统治者诬蔑为"匪"的农民起义亦以山区为依托和统治者周旋。清乾隆年间，川东北山区"巴山老林"流来湖广、粤、黔、皖、陕失去土地无以为生，"扶老携幼，千百为群"的"棚民"。他们在川东北通、南、巴、万源、开江、奉节、巫一带山区"垦荒种地，架数椽栖身"，受到地方官吏和地主的残酷剥削。后来这些棚民成为反清农民起义白莲教武装的主要力量。而起义首领巴州罗其清等率众起义于该县之方山坪。通江义军首领冉文俦举义于该县之王家寨。此二地均地处山顶，自是居高临下易守难攻之地。此说明当时要聚众千百于山顶，必有掩遮栖身攻守皆宜的建筑物出现。经过十年左右的战斗，虽义军辗转南北，但活动地带仍以川、陕、楚交界山区为主。到嘉庆初年，清廷以坚壁清野政策对付义军，采取"修筑寨堡"，"于市镇处所劝民修筑土堡，环以深壕，其余散处村落酌量户口多寡，以一堡集民三、四万为率，因地制宜，就民之便，或十余村联为一堡，或数村联为一堡。山村僻远，不能合并作堡者，即移入附近堡内。行保甲之法，十家联保，互出甘结，始准移居。"《清代四川史》上述论述十分准确地勾画出清政府要人民如何对付防御白莲教义军的办法。尤"因地制宜"防御一法，即"谕令各村民守堡结寨，刨挖沟壕，悉力保护"，"是坚壁清野之策"。这就在堡寨的类型、形式上造成多样化的建筑形态以方便之门。反正目的只有一个：不管你建个什么东西，达到防范义军、坚壁清野的目的即可。这样大规模的有谕旨的"全民运动"，结合本地地形地势天然就有易守难攻的特点，地利天时皆和，所以川东北山区出现了大量的山顶各类型场镇。这些场镇不少正是古老遗址的基础上的延伸，更由于有的山顶之地土质贫薄不出庄稼，后人口增多后，人不与土争。场镇不与好田土争，也就因祸得福，反倒保护、发展、完善了这一空间形态。所以，现在我们远望山顶之场镇，似如寨子彷似城堡其理也正是上述之因。而川东北和下川东一带，山顶无广阔的台状、桌状、方状式广布田园的耕地者，耕地基本上在山下平坝者，那里的寨堡一旦失去防御功能，时过境迁，必将自行消失。所以山顶场镇能兴盛至今者应是多方面原因的合成。也就是我们看到下川东山顶少耕地，但偶尔看到有断垣残墙的寨堡遗址却少见场镇的原因。

（图62）从街后侧进入街中的通道

（图63）利用民居底层为进入街中的过道

这类独特的场镇空间形态，其数量不在百场百镇之下，显然为国内外所罕见，是巴蜀场镇最具特色部分。过去人挑背驮，徒步跋涉，场期运转，至为兴盛，显示了存在的生命力。今日处处场镇皆通公路，班车频繁，更具有相当的稳定性。不过也有头脑发热者，欲图所谓"方便",谋划举镇搬迁山下河坝者。这种丢弃农民不管,把所谓"方便"建立在广大山区农民不方便的基础上的妄为,是极不可取的。一个事物经数百年磨合而存在且仍能继续存在,是有极强科学性的。正如历史上川西邛崃西江场与河对面大邑新场的关系。新场的繁荣使西江一带的钱财流向大邑。于是邛崃人"筑巢引凤",建西江场以抗衡、截"流",结果至今场赶不起来。现开发区筑巢引凤纷纷凋败,亦正是以主观臆断企图取代客观规律结果。劳民伤财,至为罪戾。

(二)独具空间特色场镇

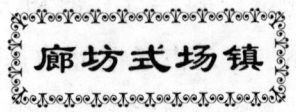
廊坊式场镇

　　北宋时期的山水画中,常有诸多带檐廊的民居、店肆并列于街道两旁。这种本来发达于北方的廊坊式市街后逐渐消失,反而在南方,尤其四川城乡普遍兴盛。自然是因为南方气候适宜这类木构体系的生存。除之而外,有一种浓烈的商业人情味支撑着这种发展,同时它又反映了四川农村住宅多带檐廊与市街檐廊之间的某些内在联系。这类历史悠久,空间丰富,非常利于城乡人民居住、生活与生产,更利于商业活动的城镇空间形态,是巴蜀人民智慧结晶,极具巴蜀市街特色。

　　四川气候雨期长而又细雨绵绵,夏天太阳毒辣,潮湿加闷热,若浅檐无廊,无论居家、赶场均把人赤裸裸地直接暴露在光天化日与雨林之中,形同旷野。有民间谚语说:"廊厅客人息,关门住家人"。说的是廊子和住房在人的使用上差别。客人不进家,以有遮盖的敞屋相待,是一种建筑上的礼遇。居家者是有门的封闭体,建筑上划清了客人、家人的区别,可以说檐廊又是一种符号。而市街设檐廊,形同凡赶场者,来的都是客。因此川中老镇不少均长出檐而宽廊者。有的临街檐柱间还增设石木栏杆,有的甚至加造摊板、货柜以出租。川中言生意人为客商,"客商,客商,先客后商"。檐廊先为客租个摊位后为商。建筑作为媒介,联系疏通了人情与商情之间关系。双方皆利,得廊荫庇,故而市镇檐廊遍及盆地,尤可见生命力来自人心的趋同,并以建筑同构,实在优美之极。而不逢场期之日,檐廊亦是小孩玩耍、学童读书做作业、妇女针织、室内农活、男人喝茶摆龙门阵的美好空间。所以廊坊式市镇的广泛,正说明了实用性中包含的群众心理与行为基础。

以廊为街——涪陵大顺（图64、65、66）

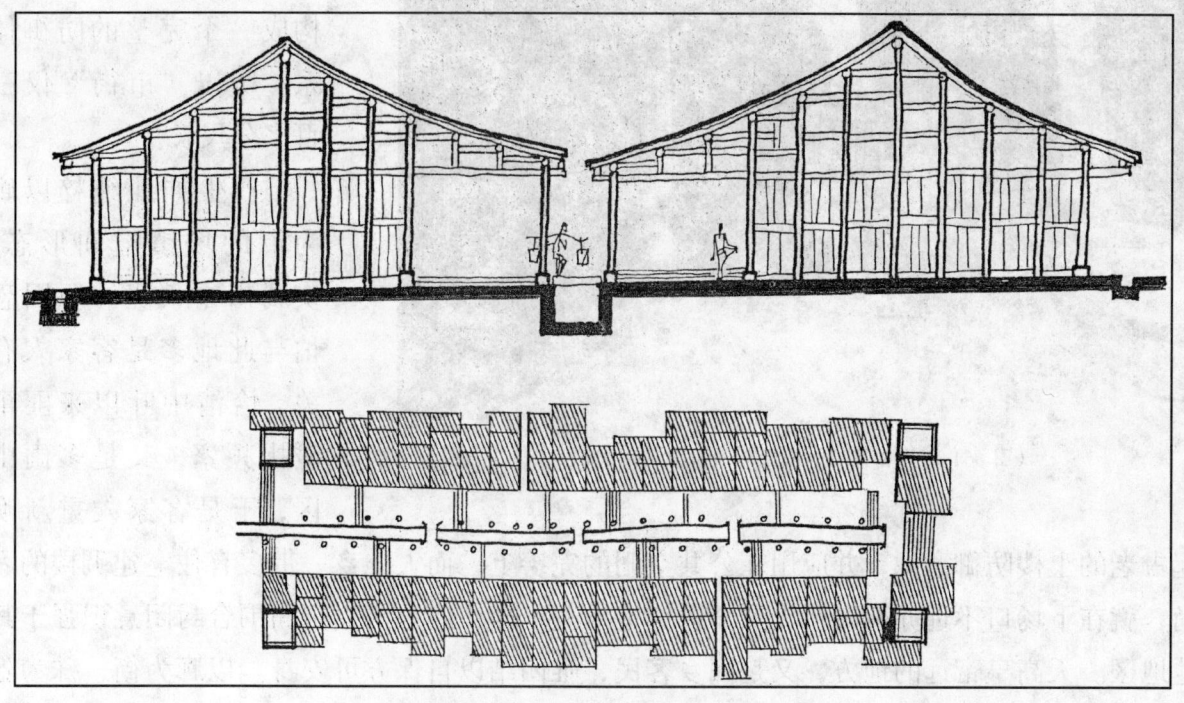

（图64）大顺场平、剖面示意

檐廊宽度，窄可数尺，宽则近两丈。涪陵大顺场两边檐廊向街心紧靠，两檐口几乎接拢，其间如"一线天"。街道变成阳沟下挖2尺，仅作排水用，阳沟上有小石桥若干沟通两边檐廊，檐廊实则取代街面作用，天晴、下雨、阴天，赶场全在廊下，因此廊宽一丈8尺，十分疏朗宽大。由于场址座落一缓

（图65）大顺场下场口

斜坡面，沟亦倾斜，排水便当，出下场口处设石盖正在两廊交汇处，下变成阴沟。阴沟直铺到田间，带有肥气的污水直下坡下梯田，使得近肥水的几块田庄稼特别好。而两檐廊交汇处上再作门廊以衔接左右，其下古为栅子门，上、下场口门一关，便自成一统天下。据

（图66）两檐相接"一线天"下面街道成阳沟

老人讲，原有碉楼四个，分置场镇四角，内空间均通过巷道与檐廊贯通，构成一个完整的防御体系。所以"市街"仅三百多公尺长。

产生如此纯粹以廊为街的场镇空间形态，实属川中仅见。原因恐怕与此地多是客家人有关，恰清中叶以来匪窜滋扰频繁，又是多雨山区，于是客家人重新唤起古老的土楼防御意识，并应用在公共空间的完善上。而大顺乡一带多有住宅建碉楼的习尚，就在下场口不远亦有民盟先烈李蔚如宅大型土楼一座。所以空间围合封闭意识强于其他地区。天高皇帝远的地方，又是同乡客民，唯团结以自保方可安身。以廊为街，殊为隐蔽，无街成廊，形同一家，利于淡化各自为阵的孤立。攻打丰都的护国战争期间，刘伯承即在大顺场上磨砺兵马，操练士兵，可见檐廊取代市街容量。

上廊下街——大竹清河（图67、68、69）

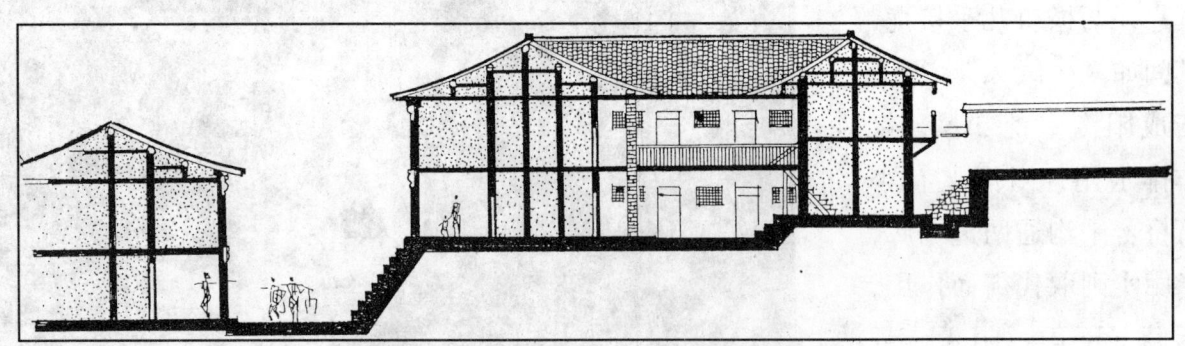

（图67）清河街道剖面示意

平行于等高线坡地建街廊有多式，多者是街面与檐廊地面高差一尺上下。半边街建廊以临河傍岩者为最优雅。前者遍见川中，后者虽少，但有野趣面街，是川中场镇文化色彩在环境上反应得最迷人的构作。而一街分上下两廊，一高一低者，其建檐廊特色，当属又一类别致。

大竹县清河场和庙坝场一段，檐廊分上下两个台面构筑，下台面包括街面和檐廊，街面略宽于檐廊地面。精采之处在于上檐廊和街面之间砌筑石梯数步,并向北随街面微斜逐渐减少级数,以保持檐廊地面的水平状态。而石梯一排恰如运动场的看台,农民赶场沿"看台"摆设农副产品,又沿石梯而坐。虽石梯不在檐廊下,为的是给上廊也留下赶场通道。这般把上廊和街面高差揉以石梯相连的作法,不仅方便了赶场人,防止了小孩易于从上摔下的危险,同时增大了街面使用空间。还在受力上巩固了上檐廊地面基础。显然,清河场坡地建街设廊过程中,背后有强有力的约制因素在起支配作用,才会形成统一谐调变化的石梯。若各家门前各出一个花样,那作法就五花八门了。

大竹县清河场是川中爱国将领范绍增的家乡,其姨太居清河场的三、四十年代期间,尚西方建筑文化,又不是太明白其中原委,采取了大规模改造场镇的行动,不仅如上述保留了原上下两台檐廊作法,且上下台借用南方连续拱廊柱式

(图68)大竹清河场两列拱廊式街道

骑楼风格,以为是西式,其柱头顶端灰塑大白菜、南瓜之类乡土喜闻乐见的形式。建筑学家李先逵教授评价为:"造型比例式样恰如其分,别具一格。这些既反映了川民之幽默、风趣和乐观的地方风格,也同时反映出巴蜀传统文化的宽容度与融合力。"由于二十年代西方文化对中华大地的浸染,仿学西式建筑又不舍传统建筑文化者,往往寻求二者结合的探索,虽多产生不伦不类的"殖民建筑"样式,然也不乏恰到好处之作。清河场镇以拱卷廊柱,柱上灰塑装饰,虽仿学南方沿海城市风格,多了一个仿学西式环节。恰此又多了一些传统内涵,所以李先生作了精湛评价。"清河样式"是川中罕见廊坊式空间构作,它别致的空间型体和给人耳目一新的形象,在川中尚还没有发现二例,仅场镇空间形态的时代性上就十分宝贵。既是一种特殊又是一种典型。而诸如当时军政显要也在个体住宅上广泛采用这种连续拱廊柱式作法,像大足饶国梁宅、大邑刘湘、刘文辉宅、大竹孟兰亭宅等不下百例,然而终不能取代一条街式的中西结合空间。

鸦片战争以来,西方列强从物质到精神全面入侵我国,它的建筑以天主教教堂作为欧

洲古典建筑文化载体,以排头兵的方式,直至深入到极为避远的少数民族地区。因此,不能小视它对传统建筑文化的冲击。这种小教堂式的西方中世纪建筑的大量入侵,给近代建筑产生畸形影响,时又正值中国传统建筑由盛

(图69)清河场上檐廊透视

到衰的过渡时期,它的乘虚而入是慈禧太后"宁赠友邦,不与家奴"丧权辱国政策的直接后果,这种与各地传统建筑格格不入教会空间形式,曾引起川内民众广泛的愤恨。1890年"大足教案"的发生,即把传教士及其教堂作为同时攻击对象。因此,这种半殖民地时期产物,是优是劣曾引起建筑学界、史学界的争论。而像清河场之类既有西式仿学,仿学中又融入民间题材的廊坊式作法,作为历史鉴论是应予以妥为保护的。

"云中一把梭"——犍为罗城(图70、71、72、73)

1982年在澳大利亚墨尔本市,出现了一座中国旅游城,有一条商业街竟完全仿造四川犍为县罗城镇船形街道格局。这种墙内开花墙外香的现象,一时竟相传颂,使得巴蜀廊坊式市街又添鲜花一朵。

罗城镇地处犍为县北部山区,为该县岷江北岸一方农贸中心。座落于一个椭圆形山顶丘状坡面上。市街两头窄中间宽,东西长,南北短,街中间戏楼又似织布穿线带纱的梭眼,所以人们叫它"云中一把梭"。而梭的形状又恰似船形,那弧形的檐廊如船舷,戏楼如舱屋,东端的灵官庙似船老大搬舵的尾蓬,右侧原长22米的过街楼是船舱,西端天灯石柱似船的篙竿,船形之貌样样俱全。故又叫"山上一只船"。无论梭与船,罗城镇市街格局的奇巧别致,堪称国内孤例,极为珍贵。

一、檐廊,川内俗称敞廊,凉厅子。出檐长短视屋高和习惯而定,短侧1米左右,仅作象征,但必立檐柱,似成川中市街法式,长则五、六米,其宽胜过街面。罗城檐廊最宽处就达六米多,罗城弧形檐廊东西长达200多米,两边檐口线如弓状之船舷,垂直地面高

度随坡面变化而变化,东西檐高始终保持一致,此除了统一约制邻里规范之外,统一均匀的采光需要亦是约制的内在因素。因此,檐廊空间除屋面是斜面外,其他三面基本上是平行状态。地面虽在缓坡上开梯设踏步,以形

(图70)罗城街道空间一瞥

成多台平地利于摆摊设点。但踏步不高,总体仍与檐口线平行。于是两檐廊构成半明半暗、阴雨太阳相宜的弯状通道。长出檐似乎给店面带来采光影响,而廊屋上排排相接的玻璃"亮瓦"弥补了这一不足。

如果把檐廊这类半封闭空间比喻成"灰色空间"的话,全封闭的商店即为"深色空间"(黑色),街道则是"白色空间"了。黑、白、灰三色即为视觉艺术的原始形式因素。三色的调度合理,即产生美妙的视觉形象。而加宽檐廊,即加大灰色的饱和度和面积。此正是川人不追求两端极致,以和谐而宽容的幽默个性通融群体,在建筑上达到"有钱大家找"的空间表现。所以川中檐廊繁衍之盛,除了多雨太阳毒之外,仍潜隐着"大道为公",自己方便与人方便,店主方便,摊贩也方便,赶场的农民也方便的优美民风。而檐口弧线的柔和,两弧线构成的椭圆空间,若人从东西狭窄的场口进入"船中",船中开朗的街面,明亮的光线顿时给人豁然另一天地的温馨之感,此极易控制人的越轨言行。因为"圆"的形象即是一种规范,规范立于众家视觉交叉焦点,尤如圆心,稍有不慎,一举一动即被察觉。也犹如赶船,上船就是一家人,同舟共济是共同使命,容不得节外生枝。故而"罗"自古为"四维"以示东西南北,当为形体之说。还包涵大家团结一致的"众志"。众志成城,即为罗城。于是在建筑的整体空间形态上,人心趋同的谐构上,字义与内涵的呼应上,罗城之貌都达到了完美的结合。

还有一说:谓四方乡亲添土而成意指罗城人口的构成而言。罗城始建明末崇祯年间,同治年间重建,人口不过2000人左右。然包括汉、回两族,汉族中多为鄂、湘两省移民,又杂三教九流。四面八方依托盐、铁、牛、酒、茶、米、百货诸业,为方圆40里之聚散中心。祈聚而不散,愿繁荣安定永久。唯取罗城之名方可诉诸众人心愿,罗城因而得名。

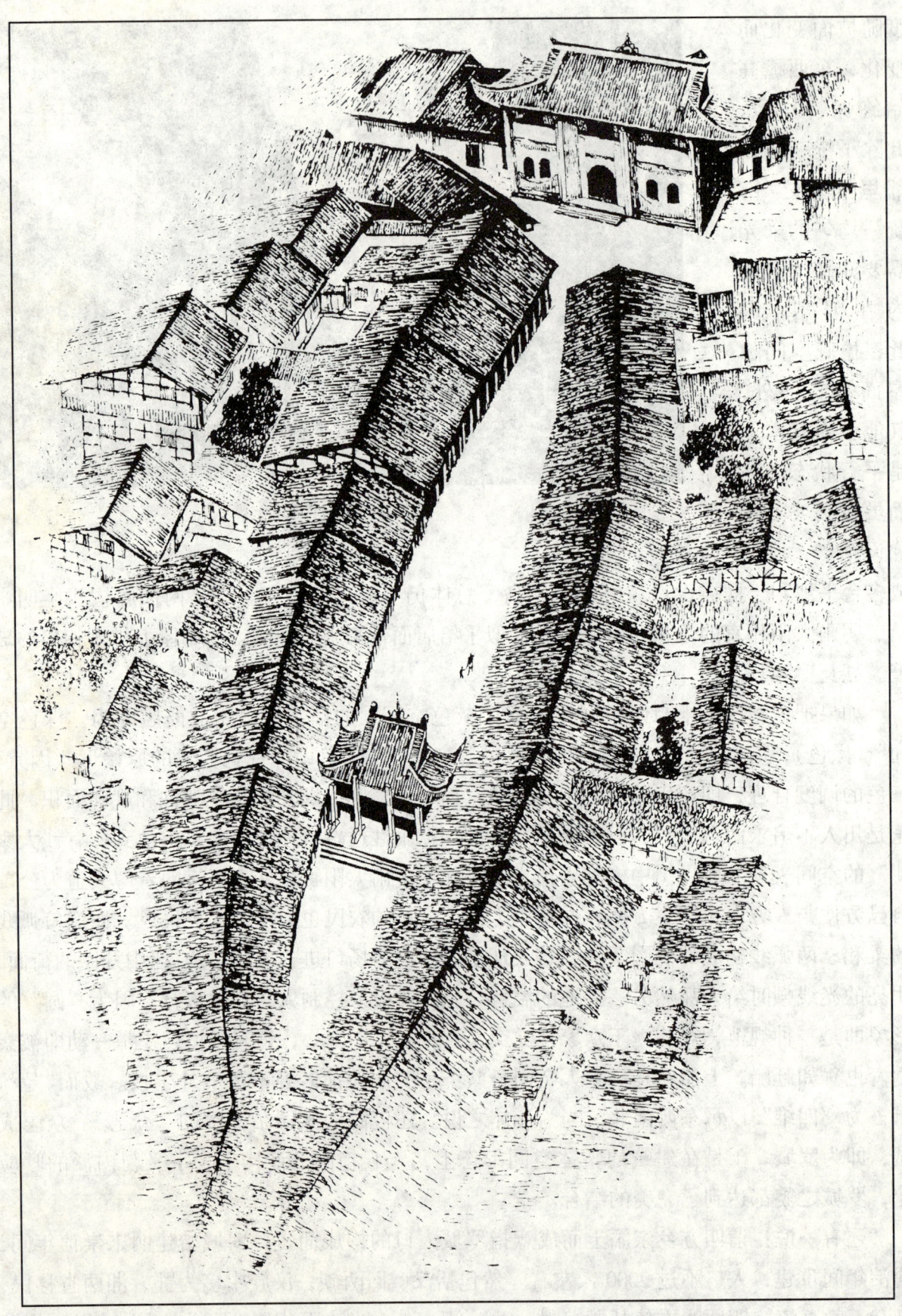

(图71) 罗城鸟瞰

二、作为"船舱"的街中偏西的戏楼,可谓川中场镇公共戏楼从构图选址、单体造型的佼佼者。川中戏楼设置,分场镇、宗祠会馆、民居戏楼多式。场镇设戏楼,虽也不乏设置街中街两头者(大竹县杨家场设戏楼于街中),然不是平行的檐廊浅街,就是窄巷似的"看台"。若在檐廊中看戏非得偏着脖子看不可。罗城戏楼置于西向街夹角内,中段广阔街面即把人大部分集中在台下,东段渐窄,居人较少,又戏楼台面高达两米多,亦不受前排观众影响。更周密者是椭圆檐廊,或坐

(图72)造型优美的戏楼和场镇空间关系

或站者于其中看戏,身子稍侧即可面对戏台,不累不倦。犹如圆形包厢,自然又可起到防雨遮阳作用。

戏楼作为精神建筑,民间自发兴建都蕴含统治者支持的成份,所以川中戏楼伴随着清中叶戏剧的发达而雨后春笋般的林立于城乡,其量冠盖全国。这种现象亦是戏剧内容所决定。它依赖伦理道德感化教育形式存在,起到维护统治,同时又维护社会相对安定的作用。娱情虽在其中,亦靠温饱与安定支撑。清末社会动乱频繁,戏楼渐衰,可见一斑。

为了加强戏剧的特殊作用,其建筑不可同民居,不可同寺庙。体量、空间、造型自应有一目了然之处,以示其"专利性"。这就是为什么川中戏楼大同小异之因。罗城戏楼虽也同川中其他歇山屋顶作法,但前后屋面明显拖长,且长而适度,比例合体,不感讶异,恰到好处极具美感。它又和街旁两坡屋面形成强烈对比,又留给前面空旷的"广场"以空间,容众多视线以享用、品察。成为全镇布局核心,并以为焦点,构成众向所归的心理场所。众志成城,戏楼画龙点睛,更是点题之处,表现出场镇构思的整体性和完美性。另外,完整性还表现在船形街道两旁的四条小巷,小巷亦作防火和行走的"火巷"、"水巷"。若进出"剧场",同可作疏散的"太平门"。此是川中其他场镇戏楼往往疏于考虑的。还有街道为坡面,戏楼于坡面近顶端西面,戏台前每十米左右升高一台,逐渐向东缓斜,都利

(图73) 在宽展檐廊下过着清闲生活的老人们

于获得良好看戏视觉效果。再有戏楼后面的消防水池、楼下作为过路空间"阻而不塞"的、临时可摆剃头摊子的点缀,皆具人情味地全其一统中的宽容。精采又神秘还在戏楼后面耸立的石牌坊,它几乎贴紧戏楼,几乎一样的高度。何以如此近距离而让人忽略背面的形貌?它实际的歌功颂德作用被戏楼遮挡、取代,此似乎有违封建次序的常理。这里面是否先有牌坊后建戏楼的时间关系,或相反?然而若把牌坊移置街中任何一个地方,皆画蛇添足般多余。是何道理,实有些令人费解。

江边一只船——广安肖溪（图74、75、76）

除"云中一把梭"的川南罗城外,类似之作,在川东北广安县境内还有一名肖溪的小镇。其位置在嘉陵江支流渠江之畔,街长100多米,同为东西向,中段宽,两头窄,最宽处约7米,最窄处为3米,因近临江边,雅称"江边一只船"。

这只"船"摆在江岸与山坡间的一块带状形台地上,街平无起伏。左右两边檐廊略有高差,多不过尺许。和罗城不同者,妙在檐廊随街宽变化而变化。街往两端收缩,檐廊亦随之变窄。上排廊子中宽四步架达5米余,两端三步架3.5米左右。下排中宽三步架,两端二步架2.4米左右。而上排廊高却是川内廊坊式街廊所罕见的。若干粗状的廊柱高达5米左右,加石础、软磉（石础和柱头间木质圆形间隔体）,尤显高空敞朗,廊内光线充足,

二、巴蜀城镇类型　　　　　　　　　　　　　　　　　　　　　　　　　109

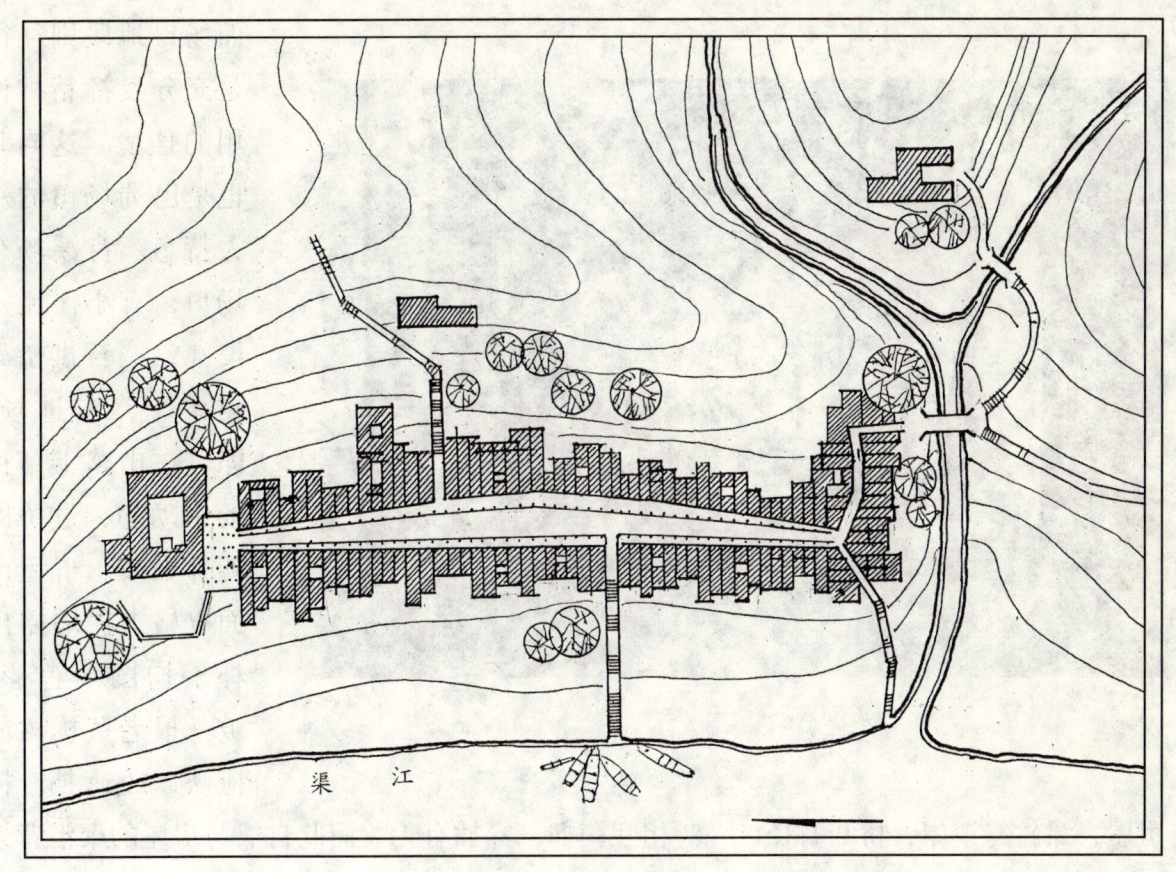

(图 74) 肖溪场总平面示意

皆不用亮瓦弥补采光之不足。因而有的人家在街沿作半封闭式石栏杆，索性把廊柱直接搁立在栏柱上，两侧加一、二步石梯直下街面，以示一家檐廊段的归属。如此高大宽敞的廊子，一扫萎缩压抑之感，并直接给廊内店面商品陈列带来清晰的光线，一切皆明亮，通风又流畅。所以，红白喜事、办席聚餐、吹牛打牌、冬日纳阳、酷夏夜寝、家务杂活、孩童戏玩等等均可于廊内展开。这般融融乐乐的大家庭气氛，如果不通过作为媒介体的建筑呵护，尤其是没有椭圆体的场镇空间圈护，是不易烘托出这般气氛的。

　　由于肖溪地处广安县东隅一角，东边一带农副产品的集散均由其唯一临渠江码头以联系合川、重庆。过去客货之盛，亦昼夜喧嚣，为乡人有口皆碑。所以，街道为适应这种发展亦采取有规律的变截面设计，街中段下排檐廊铺就宽石梯直下江边，以紧密市街和码头关系，故而也叫肖溪为水码头。人货通过码头进入街内交结处空间，自然是最拥挤的地方，客商往往要找块地盘屯货、暂放，于是想出了市街中间拓宽的作法。若是赶场日，人流由两端均向街中流动，中宽之地亦可增大回旋容量。这是一种根据客观实际，又有可能的水到渠成的优美民间设计。它来自于民间，服务于民间，空间形态丝毫也没有主观色彩，所以它生动、自然、流畅。

　　至于两端"场口"，作为农村小镇，它在把重心摆在船形街中的同时，亦非常注重兼顾传统的人文气氛和空间塑造。即不论单体空间或群体空间，都极重视功能性和精神性。

（图75）肖溪场檐廊之一

而场口地段则往往是充分发挥精神作用的佳境。这同时也是巴蜀场镇的一大特色。肖溪场东场口，有小溪流入渠江，一石拱桥架越溪上，未进场，即可在山路上窥视场中动静，过桥即陡梯数步，群屋山面方格夹泥墙露出朴素构图与色彩，被一根老黄桷树或掩映，或遮挡。树与房屋，绿竹与溪岸，桥与石径，一时相互簇拥，穿插有无。而此自然与房屋的聚汇背景中一高大精湛的青石牌坊嚇然耸立场口，人皆从下进出形同一镇大门。若驻足桥上欣赏，北还有文昌宫于翠绿凝重之中，南可听渠江水流声响透过密密竹丛飘飘而至……。东南西北皆有景以桥和牌坊人文小景为核心，于此展开一曲地道的巴蜀场镇民间前奏曲。其情其景，高度融合，至臻至美，十分得意。所以，场口又是乡亲最为留恋之地：赶场挑担者必在此处一歇环顾四周，自得美景悦心爽身，轻快上路，箭步如飞。而散场姑娘妇孺于此久久不忍离去，说不完的人情事，道不尽的乡里情。凡此种种，恰均置于此景之中。场口之恋于此依托自然人文密合的空间怀抱，充分歌颂了中国人建镇建街的天人观。

（图76）肖溪场檐廊之二

而西场口又是另一番景象：特色是有一"过街楼"似的凉厅紧接两侧檐廊末端，使行人在西端由上排廊去下排廊不至雨天湿脚。同时它又是一种符号，暗示建筑序列空间的段落起始或终止。若比喻建筑为凝固的音乐，对由西渐入场镇的人来说，于此便进入街中心的高潮音节。对由东向出场口的人而言，出此凉厅便是一曲乐段的尾声。然而尾声末了，尚有余音，余音处理高妙，恰又是强有力的另一高潮。出西场口，有王爷庙戏楼，其下架空底部又与凉厅相通，戏楼借王爷庙主殿前大台阶作观众席，还在面江一侧筑平面，护以石栏。于此观望开阔江面赏景，进行社交与宗教活动，并与场镇中心隔而不离，是与东场口韵致不同的另一种感受。它和场镇既有联系又相对独立，是功能分区恰到好处的处理，使得贸易与娱乐在人流上分开，相互不干扰。而庙宇戏楼高大优美造型，和场镇民居截然不同的屋面与立面，不仅丰富了场镇整体空间形态，作为一组相对独立的外空间组合，它又给很远的视线可及的地方予以吸引和震动。从过往船只上往上看，留下很深的印象不说，还产生一种"有机会上去看一看"的心理驱动。显然这是朴素的广告意识在建筑上的反映。

廊坊式场镇优越性与空间美感

"廊"，本为屋檐下的过道或独立有顶的通道。"坊"，为市街村里的通称。廊坊之谓揉二者于一体，构成一类城镇模式。不仅是上述几例之典型特殊，诸如丁字型、井字型、口字型、磨子型、口袋型、龙型等几何形可谓各呈异彩遍布川中大地。它最大的特色是：自古以来中国从不以纯物质形态论建筑，它认为建筑是文化载体，是沟通人与社会、自然的有机媒介。它考虑满足人的生理需要同时，更珍重人的心理需要。而所谓心理需要则是一个广阔无边又深不可测的"黑洞"了。然而它遵循中国古典哲学思想，涉及面达八方的文化诸科，以尽量蕴含、包容更多的内涵，以尽可能地满足人的这一需要，包括一些特殊需要。无论单体民居、群体场镇，由于有了这一恒古千年的基本思想准则，于是在修房建屋上，总是在解决生存问题时，特别注意解决心理的生存需要，而不仅仅只是"睡觉吃饭"有个地方就行了。这是一个高度智慧，文化极端发达的民族折射在建筑上的光斑。因此，廊坊式场镇，也仅能表达某些带普遍性的物质、精神并重的空间形态方面。且不是于此一类即可解释全部。但上面所列多式特殊的廊坊式场镇，以特殊的解决办法达到了突出的成就，可称最大特色。

综上再下分诸点：

一、集市三天一场为川中稳定赶场日期，时人流十倍、数十倍于常住人口，百业功能分区是个大问题。于是，畜市、秧苗市、副业市、百货市等多有约定俗成的区域界限。廊式街内为人流回旋中枢，檐内为座商与行商控制人流的关键，买卖之比，各有一半，适成人流集中拥挤空间。宽檐廊好处在于分散人流于廊内，减轻了主街人流拥塞压力。尤为想久滞酒肆、茶馆者，里面亦可分散部分人流。

二、以檐廊为行商、摊贩设点营业带，空出街心空间专为行人流动。若无檐廊，商贩于街两旁撑伞搭棚，行人夹于摊点之间，则更加剧人流拥挤，形同于狭窄河床之上。

三、乡民上街，视交谊寒暄、会友探亲为一种精神享受。檐廊既为调剂农村寂静环境的共享空间，又使赶场的热闹得以荫庇。个中惬意不是城中人所能领略，故檐廊之妙颇为农民所青睐。当然，它又是雨天晴日同可赶场的全天候场所。

四、檐廊为半封闭空间，是开敞街心到居民住宅全封闭空间的过渡地带。川中常有纠纷言："到街上讲理"。言指光天化日之下讨公理，若有檐廊半封闭空间，在于化解矛盾既私密又有半公开的意味。可免去室内的纠缠不清，又可防止街上人多嘴杂造成矛盾激化。微妙之处，自有建筑的特殊作用。

五、统一的檐廊构架与结构，是场镇居民统一认识的默契，宽窄举架，上下不可错落皆得大家齐心协力。实则以檐廊的统一性协调约制各自为阵的独立性。潜移默化的结果，必将滋润邻里相互忍让的好民风。

六、檐廊是天然的纵横两向通风排气管道，纵可左右从两端通风出气，横可归纳各家各宅浊气湿风通过檐廊传向街心，播送空中，亦随之捲走尘埃。

七、半封闭的檐廊又是悦人心目的光影变幻体，强烈阳光通过它的过滤，由强烈转换成柔和，还给座商铺面以清晰光线，保护了怕晒的商品。又以柔和亲切光线聚拢了顾客。更给廊中行人以轻松舒适的美感，似家非家，宾客感油然而生。再者，给行人以"客"的言行规范，又给店主以待顾客和行人的举止约束。和能生财，于此大别于露天场所。

八、有不设铺面的民居，借檐廊为"前厅"、"堂屋"。合院者大门齐平内天井，开门见街、见庭院，街与宅互通，不事遮挡，不意含蓄，坦然内庭，隐喻对人的珍重，和官宅的森严形成强烈对比。赶场农民常借此暂放物品，小憩片刻，要碗水喝，是联系场与乡亲密关系的空间谐构，是滋养好民风的场合。

（三）殷实的盐业场镇

四川盆地蕴藏着丰富的盐资源，凿井煮盐"至迟在战国时代已经开发"。汉以后，"盐井遍及全川。"据《华阳国志》载，产盐地有忠县干井、汝溪，云阳云安、盐渠，巫溪宁厂，酉阳，阆中，三台，泸州，高县，邛崃，什邡，简阳，内江，乐山，盐源，资中等县乡地。而名噪天下的自流井、贡井产盐大区则在以后了。漫长的产盐历史，广阔的产盐地域，丰厚的盐业利润，众多的制盐工人，依附在"盐"身上的第三产业，产盐区对周围农副业的激活，水陆交通因盐而畅旺的网络，以至随之繁荣的戏剧、结社等文化的滥觞，都直接间接地推动盐业中心建筑的兴旺。

产盐区经济的发达，致富了一批思想开放胆大冒险又工于心计的富商。这类人基本思路以"离经叛道"为指导，方可于峡谷荒滩之中凿井，才敢于倾其所有于一役。他和传统农业以积累逐渐生租生息的致富手段适成两种不同的经济模式，也就决定了思维的不同方式。两种不同思想实施下的建筑营造自然产生不同的空间气氛。加之财力雄厚，产盐区往往又不在农业中心，特殊而不受约于风水选址的地理局限，一切以产生最大经济效益为目的建房手段等等。于是我们看到：巴蜀小镇中，最具特色，最多创造色彩的空间形态者在此类城镇中。历史上各地盐井兴衰的反复，又致使小镇兴旺与退废无常。多而败残，数质并存。毕竟又留下一批卓绝的空间。

尤其自清初各省移民聚川以来，各省因盐聚财的佼佼者，藉以会馆、宗祠、家宅以显示能力财势，联络乡亲，告慰祖宗，遥祈桑梓，扩大势力。于是在盐业中心大兴土木，相互攀比，在盐井多而长旺地区掀起一浪高似一浪的建筑热潮。各省原乡之建筑，尤其是民间建筑诸如民居之类，成为他们张扬故土文化的契机和媒体。恰此又产生了不同而卓具风范的从单体到群体组合空间。而初入川时，多夫妻、父子、兄弟三族之众，适又遇川中"人大分家"民俗，及土地插占分散的影响，农村于是少聚落，少大族。这就形成了川中多场镇的重要原因。在这种普遍规律之中，又派生出非农业因素的盐业兴镇格局，自然又从农业人口中分流了不少人员。而作坊式的生产关系仍维系着与生产力的传统农业操作方式。因此，不可避免地，或多或少会在盐业中心建镇兴场流露出农业文明的情调。有的甚至在街道布局、选址造房上并无区别，尤其盐井靠近本是农业经济区的场镇。所以，如果要论盐业兴镇的空间特色，反倒在远离农业经济中心，受其影响较少的避远之地。

华屋连谷——巫溪宁厂（图77、78、79、80）

早在战国时期，三峡的盐泉就被开发利用。《后汉书·南蛮记》载："盐水有神女"，"盐水"即今大宁河。汉以来，大宁河上游支流后溪河上的宁厂因自然盐泉开采较易，周围煎盐的薪材充足，"商人不须大有工本亦能开设之"。宁厂盐成本不高，又有船直下长江的便宜交通优势，在三峡盐业以至全川处于十分突出的竞争地位。明洪武时"产量居四川产盐的20%之多"。"各省流民一二万在彼砍柴以供大宁盐井之用"。《蜀中广记》又说：时"五方杂处，华屋相比，繁华万分"，大宁厂一带居民因此而"不忧冻馁，不织不耕，持盐以易衣食。"各种条件促成了宁厂必往城镇方向发展。陈明申《夔行纪程》："自溪口（大宁河与后溪河交汇处——作者注）至灶所，沿河山坡俱居民铺户接连六七里为断"。民国时巫溪县城仅六百余户人家，而大宁盐厂则有一千余户。一千多户，二、三万人，沿着六七里河岸俱居民铺户。此一写实描述基本上勾画出了宁厂的空间面貌。而光绪《大宁县志》作了进一步描绘："居室完美，街市井井，夏屋如云……华屋甚多。"不仅涉及了街

(图77) 宁厂半边街一段俯视

市,又描绘了房屋。有清人王尚彬《大宁场题壁》:"岩疆断续四五里,石筑屋居人稠",更是从宁厂场镇因地理环境的"岩疆"地形地貌特点,展开了"断续四五里"的规划叙述。且断断续续的四五里中,其建筑材料以石筑居,皆以人稠断续四五里的整体场镇空间形态。古人对宁厂的街市、场镇、建筑的致微描述本以概然全全,勿需赘絮。结合实地考察亦仅能予其概况之中再作啰嗦。

一、宁厂镇在巫溪县北17公里,一千多户人家,二、三万人口。若每户以六人计,最多才一万人左右。余者一、二万人,"工匠外来者多,平日无事,不足以养多人,偶有营造,工役辄不敷用,至盐厂峒灶工丁逾数千人,论工受值,足羁縻之。"显然有不少"打工仔"。所以一千多户者当为厂区较稳定的居民,包括灶户、商人等,余者杂役、佣工、搬夫、船工等。这一千多户便是构成宁厂镇的基本建筑规模。那么在建筑类别上,亦可划出灶户之厂房,商人之栈房、饭铺、茶馆、酒肆等,而住宅不仅市街。《大宁县志》说:"官民屋宇,多覆茅竹及板,以瓦者无几……,至高山老林,敬若星辰。"今日在临河岸的主街后面山坡上,仍分布着数量很多的住宅。于是可以推测不少临时"覆茅竹及板"的工棚之类亦"散若星辰"般地建造在后溪河两岸坡地上。其中亦有"官民屋宇"的夏屋。结合今日考察所见,坡地上仍有体量、造型均较突出的"华屋","夏屋"恐怕正是此类。综上空间与人口的关系谐构概貌,展现在眼前的恰是一个似乎不甚有序的"散乱"组合群体。若与川中成熟农业经济区的场镇空间比较,那么,看似"散乱",正是山谷屋宇选址无回旋余地的创造,并随坡面立体地呈现在眼前。于是首先夺人眼目地产生了一种极有诱惑感染力的美学力量,故"华屋"亦内含优美一面,不尽在建筑本身的高大华丽。这一点,当代画家专拣宁厂不甚高大的建筑为写生对象诚可见一斑。也正是千百年来宁厂在建筑空间上极为吸引人的地方。

二、宁厂街道市镇之形成,也许先期并无统筹,但既有房屋沿河岸出现,渐自必有约制。宝源山麓、后溪两岸,陡坡绝崖,盐泉就在狭窄山谷河边。人之来荒避山谷建房兴街,正仰仗这股盐泉,盐泉周围不管有多险峻,凡稍可立足稍加改造即可建房者,必然不会舍近求远去追求宽屋大宅,以造成生产生活的困难。然而地形毕竟又有90度的绝崖段落,正如前述清人王尚彬言:"岩疆断续四五里"中的"断"字,实指就是不能建房的断壁处。"续"者即是可建房地段。这样断断续续四五里长,均在险岩绝壁的疆界之中。那么,别无选择地,一切建筑行为必须于此绝处逢生,又必须有一个礼让的"仁"字作为主脉在意识上贯穿人心始末。这条主脉反映在物质形态上,即是街道。之先亦是道路。狭谷

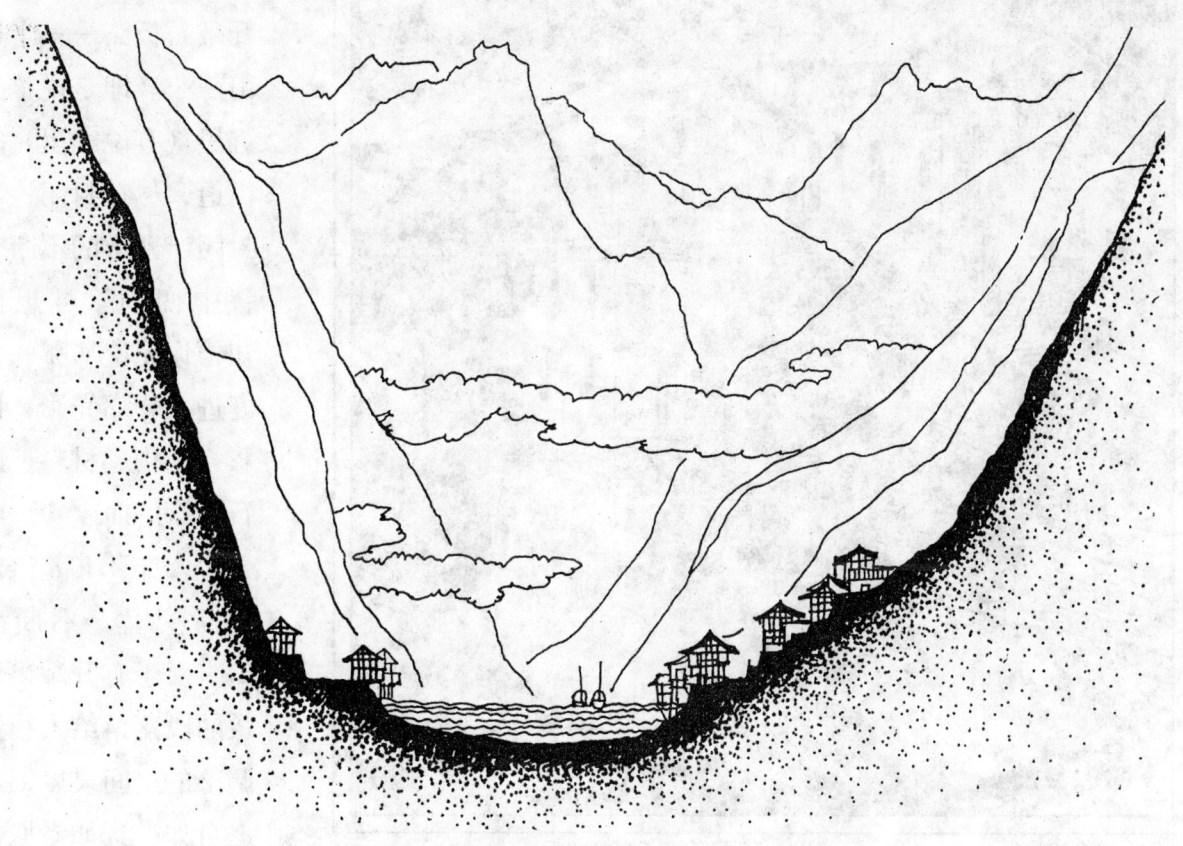

(图78)宁厂镇剖面示意

中之道路无论如何不能丝毫阻塞,阻塞即扼断生存动脉。所以,于此境地,街道虽二三公尺左右宽度,又时断时续蜿蜒曲折,但十分畅达。畅达者于断壁前后仅石板路可通,犹如山间小道。无形中小道断开市街及建筑,分为一段一组的空间组合群。隔一段无建筑的陡壁山道后,又是一段街道组合。把这种现象比喻成虚实关系的话,有建筑段落即为实,空敞段道路则为虚。虚虚实实,虚实相生即构成宁厂空间形态最大特色。亦烘托出一个紧凑疏朗的整体小镇面貌。

进入街道后,并不是一般平地的两列式"双街子"、"两边街"统治街道始终。"实"得缝隙皆无,如一条黑巷子。恰又因地形变化,于街上因地制宜地再作半边街。且半边街又分内半边街和外半边街。内者即靠岩坡一边建一排街房,留出临河街道,堤坎,以敞开

河面。外者即伸出堤坎在河岸上撑柱悬梁铺板建街房,留出靠岩坡一面,以开敞傍岩坡空间,此即常言的吊脚楼。亦即实中又有虚。综上各段开合延续变化,于是又得内、外半边街的错落排列,不仅丰富了"实"的街区空间,更充实了整体空间内涵。归纳下来正如下式:开敞石板路——双街子——外半边街——双街子——内半边街——双街子——开敞石板路——半边街……。即是说整条五里(有说七里)的街道,尽在封闭、半封闭、开敞的不断交替中变幻。可想而知,你无论从哪一角度进入,那光影、色彩、结构、材料、山石、河面、远山……,亦不断组合,不断交替,不断变幻。由于有开敞半开敞的段落留给人视觉调整的空间尺度,进退自如。犹如看原作画,尽精微,致广

(图79) 宁厂街道之一段

大,极尽赏心悦目,极尽自由调换角度创作心态之能事。这种无可抗拒的空间艺术感染力是特殊的地理条件下,以建筑整体制约局部,然后以局部丰富整体方可达到的境界。前面讲了,这是仁的儒家传统思想,以礼让作为建街意识所展开的空间格局。可见礼让之仁亦可产生高尚的审美情调。

三、宁厂一条街全在后溪河南岸,它是二、三万人口的命脉,靠它聚散、吐纳盐事,据此维系生存发展。所以凡背离此核心者,反映在建筑上则首先是生存为第一位。加之山高路远,人员五方杂处,又流动性大,纯粹的手工业操作,农业文明介入难以在建筑上形成气候。若无盐泉,诚穷乡僻壤等等原因,故和川中农业经济发展地区以盐业兴镇的建筑面貌比较,有一个极明显的特点:为什么建镇二千年,经济发达,人口多而集中的地方,竟然没有"九宫八庙"精神建筑的辉煌。仅镇北岸有龙津庙,内有一石雕龙头,盐泉由龙

二、巴蜀城镇类型

(图 80) 宁厂河岸民居

嘴宝珠两侧喷出，意盐泉为龙津。此就算唯一的正宗寺庙了，造型亦如民居简单。

场镇因九宫八庙房高，多四坡水歇山式屋面装饰，往往在场镇整体屋面空间上形成高低起伏变化。而寺庙宫观、宗祠会馆的富丽堂皇外观与金碧璀灿装饰，把农业文明成熟推向极致，建筑作为文化载体，通过场镇空间亦充分的渲染了这一境界。作为建筑美，诚然是了不起的审美对象。它的这种氛围是通过民居然后杂以若干九宫八庙等精神建筑才得以构成的。

宁厂无九宫八庙，因此少见歇山式屋顶，没有规则的天井式合院，仅有石砌稍大的屋面。余者几乎清一色两坡水硬山式简易屋面，清一色小青瓦面。单面不过20平方米左右。即是说建筑纯粹得全是民居，几乎无装饰，屋面大小差不多，小而薄，有的险岩处还仅一面屋顶直伸河岸，然后在道路上形成过街楼。还有一个共同特点，无论房宅体量多小，通街清一色一楼一底。即是孤零零的一间10多平方米的小木屋也是一楼一底。人多地窄自然只能如此，这又是一种纯粹。若再以木穿逗的简单实用，木板壁的不拘一格大小面积的镶嵌，木质色彩年辰久远褐黄斑驳的调子，以及家家皆有多少不同的石砌墙基等石作，直到临河街有多长石堤坎就有多长的石砌巨作统一全镇，这又是一种单纯中的统一，统一中的单纯现象。那么，宁厂无多话、不絮叨，犹如山谷里的手工业工人，实在纯粹到极致了。而一面傍山靠岩依坡，一面又临河碧水涓流，四五吊桥疏通两岸的自然、人文景致相配属。狭谷，层层淡去的远山衬托，清风遥远的宁静，这一切又加强了纯粹气氛。建筑与环境能酿成这样美丽的气氛，反倒得益于没有九宫八庙的干扰。于是就构成了川中罕见的全民居建镇特色。所以，感到建筑艺术不尽在有繁复的宫殿式建筑于小镇方才体现出"艺术"。而整体的单纯形态反复重叠、排列、错落，亦可构成叹为观止的建筑群体空间之美。

不过，综上三点所凝聚的特色，若不是天远地僻，若不是盐灶早已熄火停产，若还有较可支撑的农业，那么，建设性破坏将其缀入几幢水泥房子，纯粹则立即浑浊，不伦不类于偏镇远乡，更没有人旅游到那里去了。

山墙如云——资中罗泉（图81、82、83）

罗泉场古称罗泉井，因盐井而兴盛。居于距资中县城51公里的县境西部边缘丘陵地区，又毗邻威远、仁寿交汇处。农业经济贫弱。它的兴起一为盐业，二为威远连界场煤铁转运球溪河上船下沱江的必经之道。

秦代即有的骡马大道旁，仅有幺店子三五家，宋代即开始兴旺，已形成市街。明又衰败，至清中叶盐井的发现开凿，又为煤铁转口大道必由之路，三县物资汇集之处。一时煎灶烟腾，骡马帮连，铃蹄人沸，熙来攘去。入夜灯火照天，通宵达旦。在如此繁荣的景象中，罗泉场得以兴场建镇，亦属必然。清初移民入川，广东花县潘姓人插占罗泉一带，亦以勤劳灵活经营盐事，又把东南沿海建筑文化带入川中，并揉以巴蜀建房兴街特色。于是

二、巴蜀城镇类型　119

在深丘三县连接的僻远地创造出了一群光耀夺目的市街建筑。不少特色竟成川中无与伦比佳作。其中之封火山墙局部构作可说尚未发现与之媲美的作品，场镇灿烂，可想而知。

一、罗泉场沿沱江支流球溪河上游建镇，市街随河岸转折而变化，长约5里。不知是巧合还是镇人有意为之，场镇居然塑成一条龙形。龙头在下场口，有子来桥跨河连结两岸，两岸有盐神庙、城隍庙、川主庙和部分民居组成龙头。龙身弯曲即为街道。在龙身和龙尾之间有岔出一段半边街为龙脚，脚尽头再延伸出两段小街为龙爪。于是龙街之形神貌全全，十分酷似，蔚为奇观。

街道随小河弯曲得龙形体貌，于此市街两侧街房亦相机配以开合。罗泉地形因临水靠山地显窄长，街道自然狭窄。因此街道布局拟以三开三合为基本布局构思，从而在狭窄中时时寻求疏朗空透。合者即封闭式"双街子"，开者即开敞式临河半边街。三开三合的转承关启，使得窄狭之街充满

（图81）罗泉场街道一景

了活泼情趣。

《四川古建筑》是这样分析龙与开合关系的：

"龙头一开，龙颈一合。场口河对面的盐神庙，加上子来桥、城皇庙、川主庙，构成龙头，龙头之后为大宅院组成的封闭式街道为一合。"

"龙喉一开，龙身一合。狭窄街道延至观音沱，利用地形的转折，临河为半边街，将远山近水与当地八景之一的'神沱鱼浪'等引入街道。以后复为封闭式小街，又为一合。"

"龙腰一开，龙尾一合。在龙身龙尾交接处，随地势街道向上一折形成一段半边街，于此处外延伸出两条小街尤如龙脚，形成一开以后便合成龙尾。"

把街道的"S"状比喻为龙形街，在川中还有很多。附近的威远县连界场，新都县斑竹园场等均为龙形街。百姓建街因地形所限，或阴差阳错偶有巧合，或着意构思成"S"

(图82) 盐神庙与民居屋面山墙交相辉映

形布局以意会龙的形象。究其缘由，均是"龙"的形意在中国老百姓中有无比崇高、美好、吉利地位的结果。以龙形治街，在规划上于古代会收到保护建筑保护生态的良好效果。因其把每一处空间，无论人为与自然空间都与龙身的生理部位相对位，相谐比而言。谁乱建乱占，随意破坏皆直接针对龙身具体生理部位，这是谁也不敢妄为的。

二、罗泉场民居与庙宇是构成场镇建筑的两大部分，都为本场居民所作，又多为广东同乡人士。两者风格既有差别又有联系。统一中流露出变化，变化中归于统一。统一中能窥视出遥远的东南沿海建筑风范，然而又不全是照样搬来。民居与庙宇，功能截然不同，平面、空间区别极大，如何相安一场，如何以空间形象统居一体？这样庞杂巨大的场镇是以什么样的具体结构、装饰透露出让人感到有一种建筑灵魂在群屋中游荡，在支配着这一切？这就是家家户户住宅和庙宇的封火山墙，它如云彩般控制着罗泉屋面、视觉，几乎取代了屋面平斜地位。以其尽在垂直的角度和面积，似有无处不在的穿插，时时提醒它的存在。

封火山墙，又称风火墙，本为建在屋两侧的防火隔离体。石、土、砖为基本材料，或兼有混作。高矮宽厚视屋体等因素而定。即为墙垣，本无形制，以防火防盗为宗旨。然自古以来，中国人从不把物质作为单纯的存在体，总是赋予它一定的精神内涵。封火山墙即为住宅和庙宇的一部分，那么它必然受纣于古往今来看地选址建房的约束。约束亦即风水之说。例如《阳宅集成》说："万瓦鳞鳞市井中，高屋连脊是真龙，虽曰汉龙天上圣，还须滴水界真宗。"《阳宅会心集》又说："一层街衢为一层水，一层墙屋为一层砂，门前街道即为明堂，对面屋宇即为案山。"罗泉屋宇效法"龙法"、"砂法"的山峦形象，以山墙形象的模仿对应，并以"金、木、水、火、土"所谓"五行穴星"诸义包含其中，于是封火山墙出现了五种形状。这种借农村相宅的山川形法于井邑之中的变通引伸，必然使场镇庙宇、民居连片的空间形态中亦产生封火山墙如云彩般的紧密相连。

罗泉场镇有不同地形不同朝向方位的住宅和庙宇，自然就产生不同形状、不同造型的山墙形貌。加之各建筑体出资人的经济能力，功能作用，风水师的水平等因素，于是罗泉山墙出现了大小不同，造型多端，装饰殊异的群墙争辉大观。最大最华丽者莫过盐神庙山墙。其墙脊为装饰的重点，以"五岳朝天"式歇山牌坊屋顶作脊，两末端再以圆拱脊相接。脊上用碎瓷镶嵌各类走兽花草纹样。体量之大、装饰之繁复精湛实为川中仅见。就以清中叶盐业最宏富，又爱建封火山墙的自贡一带比较，至今尚未见可媲美者。不过按风水相宅辨形之法揣度，盐神庙山墙其形有直线平脊五段层层下落应为"火"，而圆拱脊又为"金"。两脊形生一墙，是否相克，或有其他原因不可而知。但山墙绝少这种作法。这里若把罗泉其他山墙统一起来看，发现不少已经起了质的变化，已经不具防火作用，而纯粹是一种精神象征。或以"大"象征势力与财富，或以"精美"隐喻智慧和文化。因为不少山墙已经脱离屋宇单独立于舍左房右。就拿盐神庙而言，其山墙实则即围墙，虽也存在防火作用，但拖长至大门两侧，且里面高朗空透，不允许居家灶火厨事，仅香火梵祭。所以半

(图83) 罗泉场桥头与民居

为防火，主要还是借山墙以昭示同籍、同业、同乡、同宗、同族的业绩。故而我们看到山墙之形有广东山墙的遗风和韵味。

综上罗泉场龙形街、封火山墙两大特色，尤其封火山墙于区区山间小镇，建得多、大、精三大特点，比较川中场镇，尚还没发现第二处。原因首先是清中叶盐井开凿煎煮的手工业生产的发展，有了可资兴镇建房的经济基础，方才可说建庙宇，造华屋，装饰装修。而把大量钱财花在建筑的修饰上，没有相当财力和文化根基，显然是不可能的。仅有财力没有文化嗜好，山墙不会有艺术性。反之，山墙仅为解决防火问题。正因为罗泉场多为广东花县人，而那一带正是十分讲究建筑装饰的流行区域，所以建筑为文化载体亦是确切的。

多姿多态的建筑景观

巫溪县宁厂、资中县罗泉两场镇仅是巴蜀因盐兴场镇的典型之一。其特色表现在场镇整体空间形态上或局部建造上亦并非代表了其他类似场镇的固有特色。各地因盐兴镇，天时、地利、人和均有不同，因地制宜则各有各的作法。比如云阳县云安镇，盐厂和民居混在一起，以一钟楼为镇中核心位置。道巷如半月围绕其修建，推窗上楼处处与其相见，古时钟声不仅为盐厂报时，更是从空间时间维系着全镇人心，核心是"聚"而不是"散"。空间形态紧紧扣住特定的生存基因，即盐业而展开规划和房屋建造，流露出场镇与众不同的职业属性。还有乐山五通桥及周围因盐兴起的小镇，因盐井和煎灶的分散布点，那么围绕这些盐井而展开的空间现象，好似东一片西一片的建筑聚集，而大道小路无不通畅地连结着这些聚落点。加之岷江、涌斯江、茫溪河又疏通、串联着这些点的交通运输，整体中形成疏密，疏密中又显得有整体。空疏的段落看密集的市街有进退得宜的尺度，恰反反复复都看见密集房屋的两端。又加之绿化极佳，两岸600多株黄桷树如云如盖，河清翠绿的缓流，如此美景倒还使人忘记是烟火熏熏的制盐大镇，所以人们干脆雅称它为小西湖。这里是直接与盐井分散有关的，空间面貌和云安镇恰相反。

除了自然盐泉（如宁厂）无天车井架外，巴蜀主要以井盐生产为主。井盐开钻凿井必须有一整套设施和技术以开发深层地下资源。因此它的井架、车房、碓房、灶房、柜房、盐场、竹览等一系列复杂建筑也构成了独特的建筑景观：外空间尤以井架成三角锥体形布满城镇屋宇之上，内空间天车是传统作坊式操作的典型模式。里里外外的宏大气派，各种建筑体的实用布置，极难断言事先就有严密规划，后来和城镇变得协调起来，完全是生产过程中空间的不断调整，以至于融为一体。所以像自流井、贡井地区，有的井架就在院子旁、大街口，于是出现了川中，甚至全国都极为罕见的市镇和作坊大型建筑两种功能、形态反差极大的相安无事的亲密组合，呈显出十分独特而饶有地方风情的城镇奇观。

再则是围绕盐销售的水陆运输中心的兴建。过去很多产盐之地都靠江河，木船自然成为主要运输交通工具。不靠江河的地方主要以骡马、人挑担为主。这实则是一种动态的城镇建筑构成，尤以船的密集与流动，不断变幻城镇的天际轮廓线，不断组合城镇建筑构图，不断促进临河码头与建筑的兴起、完善。清中叶以来除产盐地的城镇得以千姿百态的发展外，还直接间接地影响着边远沿江转口盐事的场镇发展。像乌江的龚滩，长江的巫山、奉节、云阳南岸各场镇等等。

盐的丰厚利润，使产盐城镇出现很多豪华住宅，出现种类繁多的宫观寺庙、宗祠会馆。它们和盐工、船工、搬运工、商贩的住宅建在一起，在建筑工艺、体量、形制、外型、装饰等方面呈显很大差别。何以不像今日贫富悬殊建筑摆在一起那样刺眼，这就是：(1) 材料和色彩的原因，无论贫富，过去差不多都用石、木材料为主，自然色彩相同；(2) 建筑结构和作法说到底不是特别大的悬殊；(3) 自然环境以树、水、山联系相通建筑间呼应，无特别高的建筑临驾在群屋与山水之间，等等。像五通桥这样的盐业场镇，因财力雄厚，致使寺庙、会馆林立，达五、六十座，布点均匀又和民居、盐场相偕一起，也没有使人感到不协调之处。这种不同功能的多类型建筑的共生现象，以及由此而生成的空间独特景观，是很值得研究的城镇建设课题。

（四）寺观与场镇

川中各地寺庙宫观密布，是封建时代客观存在的宗教现象。而围绕这些寺观居然出现与之息息相关的城镇是十分有趣的。

试作一设想，峨眉县绥山镇若依傍在一座寺庙都没有纯是自然风光的峨眉山麓，其绥山镇会不会有如此繁荣？若没有平都山鬼城，丰都名山镇会不会发展得如此昌炽？寺观和城镇的关系在川中以相互促进、辅佐、完善展示了一种紧密的空间格局，是川中城镇又一别致的建筑大观。它包括非常著名的平武与报恩寺、武都镇与窦圌山、三台云台观与棱江场、江津石门场与大佛寺、梁平双桂堂与金带场等等。而不少地方民间小庙小观傍亦衍生聚落、场镇，在一定区域内造成影响，形成相互顾盼的空间格局者，则更是数不胜数。

城镇与寺庙宫观的关系，不能纯以相互间距离的近远、长短论空间。有的近在咫尺，有的相隔数里。但有一点是相同的，即城镇与乡场是靠近寺观最近，和寺观发生心理联系最多，并直接影响相互兴盛程度。这是一种相互依赖而存在变化的空间格局，不一定在城镇的建筑形象中非出现有寺观特点的面貌不可。其中以香客和游人为联系两者之间的纽带，在人们头脑里产生两者须臾不可分的整体空间概念。比如，提到报恩寺必然与平武相提并论，说到云台观必然联想到棱江场。而川中凡多种多样的寺观与城镇的关系中，尤为空间形态的紧密谐和性上，应首推忠县石宝寨与石宝场的关系。

"寨"兴镇护——忠县石宝（图 84、85、86、87）

石宝寨位于忠县境内，在忠县忠州镇长江下游北岸四十五公里处。在这里因一巨石玉印山奇峰突立，以形、貌、质、色诸多特点和宽阔的长江，斜缓的坡地构成极强的对比。尤如天上飞来之石，在万里长江岸边形成无与伦比的独特自然景观。其景相比三峡陡岩急坡虽为"小景"，但亦是不可取代，不可同日而语的特色殊异的天然形态。这种地质地貌现象，因周围无类似的山岩奇石可联系，可对比，至使人们百思不得其解产生"石由何处来"的千古疑问。于过去时代，自然会笼罩着神秘色彩，进而导至顶礼膜拜的宗教化，尤如远古巴蜀大石文化的渊薮滥觞。围绕着这样奇特的巨石，不能解释的自然现象，人类最早的宗教意识便产生了，同时亦伴随宗教行为的滋生。

相传"石宝"之由来，即寨上有一石洞孔，每天有白米自洞中流出，足够

（图 84）石宝场老街与石宝寨关系

庙里僧人和客人享用，后贪心僧人欲求以米发财，把洞口凿大，从此米不再流出，故名。

石宝寨上有清道光 24 年碑记："惟我石宝寨名曰玉印山，为尤其焉，平地耸立，四面如刀截然，毫无边际，高直数十丈，中可容数千人，览其形胜，每有江月何年之感……。"在寨上的建筑建造上，此碑又说："自康熙年间，始建重楼飞阁、阎罗殿。嘉庆 24 年，吴君仕之孙君倬重修，……历数年之辛苦而其事始成。"但何以有寨之说呢？《四川通志》载："明末谭宏起义，自称武陵王，据此为寨，故名。"

综上而论，玉印山的奇特，合民间传说、寺庙、寨子于一体。这就大为丰富了物质形态和精神形态虚实相生的内涵。而历代诗人墨客的歌颂更是把玉印山及周围上下的建筑统而唱之，再千年过船行客的传颂及远播，把石宝寨的知名度推到空前程度。至使行香者、游览者千年不衰。这就繁衍出一个附生物：石宝场。

说石宝场是因为有了玉印山及山上寺庙和十二层楼阁爬岩建筑而存在，至少在先后次

序上理应如此。即是说，石宝场兴起在康熙年间之后，其历史也在三百多年。可以推测，石宝场的居民成份，定有附近农民，亦有远地迁来生意者。为了在心理上、建筑上与玉印山呼应，为了暗示一种石宝场与寨子的依附甚至于主从关系，那么，最为能准确表达这种心境的莫如建筑体了。整体而言又以场镇街道布局最能体现这种仰仗石宝寨而生存的感恩情愫。

石宝场街道呈不规则半圆状，然后顺上游方过一小溪沟而延伸。半圆形街道紧贴着玉印山下，绕了山体半圈。其缠护状如玉印山腰裙，又如膝下芸芸众生，更似山下筑起的一道围护城墙。爬上山顶俯瞰街道屋顶，深灰色的两列瓦面如长龙背脊，蟠护其下，绕着山脚一动不动。每一家屋顶的衔接如巨大鳞片，重合得生动自然。其形其状顿时使人产生众星拱月之感，有人间天上的空间飘渺之距离。然而，当你顺着场镇建筑依次收寻并聚结在爬山楼阁时，更感到高达50余米的三层魁星亭和九层倚岩楼

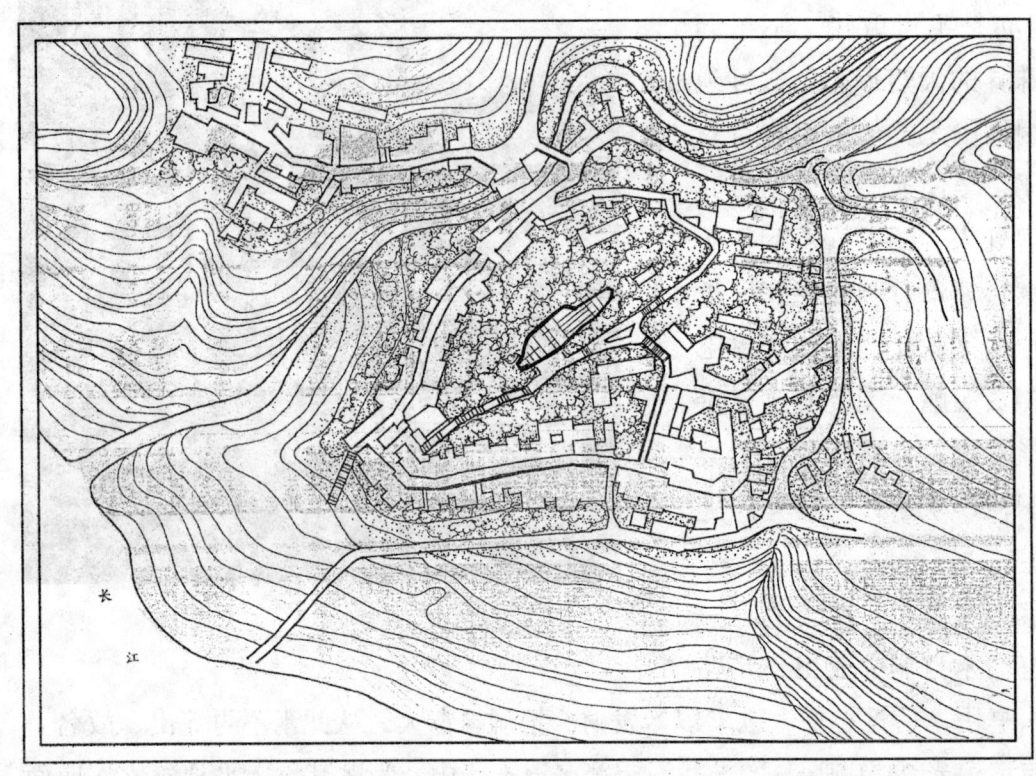

(图85) 石宝场总平面示意

阁全是建在众家屋顶之上，犹如群屋举托。更似全镇通往山顶共用的唯一梯道，因其公用，有财力大全，故重檐层层收缩、叠加。内曲折木梯，迂迴而上。若把石宝场看成是一个大家庭，其附岩楼阁既是家中后院上山的梯道，又是隐蔽着梯道的装饰场镇美化山岩的亭阁一体风物。若回复到过去时代人心的宗教意识遐想，楼阁又成为所有人通往山顶天子殿的思绪集中管道。若就建筑空间的气氛而言，场镇是平面的，楼阁却是立体的，楼阁在天子殿和场镇之间，既是过渡又是联系的纽带。而建筑外观通过屋顶瓦面，楼阁各层顶、檐、壁、窗、柱、色的相互衔接吻贴，照应顾盼，则把场镇与楼阁纳为一体，舍去任何部分，不是玉印山孤峰寒立，就是场镇离心离德，更把楼阁闲置于半岩上，充其量如古栈多

姿复阁，野趣苍劲而人文不足。更绝者在楼阁层层向上收缩而成三角锥塔状造型，其底层宽，顶上魁星亭窄，不仅暗喻人流方向，亦有锐意之感以激励人爬上顶的勇气之势，楼层越走越窄，天地越来越宽，到达山顶平坝而"绀宇凌霄"别有天地。亦是建筑心理求奇探险和建筑结构多层木构架受力均稳的完美结合。而广而言之再统观全局，其楼阁构架又如搁置在场镇屋架之上，基础更显坚稳宽大，面貌更显协调，人文之气合盘托出，又丝毫没有削弱玉印山体的自然风貌。更不可思议者是，场镇统一有序的建筑高度，从最重要的游人来向江船上看，不仅没有遮挡观览石宝寨诸景的视线，反倒以场镇屋顶连续轮廓线间以杂丛树冠，以近景的归纳构图遮挡削弱山体下半部分不甚精采的土坡，这就把游人视线全部集中到玉印山的整体形态上。十分有效地起到"非上去看一看不可"的吸引力作用。这是一种什么样的民间规划机制在控制着这一切？拿现在风景区建筑比较，动辄在山麓修高楼，不仅切割、搅碎整体山川之美不说，更没有一点意识去想到建筑是环境相互的完善，是为了更加突出自然之美。搞来搞去，酣游归来大谈风景区的建筑如何之好，喧宾夺主，诚可大悲也。

石宝场镇不仅没有高楼去破坏玉印山的整体景观，在街道的局部空间处理上，亦有不少让人迴肠荡气之处。徜徉石板街上，尤感玉印山上诸物无时不在，抬头仰视，无不处处有它的倩影伴随着你。闲座临江一排店铺喝茶用餐，可取靠近街檐处桌凳，抬头即可见山。穿街过巷，那屋檐间缝隙，那挑坊与撑拱

（图86）从檐缝中看石宝寨

之间，亦有山影不断露出。你暂住一宿简舍，推窗而望，或透过窗眼而管窥，都可获得不同角度玉印山的美景。更有趣者这些建筑构件如取景框，任你摆来摆去，山的景致亦千变万化，真是美不胜收。

这里，不仅是因为玉印山上有天子殿完整的寺庙建筑，实际上人们把玉印山上的一切皆已宗教化。无论山上山下，凡建筑物，无论功能如何，它们之间没有俨然的对立，建筑之间似乎总能发现一些相通的东西。它们空间上有距离，形体、结构、材料、色彩也有区

(图87)石宝寨爬山楼阁

别,但没有因此而影响它们之间的谐和气氛。这种气氛靠的什么力量在支撑维系,显然是玉印山作为自然独特景观和山上诸建筑物统为一体所生发出来的宗教力量。这种无形的力量支配控制着场镇的布局、规模,制约着建筑的整体空间组合和建筑的高度。甚至控制着绿化行为中树种的选择。据民间有一句最朴实话说:"山下的房子树子不管啷个搞,总不能把山挡倒了。"此话正是民间自然与人文景观约定俗成的保护意识,是最初的场镇规划基因,它靠的就是赖以生存的玉印山诸物诸景。能给众人带来生存希望的物质形态,必然产生崇尚其神化的意识形态。反过来这种意识形态又维护着发展的物质形态,即如场镇之类的空间形态。几百年下来,石宝场人深知,失去了玉印山自己也将失去一切,亵渎它等于毁灭自身。

巴蜀场镇于过去的规划中,呈现出各式各样的空间形式,展示出不同类型的建筑风貌。究其根源,凡有序而成章法的格局中,都有内部运行机制严密的意识逻辑。镇人可以把这种机制多样化。如几大家族居镇主宰者,它可以以宗法伦理治镇,以宗祠会馆先构成城镇规划骨架。若镇址以形胜者,它引鉴风水术,以龙脉、砂、水、穴之说控制着空间格局。更多的城镇以保护自然生态和居住舒适的儒道合一学说发展空间,完善空间。等等等等。而诸如石宝场以宗教原因发展完善空间者,诚亦属场镇类型之一。当然,历史唯物论者,不以非科学性的事实而否定历史现象,相反,在总结这些现象时,抱着实事求是的观点,去发掘整理一些于当代有用的空间理论。尤其是面对千宅一面,千镇一面的不思创造的建筑文化现实时，尤其感到发掘、宣传历史传统场镇特色的紧迫性和重要性。

（五）最初的场镇胚胎

　　四川盆地内，无论盆地周围山区、丘陵，也无论盆地中平原与浅丘，凡行人来往频繁的道路，在相距三里、五里不等的距离上，常有一家两家、三户五户的房舍出现。这些人家基本上以农业为主，兼营一些吃食、住宅、杂货之类的小买卖。这些人家即川中俗说的幺店子。

　　他们选址殊为考究，设身处地研究行人的身体与心理状态，恰到好处地设店开铺于特定地点，收到了一定的经济效益和社会效益。而往往从吸引行客的角度出发，又充分利用选址时对自然景点的修整，使得房舍周围自成一处优美环境，起到了挽留过客稍憩片刻，趁机做点生意，同时又给客人心理上以环境宜人的享受作用。

　　幺店子有的在两场镇之间，有的仅距场镇几百米，一、二里不等。像重庆、成都这样的大城市周围也星罗棋布，比如重庆南岸的黄桷垭、沙坪坝歌乐山上的高店子、成都龙泉山上的茶店子。而所有的中、小城市同样在它周围密布着这样的乡土特色空间。它的选址布点深刻洞悉行人心理。比如行人出城几里，挑担揹负，始觉稍累，前面便出现店招。再往前行约在中午时分，又有店舍出现。吃顿饭食起程刚好合适。这就有效地调整了行人路程间的枯燥情绪，冲淡了行程的疲惫。而幺店子为了吸引招徕客人，选址建房上极为注意路旁一石一水、一树一竹的利用保护。甚至进一步的营建这种自然环境氛围。所以，川中幺店子又与风景景点同称同构。它们或利用桥头傍流水之趣，或利用大树以荫蔽得庇护凉爽之乐，或在山石竹笼间置篱笆开柴门得园林古风，或凌山垭口设宽廊架木凳砌土台得高瞻远瞩气度。凡此种种，均是对行人生理心理作了相当探索之后作出的选择。更有甚者，为方便行人和乡人起见，有的幺店子渐自建起简陋的小庙，办起榨油、做酒、推粉、染织的作坊。在大一点的城镇附近亦有的形成专门物资交易的集市。像自贡的彙柴口即由幺店子慢慢发展成专营柴火的市场，还有鱼市、蚕桑、铁器、木材等市。当然，此类幺店均以县级以上的城镇附近为多。

　　幺店子建筑，看似无规划，一家单舍为店，两家并排或相对成街，人从两排房中间行走，客多房舍自然多起来，以至最后形成场镇。起始之时建筑如村舍农房，简者茅棚竹墙，再者青瓦木构，土夯石砌。既为幺店，难聚大财，罕见高楼华厦者。恰贫薄之初，又要挽住过路客，一切生土材料用尽，房主凭着简单有限的文化，凭着直觉的审美判断，凭着传统仁义道德客主有别的礼貌，因此，就地取材亦制作精工。豪放者，粗作顺应环境，搭豆棚瓜架，垒石砌墙，石桌石凳，说不上有特别规范耀眼的建筑造型。又即为幺店，农商兼作,稍有起色,渐自修补或更换门庭,因此,亦有精良的建筑在幺店出现,不过也仅是前店后宅,宅为四舍院之类而已。草屋泥墙者近于自然状态,又处于四野空旷的山间田野,即是形成聚落,也无非多几间房舍。加之人流无场镇赶场的轰动烘托,人气微微之中,仍是农村一般的静谧安宁。但又比农村院落显得热闹,于是在居住的整体空间单位体量上,成为农家宅院到场镇空间的过渡形态,成为场镇的前哨,成为农家宅院联系社会的第一个聚点。

有的交通要道的幺店子,逐渐完善服务功能,除了进一步增加吃、住、农副产品加工的房舍外,因其较清淡隐蔽,距场镇有一定距离,清末民初多有开设赌局、烟馆、牛马栈房的。这就把幺店子空间从单调的居家前店后宅形式逐渐向特定服务内容形式方面发展。像赌场与烟馆的隐蔽,即把空间转移到宅后,或在建筑上形成多进合院式,或建楼房。而牛马驭帮之类,场镇无容量更大的空间,又粪便的脏臭不好处理,恰幺店子成为驻扎、食宿最理想之地。这也形成了宽大、简易、开敞的牛马棚。空间虽陋俗,却极随意,于此又丰富了整体幺店子的空间形态。匪盗猖獗时期,有的场镇在幺店子设卡搭兵棚、建碉楼、修门洞,也使得呈现出不同于场镇,更不同于农家宅院的空间格局。人流长盛不衰者,场镇之形成势所必然。

聚落初始——自贡彙柴口(图88、89、90)

自贡釜溪河旁火神庙后有一小山,过去的石板路进出自贡,凡南部舒平乡、高峰乡,甚至宜宾、富顺等县的客商,均由此翻小山垭口。垭口所在即今之彙柴口。一段时间曾更名"红旗"一名。是一个典型的幺店子发展起来的空间聚落。

(图88)彙柴口之房舍

清以来,自贡成为西南盐业中心,它的繁荣刺激了四周城镇的发达,同时也带来了围绕城镇、乡场之间幺店子的昌盛。这些幺店子或在航运的水边，或在岩畔的路旁，或在临近城市的黄桷树下，或在丘陵的山脊垭口上，均是服务于城市生产生活应运而生的空间聚落。它的选址，表现在和地形地貌相谐调，以行人身体、心理承受力为转折的一致性。城市通过它作行人的第一次或最后一次停顿。出城者于此稍息，可回首城市景观，感叹一番将离去的依恋。劳动者渐累渐热，宽衣解带，停担歇气。入城者眼前目的地即将到达，作最后一次长涉艰辛的路途暂停，以舒口长气，整着行装，轻快入城。无论进出临界城市的地形选址如何，若仅是苍穹之下的空敞，总感到身旁若有所失，遮掩不足。亦感诸如大树、岩穴之类自然物不能取代。惟此间有廊棚一处，草亭一间，居家三两舍者，方立感亲切之情，人烟虽稀疏，却一下没有绝断和城镇的联系，感情没有在瞬间一下被掐断。人要出走要进入，于城镇总有一步感情物化的阶梯，一下把你推入沉寂的村野，或一下让你跌入喧嚣的市井，转折似乎太突然。所谓适应者，过渡者人之常情，一种感情的自然。人于此间此景，设身处地皆有同感。于是有人即在此般环境中，在恰到好处的地点植棵黄桷树，建一个草棚，摆几条石凳，摆一张石桌，放几个土碗，店子之初即为起始。

彙柴口在一山脊垭口上，往北自贡鳞次栉比的房屋和盐井天车井架，釜溪河中的舟楫尽在眼底。往南丘陵田野，遥远更是无边际山川林莽。由自贡城中来此，过火神庙，爬约一百米陡坡，正是城市和乡村的天然分界线上。路程二里左右，平路不算累，恰爬山百来米，虽不太累，亦有小喘。到此得一垭口平地，几家茅舍瓦屋，自然必小憩无疑，以换口气再行。而南来之挑夫、菜农、小贩、行客亦正好在此调整诸般，以利城中市俗规范。故垭口道路两旁店子渐兴，但散散落落，在山口南北两端，一上一下的路旁两侧展开，皆为陡坡凿岩而建。房舍大小错落、平面宽窄不等，房间高低起伏、形貌变化多端。一巨大黄桷树如伞如盖地笼罩，房屋数量至今也不过几十座。均不按严格市街店肆排列，似各自为阵，然又有一道路制约，往下俯视，群屋面成团和黄桷树绿叶拥抱一起，构成了一个整体形象既不像农村聚落，又不像场镇的特殊空间形态。这种无序建筑布局，正是幺店初始时尚未形成相应的行政手段及约制机制所至。这正是幺店聚落

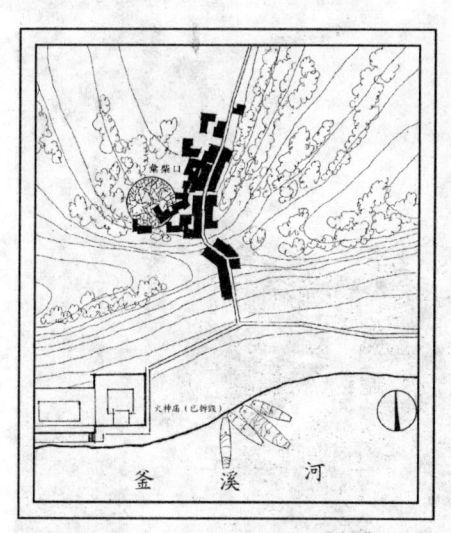

（图89）彙柴口总平面示意

和场镇空间的显著区别。因此，更谈不上有寺庙宫观、宗祠会馆、村乡公所等有明显而特别的建筑形貌掺杂其间。所以，俯瞰其下，一派清一色两坡水硬山屋面，一片小青瓦淡绿的瓦灰色，一个四合院的格局都没有，几是"单瓦房"的自由组合，没有感到内部有潜在的某种象征性的规划力量在支配其选址建房。其自由自在仅让人体悟到是各舍之间的邻居协调，虽散漫但融洽，虽不讲朝向但亲密无间。这样的气氛，若回复到开始时仅一、两家

店子的心理状态诚可容易理解。

在无田无土可耕种的山垭口等地建店子，多属无业者或远离家园者，货贱本薄利小。顾客稍停急行，不会久等一大餐，长住一晚宿。所获之利微乎其微，自然不会花更多的钱财把房子建得体面一些，多数也没有此经济能力。所以更不会讲究房子修法，去追根溯源完善封建制度赋予建筑的庞杂而森严苛求。他们仅为最基本的生存而来，有一块地盘遮风蔽雨已属万幸。但几千年来的传统道德熏陶，使得他们谙熟为人之道的真谛，即礼让为首要。相互过得去，"有钱大家找"，行为自得收敛谦恭。反映到建房行为上亦是此番道理。若假设有一富豪在此相地建幺店子，情况恐为相反。况且尚还罕见富豪看得起幺店子微薄收入的。所以幺店子整体空间形态的简易中透露出同一经济层面，同一道德水准的和谐。也是平民心态的物化，平民社会的聚落。深层地反映出农村向场镇的转变过程中，一处不易被人察觉的社会变化的轨迹。

由于彙柴口处于城市的郊区，因此，此类聚落必然向城市服务发展。自贡和川中一些城市一样，过去烧火煮饭多用木柴。木柴的来源于农村有树林或森林的地方，自贡南郊即是向城中输送木柴的基地之一。农民砍柴挑到彙柴口，渐而形成交易木柴的集市。彙南来各方木柴于山口，彙柴口因而得名。于此可见，当地居民充其量以专门经营木柴为生。或开小店以挽留卖柴人或过客于片刻。有限的经济能力和有限的时空条件，必然制约着建筑空间的深化、规范化。但又适成一类新的、不甚稳定的空间形式。它不以单体的精湛见长，却以群体的松散协调展现了别开生面的空间特色。

(图90) 处于山垭口上之道路与民居

过去研讨建筑的聚落，多以村庄家族的农业型形式，或场镇非农业型的规范形式。然而在它们两者之间尚还广泛存在于山河大地的"幺店子"聚落形式。它无论人口构成，建筑形态等方面，都在两者之间。进一步它会向场镇发展，退一步它又回到"杂姓"相处的农业环境，或舍去简陋的店子返回家园。所以，说幺店子是一种不稳定的动态空间形态，是农业社会问鼎商业、手工业最原始的桥头堡，亦正是社会发展的必然。这种模式在当代尤表现得充分。比如,现在公路边、交叉路口不断有一家两家从阡陌间搬来的个体户出现,久之渐多。其建筑选址、朝向、造型不讲究,似"无人管"状态。当它有形成场镇的条件时,内部就开始产生"有个规矩"的欲望,于是出现了最初的民间规划。当然,有政府行为的聚落形成是规划后的局面,那是另一回事。不过这种有规划的政府行为在过去农业社会以家庭为主的支离破碎的局面里是难以产生的。这也是造成幺店子较"散乱"无规划的原因。同时也是人类对新的生存空间探索初期普遍存在的无序状态。而这种无序和周围自然景物的无序又结合得如此紧密,建筑和自然似成相依为命的有机共生体。这番景象恰契投了老、庄哲学对人与自然相互顺应、相互容纳的观点。尤历来文人、画家对幺店的赞美和描绘,使得此类形态具有了优美的审美性。这也是川中中年以上者,谈到乡间道路环境,言必称幺店子的原因。所以,这些十分迷人的幺店子空间,某种意义上又蕴含了一定成份的园林意趣。所谓园林意趣即指"小桥流水人家"中,尚还有"枯藤老树昏鸦"。亦既对自然环境有所治理中,尚还有原始生态的野趣于其中。而小桥、流水、人家、篱笆、廊亭、山石、树藤之类,正是园林仿造自然山水不可少的因素。而眼前之幺店子多少也具备一些类似园林里的自然形象,故有谓之园林味的依稀之感。

幺店几家——綦江东溪河系列幺店(图91、92、93)

四川通往附近省份的道路,自古谓之蜀道。北有川陕、川甘栈道,东有川鄂长江水路,东南有川湘水陆交替之道,还有川黔诸官私之道,往南古有五尺道通滇北、黔西。西南古往今来亦平行古南方丝绸之路更有若干通往

(图91)河岸幺店

云南的大小道路……。这些道路各历史时期兴衰程度不同,兴盛时,人客络绎相属,尤陆路之旁,城镇雨后春笋般建立,自然亦产生诸多幺店子聚落。但经过川中历史上数不清的天灾人祸,清以前几衰败至尽。清初以来,清廷沿袭明制,在四川设置驿站、军塘站,以

传递北京到四川，四川到各省的文书信件。有的驿站原本便是场镇，驿道也曾是通往各省的交通要道。而有的驿站废裁后亦成为重要商业场镇，交通场镇，尤其是清中叶四川经济全面恢复后，驿道更成为官民之间无甚区别的道路。因此场镇便逐渐取代了驿站单纯作为驿传递送的功能。那么驿站与驿站之间的"腰驿"、"腰站"亦随之发生功能变化自当必然。所以，在通往各省的道路上往往是场镇和驿站、腰驿、幺店并存的格局。

清初，綦江县东溪驿曾作为川黔道上的重要驿站，使得仅距十多里的赶水场也萧条起来。雍正六年（1728年）前，黔北地区仍在四川版图之内，东溪为水陆两便的口岸，北可连扶欢驿，南可经桐梓达遵义。水路可通江津与长江汇口的綦河终流处。那里的自贡盐运正是由此转船到东溪再分销黔川交界广大山区。直到解放前黔北和四川交界山区食盐之稀罕与昂贵是令人难以置信的。东溪可辐辏广大山区的地理位置，食盐丰厚的利润，山货的低廉，以及驿站的基础，均构成了临綦河悬岩上这块不毛之地渐自繁荣起来的因素。后驿站裁撤，亦丝毫没有动摇其基础。更由于东溪是黔、滇、桂、湘等省入川，尤其是到重庆一带的必经之道的第一个大站。抗日战争时期，沦陷区人民及国民党政府军、政人员亦不少经贵州遵义再经东溪镇辗转跋涉来到川中。

近、现代历史在中国激烈的变化中，也给川黔交界小镇带来巨大而畸性的发展，这全依赖古今交通的咽喉之利。因此，也造成东溪镇附近一连串幺店子聚落的洋洋大观。更由于这些幺店子聚落皆选址临水的岩畔，且断断续续达五、六里之长，建筑与环境又配置得至臻至善。直到今天也是重庆各艺术与建筑院校的美术实习基地。据美术院校的教授言：景点之繁多，构图之完美，变化之丰富，色彩之老辣，退让之得宜，聚散之适度，甚至破损退废之"残缺美"的分寸均是川中无二例可之媲美。谓之曰百画不厌，颂之曰川东第一山水小镇。

我们从绘画角度转而规划与建筑的角度审视：构成此番景象的深层次原因，皆出于民间幺店聚落相互制约协调的布点意识和行为。

东溪镇在綦河与綦河的一条无名支流小溪交汇处旁的山岩上，场镇靠小溪东侧，距交汇口约二里。场镇整体空间与建筑环境诚属相貌平平，恰就在渐入场镇二里小溪两旁斜坡岩畔上，在衔接二里又沿綦河下游向重庆方向的左侧岸上，分布着大小不等建筑组团，每组团间隔几十米到几百米，隔而不断，视听可达，前呼后应。小溪两旁组团更是隔岸相望，近在咫尺，却又在不同等高线的高程上。而此二里小溪虽短促，高差却在百米左右，因此地形突然跌落，又出现两处二、三十米，多处几米不等的瀑布群。过去无公路，川黔古道正是沿綦河进入小溪两旁的道路爬上岩顶东溪场。于是这小小涧谷的两侧路旁，或一块小台地择基，或悬岩攀附置柱加撑，或临溪垒石夯墙，或两水交融处沙滩砌坎堡堤得屋址。加之綦河岸承平街聚落一段，这五、六里的奇险地貌环境上，出现了十多个建筑组团的聚落点。又小溪首尾有两桥联系，綦河有渡船过往，数十棵老黄桷树庇护着各聚落的建筑组合归属。一条苍老的石板路伴随着溪河、涧谷、瀑布、石桥，串联起所有的建筑聚集

二、巴蜀城镇类型

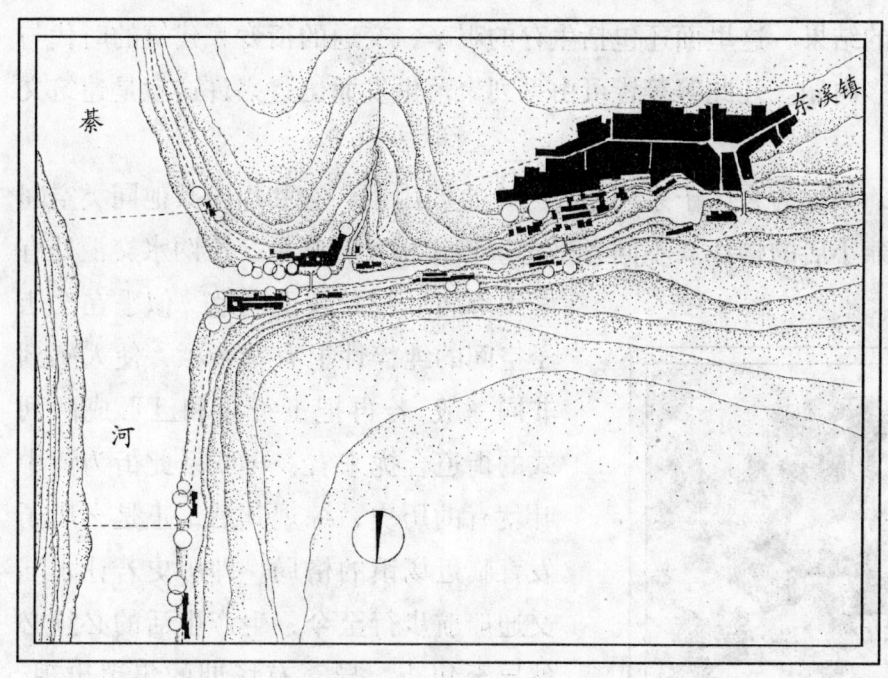

(图92) 东溪系列幺店示意

点。于是形成了规模赫赫,蔚为壮观,天人融融,高低错落的立体山水幺店子聚落群。还由于有百米左右的高差,山顶又较平旷,可俯瞰其下的位置随处可寻,无遮无障,取景可全览一大群落,可选择其中一聚落而详察细品。这就在整体上形成了既有联系,各幺店子又相对独立的系列空间连续。

造成这种空间现象的原因,无论是古时驿站,或川黔要道的重要口岸,皆在于:(1)水码头船运川黔货物于此集散。(2)出川、入川之客商以此为一个日程的终始点。出川者宿一夜第二天即可到达贵州境内。入川者为进入的第一大站,同理第二天即可到达綦江县城。然而货物与行客若要进入东溪镇内,尚有沿小溪两侧石板路的二里距离。人行一天的疲惫,上、下装船的搬运工,又要面临二里陡坡路非爬不可。爬一段,歇一口气,休息一会。于是附近百姓窥视到了这一端倪,认为客商、搬运工的小歇也是做生意的机会。显然,建幺店子以施展小买卖为最佳形式。川东河谷的炎热使人难熬,若在幺店子周围栽几棵黄桷树,既可固宅稳基,又可以荫凉,美景挽留过客于片刻。渐自房屋与大树始终都是围绕几处聚落点发展,始终都留出各点之间多段无法建房的道路。天时、地利、人和集中在主客之间构成心理默契共识。幺店布点与道路长短正符合顾客身体与心理需要。于是一种无形的相互制约机制出现,一种水到渠成民间朴实规划形成,一种随遇而安、不拘形式与材料的建筑着手营建。加上树木绿化与特殊地理环境烘托,终使涧谷两岸构成了幺店子连续不断的空间形态。当然,除了客商、搬运工之外,促成此类形态者,还有綦河对岸和附近农民赶场的原因。

不过,何以幺店聚落河边两处,及靠近场镇一处,即涧谷内两头规模较大而中间小呢?河边两处一为船工住宿者多,有的过客亦路途劳累不愿再到镇中也是原因。而临镇一处则据说是搬运工的集中点。此实则又道出了规划布点的工种归类分区的最初行为。故又从幺店系列的布局上,又可体悟到民间整体把握空间格局的科学性,并非偶然。虽然阴差阳错留给后人以绝处逢生的自然与人文观照至谐的佳境,然而,正是前人遵循社会发展规律,详加考察,精心运算的结果。这里面还包括生存的艰辛,交通的衍变,建筑的时代与地方风格,一方的民风诸多内涵。凡此等等皆可由系列聚落生发而出,兴许这就是建筑文化的本质所在。

像如此规模的聚落群,姑称为幺店子系列还有一个重要因素,它和川中其他同类空间形式一样,几乎都是住宅兼小店的构作。不同者是它量多又相互有联系。恰两水交汇处有一王爷庙形貌异趣于民宅,似乎在幺店子空间的纯粹性上有些杂糅,使人感到非同一般。若再把王爷庙和已形成两列式的街道合拢来看,再联系此街为清中叶就有的历史,综观其后,正是幺店子发育临近场镇的格局。即历史若让水陆交通船航步行至今,生产生活的必须必然导至集市,导至有场期的集镇出现。庙宇之始正是在空间上烘托了这种气氛。

(图93)东溪幺店聚落

特别值得一提的是,特殊的地形控制了幺店系列空间生成,又控制了它的整体与局部的发展规模。特殊地形产生的特殊地貌反过来又丰富了建筑环境及建筑表现。所以,有山水家说,与其说来溪镇侧旁幺店子是建筑美,不如说建筑所处的环境更美。当然,抽开其中一方皆不成其为特定环境中幺店系列,但足见环境对建筑的影响是何等的巨大。

此环境因有二里长,高百米左右的落差,使小溪沿着落差在涧谷中跌宕。上游一跌,即在一巨大石岩上倾下约三十米的瀑布,其下形成半圆大水潭,水出潭缓行约三、四百米,再跌入岩下,又是二、三十米高,又是一匹瀑布飞流直下,继而跌跌撞撞,经无数高低不同落差,又形成若干高低不同的瀑布,临近綦河约三百米处方才缓和急流烈势。这样的特殊环境,控制着产生这样多的空间系列。虽不具普遍意义,但有着非凡的典型性。它得助于天然的地理环境、地形特点、地貌的丰富变化。但若没有以民居为主的人文构作镶嵌其间,亦不过纯粹的自然山水景观而已。有了建筑于其中的连续,聚散诸多富于节奏的系列组合,它就更加富于生命活力,更加富于生存的快慰,亦充满了生活的乐趣。似乎是历史偶然遗落在那里的几页书籍,却又是一段历史在山区发生变化的必然。

幺店小考

四川方言谓"幺",指排行末尾。用"幺"来比喻道路中最不起眼的店子,或几家一起形成最小的聚落,大约幺店子称谓便由此始。

《清代四川史》言,"驿站中还有腰站,又称腰驿的设置。也就是两个驿站之间所设的换马站。四川驿站之间距离大体相等,又有长短不同。"像"四川总督年羹尧于康熙五十七年(1718年)十月,奏请'于汉州安设腰站',亦是此站。""腰站的主要任务就是供应换马。平时,在腰站租赁民房隙地,建立槽枥、锅口,备购草料,喂养马匹。驿马到达,立即更换上路,换马不换夫,以保证马驰速度"。四川民间谐语以此延伸出谓两顿饭之间的旅途休息饮食的打尖为"打腰站",川西谓之"腰台"其理也由此出。

"幺"谓之小,"腰"谓之中间,小而中间的店子及聚落于此得到更完整的解释。加之"幺"、"腰"同音,看来有字义互为完善的原因。同时又准确地表达了幺店子的起始源出。既来自民间,又有官方含意,这就构成了幺店子在时间与空间的协调性。

《四川清代史》又说:"雍正时双流县的王家场,乾隆时成都县的洞子口,嘉庆时蒲江县的陈家坟,道光时温江县的云溪桥等等,这些场镇多由几间茅屋幺店逐渐扩大形成。"据《中国城市建设史》分析:"生产及生活的需要而产生简单的分区,建筑也有了一定的分工和组合。"幺店子之扩大,正是由于如此。所以川中场镇,包括后来成为县治所在之镇及首场之镇,各地中心场镇,不少都是由幺店子发展而来。当然,产生城镇的原因不止于此,但其因占的比例是很大的。

幺店子广泛存在川中,那么国内其他地区是否也有此空间类型呢?郑振铎在"清明上河图的研究"一文中说,"两个年青的脚夫们,可能还有十来岁的小孩子,一前一后地赶着五匹小驴子,向城市走来。小驴子各驮着两篓小木炭,可能他们是从很远的地方来,所以在这夕阳将下的时候方才到达城边。在柳树林边,已经有茅店可望见。"这说明北宋时(960年~1127年)的东京汴梁城外,已经有"茅店"所在。那茅店有的全是草屋顶,有硬山瓦顶檐下再接草棚,共三座错落摆开。每座半敞半开,敞间搁置桌凳,卖些小吃杂货。三座屋后有晒场、石碾、畜圈,……几棵树围绕着店子。这正是幺店子完美的空间形象之初,是典型的亦农亦商,小本买卖的记录。

所谓"茅店"、亦既幺店、亦有"鸡茅店"之说。其因无论"茅"、"幺"者,均是无足轻重不值一屑的东西。用其比喻幺店子聚落是再形象不过了。这充分证实了不唯专事农业生产的空间类型,在城镇的发展中,还有一个原始的数量巨大的空间形态。若按次序从小到大排列,它们便是:幺店子——场镇——城市的粗线条发展轨迹。虽然幺店子不可能全部都衍变成场镇,正如场镇不可能全部都发展成城市一样。随着历史、社会、交通、人口等不断变化,随着动态的时空条件不断转换,它如一个人的细胞,亦有不少萎缩、枯竭、退废消失。所以它又是一种动态的空间形态。应该说是农业建筑聚落向非农业聚落转变的最基本单元和组合形式。这是建筑历史新陈代谢的结果，是社会向前发展的积极变化。

公路发达后，像彙柴口、东溪河边等川中传统幺店子若被公路抛得很远，它渐渐就会消失被人遗忘。但富于生命活力的新的幺店子必将取而代之，并以全新的姿态出现在交通要道上。旧的一批细胞死去后，新的细胞不断产生，建筑兴衰亦是此理。唯哀叹者是：逝去的东西中蕴积了大量文化，沉淀着丰厚的建筑与环境治理科学，呈现着任何物质现象不能取代的美学形式表现等等。所以建筑家、艺术家、文史家亲昵它，旅游家流连它，若都说这些人视破败而精神颓唐，那显然也该反省自己是不是在认识上出了点什么偏差。

（附：巴蜀历史文化名城）

国家级历史文化名城：

成都　重庆　宜宾　自贡　阆中

省级历史文化名城：

巴中　泸州　通江　剑阁　资中　邛崃　崇庆　新都　松潘
江油　眉山　叙永　乐山　都江堰　广汉　西昌　南充
广元　绵阳　三台　会理　奉节　丰都　芦山　旺苍

省级历史文化名镇：

雅安上里　石棉安顺　双流黄龙溪　新都新繁　青白江城厢
宜宾李庄　屏山龙华　广元昭化　旺苍木门　犍为罗城　巴中恩阳
巫山大昌　资中铁佛　资中罗泉　石柱西沱　三台棻江　富顺仙市
达县石桥

 三、巴蜀民居概况

漫长的封建历史，民居作为民间构作，在文献上不易寻觅到它的踪影。区域性的民居研究更是罕见典籍。抗日战争期间，以梁思成为首的《中国营造学社》迁来南溪李庄，中有一员传统建筑研究大学者刘致平教授（辽宁铁岭人），以极大的热情，把对于日寇的仇恨，对中国建筑的挚爱，表现到四川民居研究的情结上，体现出了一个爱国主义者的高尚情怀。在他的辉煌巨著《中国居住建筑简史》中，独立地列《四川住宅建筑》为大章，成为四川民居系统研究的开拓者。从 1941 年起，足迹遍川南、川西。他在上述著作的序言中说："几年之内调查了南溪李庄、宜宾、乐山、荣县、自流井、夹江、彭山、灌县、广汉、成都等县市，参观了二百余所官僚、地主、富商、中农、贫农等的住宅。并择优测绘了六十多所……；它的文化有很多与全国其他各地不同的地方，而建筑尤为显著，它有许多优异之处是值得我们学习的。"中国工程院院士吴良镛教授对此作了很高的评价："刘致平先生是对中国建筑类型作系统研究之拓荒者。此项工作在抗日战争后即已开始，如对四川民居，成都伊斯兰清真寺等研究。"其中对广汉县重修县志中编进科学的建筑图稿，"对城市规划、布局、城垣，重要公共建筑，民居等，均作了系统调查，并绘制成套图卷，这实是现代建筑图技法用于我国县志编写之创举。"

刘先生虽然没有对川东、川北作进一步广泛的调研，那是因为时代与经济的局限。但无疑，《四川住宅建筑》是我国第一部以区域性民居为主题的开创性巨著，其业绩辉耀中国建筑史，更彪炳巴蜀建筑文化千古。

（一）自 然 概 况

四川幅员辽阔又众多民族同居一省，自然环境和人文状况差异较大。四周是小的盆地构造使得盆地内河流纵横，以长江为干流和嘉陵江、沱江、岷江三大支流形成盆地河流密如蛛网的经络。又渠江、涪江、乌江、大渡河的偕构，使得盆地内山地、丘陵、平原布满了 1300 条河流。庞大的水系为农业生产创造了十分良好的自然条件。

四川因周围是高山而成盆地。东有巫山山脉，东北有大巴山、米苍山脉，东南有武陵山、大娄山脉，西和西南是大凉山、大相岭、夹金山、邛崃山、龙门山、岷山山脉。盆地

内大部分为连绵不断的丘陵，占整个盆地地形的 51.9%，山地占 40.9%，而平原仅占 7.2%。土壤以黄壤和紫色土为主。各地还蕴藏了品质不同的各类石材，有花岗石、石灰石、青石、砂石等。盆地内尤其盆周山地生长着大量的松、柏、杉、楠等树木。各种竹子到处皆是。这些土生土长的材料，为建筑提供了用之不竭的源泉。

由于地理位置和地形的影响，盆地内冬暖，春早，夏热。雨量充沛且多秋雨夜雨。所以有"巴山夜雨"之称。雨量分配不均使得川西边缘山地雅安、灌县一带山麓雨量最多，故又有"西蜀天漏"之谓。这些气候特点也对民居构成很大影响，比如四合院在川中有"四水归池"之称。它出檐很深的四面屋顶可汇集雨水流向天井"池"中。此亦直接和川中雨水较多有关。且天井周围多作檐廊，同有防雨水溅湿房屋木板墙有关。多雨产生潮湿，又引起云雾弥漫和减少日照，容易导致木结构民居的腐败，这也是明代遗存下来的民居极少原因之一。

盆地内少见大风，是西北、东北的高山削弱南侵之风的结果。冬天少大雪，所以四川民居屋面简薄，木构架用料单薄。加之云雾缭绕给人产生飘逸的美学感受。

四川多类型气候特点，影响了自古以来栖息在这片土地上的各民族的生存状态，影响着他们政治、经济、文化的发展，影响着物质与精神形态的共性和个性。

（二）礼俗风情

民居和礼俗关系很大，并直接影响居住形态的大小、分布、内空间的组合等。此如《隋书·地理志》言四川："其风俗大抵与汉中不别……小人薄于情理，父子率多异居，其边野富人多规固山泽，以财物雄役，故轻为奸藏，权倾州县，此亦其一厄也。"这种"父子异居自昔即然"的家族生存状态几乎全省皆然，在全国是很特殊的。他甚至引起后来宋太祖的高度重视，认为是大逆不道必须论死处置的天伦之乱。《宋史》言开宝元年六月，宋太祖下诏："荆蜀民祖父母、父母在者子孙不得别财异居。"二年八月丁亥诏："川陕诸州察民有父母在而别籍异财者论死。"到了清代，各省移民入川，土著又所剩无几，应说这些习尚有所改观，然却照传不误。清张澍《蜀典卷六风俗类》："今川中诸郡其家饶裕者，早分金诸子，其父母分食诸子按月计日，不肯稍逾期。"何以此俗长盛不衰，时至今日仍见风长，远理渊情不可详考。但分家给生存带来的主动性、灵活性、生产生活的方便性等因素，无疑是此俗生命力的本质所在，犹如当今家庭单元越来越小。恰此，在川中适成从居住建筑到场镇增多系列变化。

1. 分家立灶可以另立房子，距父母之居或远或近视具体情况而定。近者就在四合院里分屋析住，但另开厨灶。或在房外搭偏厦以过渡今后自立居宅，或干脆搬远点自己建新房。《四川民俗大观》："四川农居比较分散，喜独居，最多也只有两三家聚居"。分散独居之理正是上述。就是绅粮大户，其子亦按此理。不同仅是住宅规模大且豪华。荣昌保家乡喻姓自称不是湖广客，世居川中土著，有兄弟多人亦相距数里各建横向三个天井大宅与父母析居。内江联明乡岳家祠堂，福建祖籍，亦三兄弟各析居大宅一座，相距数百米。当然更多的是简房陋屋，亦广布川中田野山林。此正是北方人入川惊讶何以川中无北方类似聚落、大屯之因。

2. 那么，如此分散的独居，人之交往、贸易、同乡联谊、帮会活动等社会活动又如何解决呢？这就直接导至了川中场镇的高度发达，亦同时产生了场镇各种用途、功能的建筑体，以适应多方面的需要。所以，论四川场镇起源，发达，其因很大成份在民俗的别财异居上。

礼俗表现方面极多，家族聚会祀祖要宗祠宗庐。宗祠又分公共的祠堂，或家祠、支祠。宅内要有堂屋以供天地君亲师祖先牌位。并承袭中原仪制，把每个房间派用落实到宗法伦理的规范上。至于选地择基请形家看风水，新房上梁择吉日，挂红，鸣炮……。直到室内装饰装修，偕福、禄、寿、禧以全喜庆气氛等等，都对民居产生很大影响。

（三）历代民居综述

中国建筑起源于巢居、穴居。后来人定居之后，巢居变成干栏，穴居变成窑洞进而垙垣版筑，土坯。还有游牧人和常迁徙者，必然有庐居，即中央一柱，四根绳索顶起的"庐"，后来又变成帐幕。于是建筑史论家张良皋教授在《八方风雨会中州》一文中打了个比方，谓之"中国建筑三原色——干栏、窑洞、帐幕"。其地在中州（原），其时在远古。"三原色"经历史的调配，适成今日中国诸般建筑之貌。究竟此论于古代巴蜀之境如何？

巴蜀地区有关干栏建筑的发展，始见于广汉三星堆遗址的考古发现。考古学家们认为：大约在距今四千年左右到三千二三百年前，即三星堆"二期文化"时期，三星堆就出现了一个完整的民族文化传统。赵殿增在《三星堆考古发现与巴蜀古史研究》一文中说："在遗址群其他几处正式发掘的文化层中，均发现了房屋建筑基址。已发掘四十多间，说明这里曾长期有大量先民居住。第一次发掘的十八间房基，使用沟槽式基址，木骨泥墙，榫构梁架与屋顶，颇具地方特色，屋面（平面）分方形、长方形、圆形三种。最大的面积达 200 平方米。而且数间相连，已超过一般居室的功用，可能是重要的公共活动场所。方形房屋中有柱桩干栏式小楼"。最有趣者还同时发掘有，"圆形房子有的周围凿洞立柱，用中心擎天柱支撑屋顶，在建筑上都很有特色。"

如果没有理解错的话，实则三星堆考古发现中是两种建筑类型并存的格局：一种是"方形房屋中有柱桩干栏式小楼"的干栏建筑，或许还有面积达 200 平方米的重要公共活动场所在内的"大屋"也可能是干栏结构。另一种是有"中心擎天柱支撑屋顶"，"周围凿洞立柱"的"圆形房子"。这种圆形房子极类前述帐幕之制。张良皋先生在上文中又说："帐幕源于庐居，人们公认这是游牧民族的居住方式，中央一柱，四根绳索就可顶起"庐"，成为我国最古老的"攒尖顶"。这里的"圆房子"是不是干栏式不关紧要，作为具有中心柱的圆形房屋结构，它影响了后来的帐幕制度。于此说明了中国建筑"三原色"中，巴蜀之域亦有"二原色"存在，虽然其中一个颜色不太鲜艳，但是它是帐幕的起源。这里又浮升起一个问题：古代蜀地未必然全都定居于农业，是否还有游牧之族或农业者兼以远游牧业呢？那么他们居住形态又如何呢？是否也像北方游牧民族那样使用帐幕呢？这的确是一个很有兴趣的问题。

上面顺便叙述中心柱和圆房子之设想。我们再回到比三星堆稍晚的成都十二桥商周遗址，这里考古发掘出大面积的木结构房屋遗存，无疑都是底层架空，以防潮湿、虫蛇野兽的干栏式典型。有建筑学者认为它初具了当代四川民居干栏特色的框架。这是非常了不起的发现，它不仅和三星堆房屋的干栏发展直接产生了联系，亦对今后巴蜀建筑的影响有了更具权威性的例证。

从建筑史家复原的十二桥干栏房屋图中剖视，那里若干木柱排列在屋下，形同高足从底层将上层托起的建筑物，上层不仅有好的光线，且下层流通空气，驱散潮湿。毒蛇猛兽，一般水窜亦可避免。房屋的"楼板"、柱、墙、檩条等一概用大小木材做成，屋顶呈两坡式斜面，上面覆盖厚厚的茅草。

谭继和在《氐、氏与巢居文化》一文中深化了干栏分布的范围和内涵。他说："巴蜀巢居文化有两个发展系统，一个系统是古羌人从河湟入蜀，沿岷山南下，在古冉駹地创造的邛笼文化；另一个系统是岷江河谷直至古成都平原的土著创造的干栏楼居文化"。并认为"巴蜀秦陇之间，特别是剑阁栈道之区，多建有邸阁，这就是种干栏式建筑，……如邓芝曾为郫邸阁督，说明成都附近的郫县就有干栏式的邸阁"。

张良皋在《八方风雨会中州》一文中更说岷江上游的羌、藏民居式样显然是帐幕加以干栏化，不过材料已是木石兼用，叫人不易看出其出于帐幕加干栏。这个观点吻合谭继和羌人入蜀沿岷江南下，在岷江两岸及古冉陇地创造的邛笼文化之说，即氐、氏亦为"巢居样式"。"这种'氏'多建在山陵峻阪、溪谷回曲之地。"此确证了巴蜀之地，不仅平原，乃至丘陵、山地河谷之间，于古代都有干栏建筑分布的状况。

《魏书》卷一百一列传也记载："僚者盖南蛮之别种自汉中达于邛筰川洞之间所在皆有种类甚多散居山谷，略无氏族之别，……依树积木以居其上名曰干栏，干栏大小随其家中之数。"

《后汉书·南蛮西南夷列传》也有干栏记载："板楯蛮夷者秦昭襄王时有一白虎常从群处，数游秦蜀巴汉之境，伤害千余人。昭王乃重募国中有能杀虎者赏邑万家、金百镒，时有巴郡阆中夷人，能作白竹之弩乃登楼射杀白虎。"这类楼极可能是干栏之屋。阆中亦正处在剑阁栈道区域，巴蜀秦陇之间。

秦汉以后，唐宋亦有干栏记载，《唐会要》："南平蛮者东与智州，南与渝州，西南与涪州接，部落四千余户，山有毒草沙虱蝮蛇，人并楼居，登楼而上，号为干栏"。

宋乐史《古平寰宇记》载："大凡蜀人同一，然边蛮界乡村有僚户即异也，今渝之山谷中有狼偬，乡俗构屋高树，谓之阁栏。"

明《蜀中广记》上川南道："泸州卫乌蒙军民府……其人有罗罗，夷人土僚三种，错杂而居……架木为棚以居"。

以上巴蜀之境在若干文献上都有一个"依树积木以居"和"构屋高树"的空间现象。这类现象时间跨度一、两千年，似令人费解。它和下立柱桩的干栏楼居并存。前者似乎还处在巢居向干栏过渡阶段，它和盆地内秦汉以后发达的城镇建筑适成鲜明对比。这当然反映出建筑受农业经济发展制约的规律，同时也看出边远山区人民所处的经济地位。

明清以来的干栏式建筑现仍大量存在，无论城镇、乡场、市街之居，还是乡间合院、散户单体之宅，纵横川中东、南、西、北，皆有干栏大观。尤清以来川中经济空前发达，南北移民融汇，适成了建筑相互改造、完善格局，干栏式亦不独以木构见长。经济发达促使建筑多层化，木柱难以荷载承重。进而石砌砖垒为柱，整面土夯版筑以替代柱桩，亦构成干栏影响的多样化特色。尤林木丰富贱便之地，多数仍不舍传统干栏作法者。大量密集使用大树以在楼下形成柱网，更把"纯正"的干栏推向极致。乌江中游的商埠龚滩镇，川南合江的福宝场，江津的塘河场，其木构干栏有多达七、八层的巨制。其下已不仅仅是通风防潮之用，往往开劈组合多用途空间，或堆放杂物，专用咸菜、泡菜间，或作畜养，甚至有作坊也安排在内等，使干栏建筑在住宅一途有了更加细致的分工。更有甚者还向公共建筑发展。清以来伴随着戏剧的鼎盛，川中场镇、会馆、祠堂、大宅相继广兴戏楼。为了观众有良好的视觉面，亦可炫示戏剧教化的神圣，唯干栏之制最可圆满众愿。关于各地寺庙道观，因多栖于山林之地，更是干栏发挥其独到作用的地方。亦多有不同凡响之处。峨眉山、青城山等佛、道建筑可谓观之令人惊叹，亦可见巴蜀干栏影响之一斑。更让人深思这种古制的顽强生命力。统归一句：干栏不独为民居所有，随着历史进程，它必将向其他空间拓展。

对于干栏式建筑的讨论，近年有建筑史论家李先逵先生站在建筑文化角度，立脚西南干栏建筑调查，殊有高论迭出，是十分有见地的。他在《论干栏式建筑的起源与发展》一文中,理顺了"干栏"的发展序列,澄清了干栏建筑一些笼统模糊概念。他认为:"巢居——栅居——干栏——半干栏——地面木构房屋"是干栏由"简单到复杂,由低级到高级"的发展序列。

他说巢居"构木为巢"者,是建造于自然原生木上的"建筑"。其下又分两种形式:一为"独木橧巢"。即利用一株大树的枝丫搭设类似窝棚的庇护所。二为"多木橧巢"。是在几株相邻的树木上建巢。四川出土的一件商代青铜錞,于上有形如""的图案,即为多木橧巢的描绘。

栅居者即为桩居,是原始人以石器为工具伐木打桩,依木桩架屋造房,已初具干栏式雏形。它的优点是:(1)人类可以凭意志建造,选择决定住屋的理想。(2)自由确定居住点。(3)村落聚居的观念由此产生。它是营造技术的一大飞跃时代。

干栏是榫卯技术出现取代栽桩的结果,而直接在地面加垫石头立柱,比之栅居更为先进,它不太受地形影响,包括不易打桩的坚岩硬石上亦能构建,是名符其实的干栏。

干栏往后再发展,即为半楼半地的半干栏形态,以至最后从空中降到地面,楼居变成地居,直至成为地面建筑。

上述干栏发展序列证明:成都十二桥商代干栏在三星堆房屋建造的基础上又有所发展。同时也可辅证,明以前盆地周围仍有"乡俗构屋高树"的现象,是干栏发展中的地区不平衡,受到经济等诸多因素制约的结果。恰是这种发展,构成了巴蜀建筑地方特色,奠定了区域建筑文化的独立地位。更从建筑侧面加强了成都地区是长江上游地区古代文明起源中心说法的地位和进程。

在中国古代建筑史上,蜀中建筑有两处考古发现辉耀其中:一处是十二桥干栏建筑的出现;另一处是双流牧马山出土的东汉画像砖,其砖上刻宫室式民居图像,从美术角度和建筑角度言,均是画像砖中之极品。它表现的是有厅房的三四重院子的围廊式大型庭院,厅内有人坐谈,或在欣赏天井中的"鹤舞",各空间人、狗、鸡、畜欢畅其间,庭院一角的高耸风物,或望楼、碉楼,俯下和庭院构成融融乐乐的居住空间气氛。其不甚规范布局使人察觉似乎有北方中原形制的掺入,又有蜀中人格化幽默情绪于随意布局之中。两者揉为一起,正体现出至少汉代以来,川人就具有了幽默的性格。如此,仅建筑上反映了这一侧面而已,又恰如此,创造出了巴蜀民居宫室式的格调。

这种大型住宅由干栏式建筑演变产生,之前还有地龙墙、高勒脚、地楼板四周设通风孔的干栏式余韵的民居。上述东汉庭院民居多空间不同作用的分区,包括院子、前堂、后寝、厨房、望楼等，实则铺垫了巴蜀民居之起始，亦成为后来民居发展的雏型。作法上亦有穿逗式、抬梁式结构，有撑拱、斗拱构作，也同时奠定了后来民居发展的基本结构框架。

巴蜀民居古时多用干栏，何以渐自衰微，转而大量采用普通宫室式建筑。刘致平先生在《四川住宅建筑》中认为跟秦灭蜀有关："张仪经营西蜀，于是城廓宫室渐多中原制度……在汉明器上、画像砖上、汉崖墓砖墓上以及汉石阙上，我们见到了四川在汉代居住制度是与中原无大差异。不过汉墓石阙的雕镂之精，模仿木构之真实是为中原所不及的，砖墓用砖筒形真券也是很进步的技术。"

如此，蜀中民居在采用汉代建筑制度的同时，亦有深化、发展这种制度的艺术和技术。经刘先生考证推测，牧马山东汉画像砖上的庭院"未必是四川富豪的宅制而是较次要人物的第宅情形"。可印证原因是：《史记》、《华阳国志》所载之豪富应有比它更宏丽的住宅："巴寡妇清富可倾国，秦始皇为筑女怀清台"。"卓王孙家僮数千，程郑亦八百人，……这些人们率皆以开采丹砂冶铁致富，过着厂主般的生活，使用着百千计的奴仆，他们第宅的巨丽又可想见"。可惜建筑不像其他古玩易于保存，"巨丽"的第宅又无文图遗世，只是一种推测而已，但那是非常合理的推测。不过从汉明器上大致可以看出一些端倪，那时的屋顶用单檐庑殿或悬山顶，大门柱上用斗拱，斗拱很大，约为柱高的一半。斗拱、撑拱是很能反映宅主地位的，当时"汉代对于建筑制度的使用还没有什么严格的限制"，只要有财力，建筑上全可为所欲为。所以，第宅的巨丽完全比"牧马山庭院"豪华是存在的。

唐宋时期，巴蜀渐自昌盛，住宅内造园之风极盛，有合江园、运司园亭、钤辖东园诸园。内布置池榭亭台、堂轩楼阁。《四川通志》载蜀孟亲贵竞起甲第的盛况。宋末至元，战乱频仍，建筑破坏太甚，明代又大兴土木。虽今存民居极少，但从遗存的寺庙看，时民居亦有相当的发展。明末清初农民起义和清军的对垒，加之其他灾乱，巴蜀民居几尽毁灭。清初各省移民入川，把各地民居制度带来，又相互融汇，适成今日之四川民居盛况。

所谓"宫室式"民居，刘致平在《中国建筑类型及结构》一书中言："平面布置大约自古及今多左右对称，以祖堂居中，大家则另立家庙。大家多用几重四合院拼成前堂后寝的布置，即前半部居中为厅堂，是对外接应贵客等部分，后半部是内宅，为家人居住部分。内宅以正房为上，是主人们住的。此种布置原则，即皇帝宫殿也是如此，不过规模较大而已。"巴蜀宫室式民居中，有如上标准非常规范者，如温江寿安乡"陈家桅杆"，郫县犀浦"陈举人"宅，江津"会龙庄"，涪陵陈万宝宅等。这些庭院于巴蜀之地，不仅有宫室制度完善的规范，且家庙、支祠、花园、戏楼、碉楼、学堂、亭廊等诸多内容汇为一境，构成自成巴蜀民居特色的大型庄园。这类以宫室式为核心的空间放大庄园，是巴蜀民居中"川味"最浓者。它在继承中原宫室式民居的基础上，根据川中社会、风俗、地理、气候等多种因素，"我行我素"的创造性多功能空间的完善。虽向"杂"的内涵迈了一步，但核心部分仍不背离"左右对称,祖堂居中"的格局。这正是东汉庭院历史发展的完善。

若毫不顾及宫室制度,自创一套平面布局者,应视为是"杂"的意识别出一格。洪雅柳江曾家住宅以"寿"字笔划为平面建房,刘文彩宅更难以寻觅其平面布局依据,还有阆中"多"字形平面等等,此类民居摆在国内和其他省比较,亦算最出格的民居形式。数量虽不多,建宅时间又在清末民初封建统治衰微之际。不仅平面如此,在建筑上此类民居逐渐完善中,于二、三十年代还加入若干西方建筑半生不熟的"做作",尤显得"不守规矩"。但造成的空间丰富、神秘、错综复杂是前者缺少的建筑趣味。

退一步是维持在中原宫室纯正式样的民居,即三合院、四合院或多重四合院拼成的大小不同住宅。它居川中宫室式民居的大多数,是巴蜀民居数量上的主流。但不是特色主流,特色主流应是前述杂而有序,合中原型制又揉以川中乡土情调的庄园式庭院。

和宫室式格局直接有关系的还有会馆、宗祠建筑。尤其是会馆建筑,它的布局有大门二门、戏楼、左右厢房、大厅后寝、围房等,格局与四合院无异。它的数量居全国首位,是"湖广填四川"的结果。

巴蜀普通宫室式住宅,除三合院、四合院、多重四合院、庄园式庭院之外,乡间民居遍布"一"字形,"┐"形(曲尺形)小型农舍。这类房屋,因财力、人口、地形关系,开头仅为一排三间或一排五间,或带一侧"厢房",待人丁增加,财力渐丰之时,再逐渐完善合院式布置,是民居中量力而行留有余地的作法。邓小平故居是三合院布置,细心人留神观察,左右厢房、正房三面出现不同的墙面、尺度等不统一现象。正如上述,开头邓家仅右侧一排土夯墙平房,故有堂屋,但无檐廊。后作一平房相接成为后来的正房,堂屋于是转移到此。再后在左侧建一楼一底的厢房和右侧相对,后两处都带有檐廊。于是形成三合院格局,其间花了数年时间。就文化而言,从三次建房花若干年时间方成三合院的时间上,建筑用材、形制的变化上,我们可窥见邓家财力很一般,要不然则一下立个三、四合院起来,其地基亦无障碍。三次建房分三个阶段,于其中还可寻察清中叶以来,区域性建房的发展和流行式样,以及用材、做工、技艺、尺度、开间等民居轨迹衍变详情。

封建社会,穷人处于绝对多数,无论草、树皮、石板、青瓦作顶,无论土夯、石砌、木板作墙,其居住空间又碍于单家独户的限制,故"一"字形,"┐"曲尺形住宅居于数量最大地位。

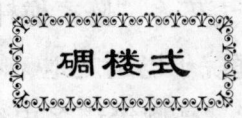

四川碉楼民居分两大部分,分布在两大区域,一部分分布在川西北的羌族、藏族地区,一部分分布在盆地内的巴蜀地区。

三、巴蜀民居概况

分布在川西北阿坝藏族羌族自治州境内的碉楼民居，在严格意义的碉楼与民居关系上，应以羌族碉楼民居为民居类型确切概念。因民居即住宅，以碉楼民居呼之，必然是碉楼住宅之义，亦必须住人其间。古羌人谓之碉房，据笔者理解是带碉楼的住房。另外普遍还有一种不带碉楼的平顶住房，虽同用石砌，但不兼具防御功能。还有就是碉楼，它是相对独立于住宅的纯防御功能建筑，有一寨一聚落公共性质的，有家庭独自使用的，有几寨共同使用的，还有官府性质的。即历代，尤以大小金川之役遗留下来兼作烟墩的遗存碉楼等等。

其实，《太平寰宇记》观察得比较清楚，它说："威茂古冉駹地……叠石为巢以居，如浮图数重，门内以梯上下，货藏于上，人居其中，畜圈于下，高二三丈者谓之邛笼，十余丈者谓之碉，亦有板屋土屋者，自汶川以东皆有屋宇不立碉巢。"上面它分清了三种建筑形式：一是谓之邛笼，高二三丈的叠石为居的三层普通住宅；二是高十余丈的"碉"，即碉楼；三是汶川以东的板屋土屋，即接近汉族的偕羌汉混血特征的住宅。三者都无一谈到住宅和碉楼在空间上的必然联系，各自独立的概念相当明晰。恰《四川新地志》谈到了碉楼与住宅的关系："富贵者且多于房角，特建高碉，以石片为壁，以木为楼梯，有高至十余丈者，每层均有炮眼，甚为雄壮。"在住宅的边角特别建碉楼即为碉楼民居。据笔者多年调查，凡此类民居，住宅和碉楼有十分丰富的空间关系和结构关系，即两者在空间与结构上是不可分离而融为一体的。有的碉楼在正后面或屋两角，但都有各层房间与碉楼相应各层相通，两者相邻的墙体，有的共用一墙，有的各墙相隔，中有砌石搭桥相通，理县桃坪寨陈仕名宅即如此。

在茂县三龙、曲谷、黑虎一带，碉楼民居发育得最为完善。除了路口、隘关、险道有公共碉楼外，多数碉楼与住宅融溶为一体，有的人家宅角呈现碉楼外型，里面彻底把碉楼内空间与主室、畜养、顶层晒台空间打通。像三龙乡河心坝寨杨松余宅等，即是此类典型。羌族居住腹地受汉化较少，充分保持本民族独特的空间理解思维，实行多样统一不拘一格的空间处理。仅碉楼民居一式，就繁衍出多姿多彩，从里到外丰富无比、美妙绝伦的创造。其建筑特色具有非常超前粗犷风格，空间组合充满珍重自由的现代色彩，是人类一笔十分宏巨的财富。其量不甚巨大，但一家一个样，一幢一个风貌，是羌族建筑琳琅满目的博物馆。

于是，大致可以把羌族石砌建筑归纳为普通平顶住宅（邛笼）、平顶住宅与碉楼的结合体即碉楼住宅、石砌与木构结合体即板屋土屋、碉楼等四类。前三类即为羌族民居，其中以平顶住宅数量最大，以碉楼住宅最有特色。

汉族地区的碉楼民居堪称国内一绝，它和羌族碉楼民居没有关系，是独立自成体系的民居模式。

最早的碉楼，仍是东汉牧马山画像砖上大型庭院中出现的高耸住宅之上的风物。有的学者叫望楼。刘致平考证此类建筑在中原，时已成为制度。因此，蜀中碉楼立于庭院之中就有受中原住宅制度的影响之嫌。这种碉楼和住宅的关系上，不像前述碉楼民居有必然的空间有机组合关系。它相对立于宅旁一角结构与住宅结构分开，内部空间无往来。从材料上看，恐属木结构。因而谓之望楼更为确切，因木构体的防御性能有限。不过它的整体的庭院建筑布置中，仍是有着不可分离的关系。因此，亦可说是碉楼民居最早的雏型。

若拆开碉楼内部构成因素，更早，蜀中是具备建造高耸建筑物的技术的，三星堆时期的房屋就产生了方形平面。若论高度，成都羊子山西周建筑遗址的夯土高台高出地面10多米，而中原地区只是到了春秋战国才有高近10米的高台建筑。方形平面加有建高台建筑的欲望，是换一种材料建高耸建筑物的基础，秦灭蜀后张仪把中原建筑仪轨带来巴蜀，其修筑的城墙，"造作下仓，上皆有屋，而置观楼，射兰。"观楼与望楼同理，只不过修建到不同功能的地方而已。

唐代景福元年（892年），大足永昌寨内"筑城堡二十间，建敌楼二十余所"，"敌楼"为何物，不敢言就是碉楼。但敌楼显系瞭望之用，必然较高，自然粗具碉楼形态，亦同时衔接了东汉画像砖庭院望楼以来一大段历史空白。

宋元时期，为抗拒蒙军攻巴蜀，余玠治蜀前后，在四川各地修筑了不少山城寨堡，里面也同时构筑了不少作瞭望用的望楼，是巴蜀兴建望楼的兴盛时期。明代关于这方面的记载少见。

真正把碉楼和住宅联系在一起的空间现象还是要从清初"湖广填四川"移民运动时算起。这里面尤以闽、粤、赣三省交界区域的客家人为盛。闽南人来川，把家乡好建土楼、碉楼的风尚同时带来四川，适成其居住地区碉楼民居比比皆是的建筑大观。据新华出版社出版的《客家文化》一书和台湾博远出版公司出版的《客家土楼与客家文化》一书中统计：四川由于各省人杂居，形成了川中有32个非纯客家县，他们是涪陵、巴县、荣昌、隆昌、泸县、内江、合江、新都、广汉、成都、双流、灌县、会理、新繁、资中、华阳、广安、重庆、温江、金堂、新津、什邡、彭县、仪陇、巴中、通江、简阳、威远、富顺、合川、泸州、宜宾、西昌等县市。四川目前尚存的最具典型性的碉楼民居也多分布在这些县市内。当然不是全部，其他无客家人、闽南人居住的县市内也不乏优秀的碉楼民居。像江津会龙庄王姜氏宅，达县景市柏飞雄宅，武隆长坝刘汉农宅，江安夕家山黄举人宅等等。其中有的碉楼民居，体量之大，构筑之精良，设计之宏巧，气势之恢宏已不在客家人之下。武隆长坝刘汉农宅以四个碉楼环护宅院，再以土墙串连四个碉楼，构成每个碉楼高21公尺，共七层，庭院每边长52公尺的碉楼大宅，是毫无客家人风格的川中独一无二的碉楼民居，亦是国内罕见的碉楼民居形式。江津会龙庄原也是四个碉楼的大型庭院，其中三个分左、右、后三处分立于庭院外山头，一个居于庭院内，亦是另一类碉楼民居样式。还有荣昌保安乡喻宅，宅主称不是湖广人，是世袭土著，其碉楼与住宅全然另一样式，把碉楼顶龟缩在大屋女墙之内。显得分外含蓄且隐蔽，亦十分优美。

凡次种种，巴蜀碉楼民居分布可分为两大区域，一是非纯客家人居住区域，二是其他区域。在非纯客家人居住区域内又可分为碉楼民居样式两大类,一类是大型土楼民居、一类是带碉楼的民居。

大型土楼式民居仅见于涪陵南部崇山峻岭中,有李蔚如宅、瞿九畴宅、月亮屋基宅和若干型制各不相同的住宅。它的特点是四角有微凸的碉楼和土楼在结构与空间上都有紧密联系。内部住人,有中轴线、天井、内廊、对称房间若干,楼层数分二层、三层、四层不等。内部木构架,土夯墙围护,边长都在八丈以上,高在三丈以上,有若干枪眼、炮眼于各层布置。内空间有相互支援互通有无的空间联系,里里外外设计着眼于整体防御。屋顶平脊相联,四水归池于内庭天井,封闭性能良好,采光依靠天井。

非常明显,这类客家人居住地区内的大型土楼,无论空间构成、外观形貌、构筑特色都直接受到客家人原乡地好筑土楼习尚的影响。中国除闽、粤、赣交界区域发现有大量土楼外,其他地区尚还没有同类居住形式报道。同时四川是客家人内迁最大的一支外,亦还没有发现更多的客家人居于其他省区。因此四川土楼民居是除上述三省之外最大的土楼群,亦是可以断定的。

另外所谓带碉楼的民居,意即除中轴线上不能布置碉楼外,在庭院其他地方均可布置碉楼的碉楼民居。此类如上述不仅客家人嗜好,凡川中各地几乎都有同样嗜好。其量上万,遗存至今数百例亦有据可查。不仅乡间建,场镇中也建。不少人家改制为小姐楼、绣花楼、读书楼、耍亭子。其风范一改往日威严,变成风姿卓约的"高层建筑"。有的造型与塔阁相揉,形成密檐结构,纳入宗祠之内,换成木板墙壁使碉楼民居内涵有了丰富的外延。在庭院的数量上,有一到四个不等,以土夯为多,石、砖、木筑砌次之。底层平面以丈许见方为最多,两丈者次之,更大者罕见。如巴县木洞街上蔡家石砌碉楼边长 3 丈,有中柱上顶十字梁解决空间跨度问题。各层房间一分为四,亦很有特点。

所有碉楼民居的共同点是:一是碉楼除防御外,本身亦住人在上面;二是不住人者,从结构到空间,甚至材料都和碉楼外的住宅保持一致,是住宅不可分离的部分。

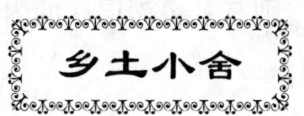

巴蜀各地,存在一类数量巨大的住宅,宅主因经济、地形、文化诸多限制,无力完善传统住宅的形制,或草房,瓦屋,树皮、木板、竹瓦顶,石板材屋,爬岩小舍,岩居等等形式。其住宅平面不讲究,多一间主要活动空间,卧室布置与传统住宅毫无关系,有着很大的随意性。民居即为民间居住形式,因此,此类乡土小舍亦不能打入民居另册。它虽然在建筑学和建筑工程技术,以及文史、风俗诸方面没有前述诸类意义重大,更没有发端、沿袭的历史轨迹可寻,但是它的数量,建筑情况充分展示了封建时代贫富悬殊,揭露了土地、经济集中在少数人手中的罪恶社会于穷人住宅之侧面。这是不能视而不见的民居历史事实。这些事实于社会的不公，在过去曾产生过巨大的社会教育作用，通过它诉诸有形有实的阶级差别认识，潜移默化地支持着志士仁人改造客观世界的举措。这也是建筑作为文化，所指无类的表现。刘致平先生1941年调查巴蜀民居时，所见所闻，感慨万端，在《中国居住建筑简史》中多次提到川中这一民居现象，其中他说："在四川有的大地主祖堂一间可容纳农民卧室八九间之多。富人住宅宏大精丽何止数十百间？而辛辛苦苦的劳动人民所居不过茅舍陋室，不蔽风雨乃至贫无立锥之地。"这是一个站在人民立场上的正直而有良知的学者情怀。他为巴蜀民居立传，不唯专事统治者与剥削者的住宅，就是百姓普遍居住的草房，他也作了深入研究，他引《小方壶斋兴地丛抄·使蜀日记》说："茅屋皆松藩苗人造，每冬月苗携妻子至郡县，营工给食，妇女能负重，子女帽覆顶，嵌以蚌壳。"草房结构上，他继说："普通草房做法是在大木构架的檩上顺屋而排列竹杆，径约一二寸，距离约二尺。用篾条扎缚在檩子上，然后再横排竹竿，相距约二尺多，在横竿之间与横竹平行排列粗篾条约半寸宽，相去约二寸多，竹篾扎好以后即开始铺稻草，由下向上铺，厚约半尺左右。草铺到脊的地方，常作出许多花样，这种脊饰要算成都最多。"

上面所叙，还是指成都平原煤少瓦贵，有草房嗜好的传统，里面还包括有的地主也盖草房的事实。因此普遍还有稳定的平面与空间形制。而更多的"茅舍陋室"遍布川中，亦不可与成都平原茅舍同日而语。

川中乡土小舍，无论草房、简瓦、树皮、木竹……其宅主虽穷到极端，亦不少"苦中作乐"于事无忧，以特有的川人幽默性格于宅旁栽花种树，引水搭桥，编织篱笆，棚构风障。并以收获之玉米、海椒、种籽、瓜果及农具、家什、牲畜……等静动物体纳入一围，以形、声、色构成缤纷田园小景，围绕其茅屋陋舍，形成人与自然，民居与环境的乐融融世界。此番景象所产生的美学感染力，传导的历史沧桑感，透溢出中国人对小农环境的眷恋，以及纷繁无序的点、线、色、面的形式构成，极大地吸引着艺术家、文学家及一般稍有文化素养的人。这里面所蕴积的感染力，是以民居作为核心展开的，离开了居住的人文构作，是谈不上气氛的，当然为什么会形成这感人的氛围，则有着更深层次的内涵，这正是为什么深宅大院、第府豪庭没有亲切感的原因。虽然它有着另外一种美学气氛，然而人更多的需要是亲切、宽松、自由、个性。

乡土小舍除了茅屋、瓦舍之外，不少地方还有树皮作屋顶的小舍。川西彭县、灌县、什邡近龙门山麓一带的杉树皮木屋，有的追求合院形制之外，亦有随意性很强的平面和空间出现。全省各地在产石板材的地方，亦有将其剖开作瓦铺屋顶者。山区爬岩小屋利用岩体作依靠，岩壁凿洞穿梁，上架檩桷者，亦多一面屋顶。岩居是穴居的最后遗韵，有全居于其中稍作护墙者，也有用草瓦略加遮掩于岩洞穴口者，亦在川中偶有所见。舟居多见于建国前川江沿岸，现已绝迹。

四、巴蜀民居分布

一个地区，一个区域有数量巨大的相同或相似的居住形态稳定地沿袭下来，是由很多因素决定的。所谓"稳定"也是相对而言，随着条件不断变化，它又悄悄地发生变化。四川是一个移民社会，各省移民相互穿插居住、通婚同化。渐自原乡习尚淡化，唯可共同认可者仍以中原居住形态为基本。但发展的不平衡还是给不少地区留下某一外省区移民的"净土"，在那里则比较顽强地显露出移民独特的个性。这种"个性"，包括物质和精神两方面。物质形态反映在居住建筑上，则完全大异于其他地区流行的模式。比如成都东郊龙泉驿"东五乡"广东东、北部移民，不仅内部说"土广东"话，在民居上完全承袭了原乡"二堂屋"作法。仅瓦屋顶换成草顶而已。它又和隆昌县境内大部民居一样，然隆昌却以瓦屋顶为主。而隆昌亦是广东移民居多。相同者还有荣昌局部、简阳局部等地，民居如上同出一辙。这些谓之客家人移民还包括福建、江西与广东毗连的地区。那里的山区居住建筑多用土夯围护筑成方楼、圆楼、半月围垅屋，而涪陵南部山区客家人亦按原乡模式建造，其社会、地理等环境使得这类土楼适得生存土壤，因此形成了这一地区土楼、碉楼为民居的流行式样。等等。

（一）秦陇巴蜀之间

自古秦陇至巴蜀以川北为主要通道，形成自广元地区经剑阁、江油、绵阳到成都的一条中原文化影响最便捷的官民之道。其辐凑之面涉及临近市县，于是构成了一条狭长的影响面。在这条面上有一个有趣的现象，除临近成都北面几县分布有非纯客家人外，其以北各县均无一县有客家人聚居之区。于是在民居上呈显由北到南的递次渐变状态。民居形貌，有着明显的"巴蜀北方"特点。

1. 广元一带民居，尤土夯与砖砌墙体者显得分外浑厚，屋顶有四川少见的悬山式，这正是临近陕西受其影响的结果。加之气候偏冷，若用硬山屋顶，保暖防寒性能差，因此屋顶出檐浅短，有良好的封闭性。这种现象越往南走渐次变少，至剑阁南即被硬山屋面取代。

2. 从广元到绵阳，农村住宅多用"┐"曲尺形平面。形制稳定，造型雅致。正房与发育不全的一侧均多带檐廊,多分两层,出檐由北到南渐深。其一侧实为"一厢情愿",即为今后经济、人丁发展后延长作厢房用。越往南经济越发达,渐有曲尺形发展成三合院的现象增多,檐廊变成一层,正房开间增多。土夯墙体亦渐被木板墙取代。至成都与绵阳间又以四合院为主要农村居住模式。此况说明,一是往南秦陇间一些固有的气候原因形成的结构影响逐渐变弱,因为气候开始渐渐热起来。二是形制影响相反地越来越完善。此则是合院式的完善需要一定的经济基础。川北山区贫穷,往成都平原靠近则越渐富庶。反映在建筑型制、体量、材料、装饰上则与经济变化同构,于是呈显出上述递次渐变之状。因此也就形成了秦陇巴蜀之间一条狭长的民居变化的分布带。

这种现象在邻近其他省的地区也有出现。川东南土家族和涪陵、南川、武隆之间地区也有类似之况。呈显的是土家族个性鲜明的传统吊脚楼,随乌江流向至下游,被汉族个性随意的吊脚楼取代,在农村则几尽消失。这实质也是一条民居衍变分布带。

还有岷江河谷灌县到松潘羌汉民居相互融汇分布带。安宁河谷云南民居与四川民居交融分布带等等。

(二) 巴蜀客家民居分布

两种民居模式相互影响因交通、地理诸多因素,使其形成一条变化的影响分布带。这说明两种民居有相当稳定的,自我形式纯度很高的集中区。在这个集中区内,或大或小,或多或少保持着风格独立的居住形态。大而言之皖南徽派民居,山西晋派民居,闽、粤、赣交界的客家民居,桂北黔东南的侗族民居等等。它们以格调风貌、形制构造迥然不同的空间形态保持着各自的建筑及文化品位,各领风骚于一个天地之中。

四川清以来各省移民大部分混居,各省各乡固有的民居特点几已面目全非,但仍保留不少同乡同宗、同根同系的居住范围。在分布各个地区大大小小的范围内,甚至城镇里,亦充分地顽强地显示他们的居住形态个性。

这种范围分布很像川中各少数民族民居比较集中在一定范围内一样,比如阿坝州藏族民居自然集中在以从事农业为主的范围内。它有比较统一的、规范严整的特有造型和内部空间。在汶川、茂县、理县、北川一带,羌族民居呈现的却是粗犷,但其外部空间相对一致,而内空间却变化多端的营造特点。土家族笃信传统吊脚楼干栏式楼居与地居的结合体,在川东南酉、秀、黔、彭一带,展示着不同于其他干栏式的面貌。就盆地内的巴蜀民居而言,何不同是此理。虽然没有少数民族地区民居个性鲜明,大部分地区相互融汇得不易判断归属,但仍有不少个性十分突出的居住形态大分散、小集中的范围分布。

其中个性表现得淋漓尽致者,仍数川中客家民居。前述客家民居原乡就有多类型分布，诸如：圆楼、方楼、五凤楼等土楼类。亦有半月形围垅屋、"两横两副桄屋"，双堂屋、三堂屋等多种模式。它在川中分布情况是：成都郊区东部及临近简阳、金堂一带，多二堂屋分布。所谓"二堂屋"，即进门间为下堂屋，正房中为上堂屋，上、下堂屋间为天井，同在中轴线上。左右厢房无门壁而开敞，正房三间，无楼，下房三间，中为下堂屋兼门厅，四围封闭，少窗。有土坯砖砌、土夯、夹泥竹编墙、木板壁多式，成都东部二堂屋几乎清一色草顶。正立面上部有一条长披檐以衔接山墙处。草作工艺相当精湛，扎花饰脊，檐口平整，是川中草屋民居的精品。这类"日"形的平面和草作工艺直接影响成都西、南，双流，温江，仁寿，彭山，郫县，灌县等县的草屋布局和屋顶制作。其中各县虽多以四合院完善形制，但依稀可见二堂屋形制的渗透力。

二堂屋在隆昌大部、荣县局部也有大面积分布，不同者是瓦屋顶，个别或正房有楼，或正房、耳房均有楼。这就形成了二堂屋的两大分布区。其中隆昌、荣昌分布面积还大于成都东郊。

客家土楼、碉楼民居分布，以土楼民居特征最易识别归属。它仅分布在涪陵南部山区。主要是方形、长方形平面，体量小于原乡土楼，格局依然。不同的还有周围多附加木构瓦作合院，这反映出四川客家人受中原合院影响的融合性，正是之所以叫四川客家土楼民居的特点。附近武隆、南川、巴县受土楼波及最大，其地因不全是客家人，虽成为川中碉楼民居集中区域，但大大缩小了防御单体体量，自成一路格局，但明显看出影响的存在。尤武隆长坝刘汉农宅，以高大围墙串联四角四个碉楼的作法，是土楼向碉楼民居过渡的一种作法。尤感仅四川才有的特殊碉楼民居孤例，十分难得可贵。

其他非纯客家人居住地区，尤山区和边远之地，也有建碉楼的习惯。但比较分散，且和客家人"两横两副桄屋"及四合院相结合，但作为住宅主体的"两横两副桄屋"应是客家人半月围垅屋的核心空间的萎缩，明显为客家人传统固有形式。因此，是川中客家人把原乡土楼和"两横两副桄屋"两种形式在川中的结合与发展，他们有仪垅马鞍丁维汉宅、广安龙台杨森宅、宜宾李场"顽伯山居"等等。

当然，碉楼民居不独川中客家人才有，诸如湖广人、江西人、闽南人也在原乡历来有建碉楼民居的习尚。甚至川中土著，比如荣昌保安乡喻家也有碉楼民居。但碉楼及宅院多有出入，各具特点。细察即有不同之处。

造成客家人民居在四川独领风骚，而其他省和地区移民的民居渐自特征消失或不甚明显的原因，很大程度上在于客家原乡民居在国内汉民居的大体系中独树一帜，已有区别于各地民居十分突出的特点。尤其和中原合院式民居拉开了很大距离，保持着内外空间独立的地位。他们移民四川后，民居的形神发生了一些变化，综究起来似有如下诸点：

一、大分散、小集中是新的环境中一种新的聚居形式。小集中以原乡原籍原宗为聚居基础。聚居区内家族单位变小，必然导致居住空间变小。

二、客家人经上千年的地域流变，有不屈不挠的民族个性和稳定的意识及物质形态概念，基本心理为防御。

三、四川内陆山区丘陵，时五方杂处，互有戒备，"长期以来，发展出一套适合山地丘陵地谋生的生活方式"（《台湾的客家人》台湾《汉声》杂志）。

四、四川炎热气候，建筑材料和原乡诸多类似。

五、盆地构造和富庶出产进一步强化了封建小农意识。适成了"五方杂处"内耗性加剧，"很容易在对外关系上产生排他性"，"虽云杂处，罔不同风"亦自然强化居住形态个性。

六、客家男子素有外出经商、打工好动习尚，必然考虑建筑的防御功能，以寄托家中妇孺老小的安全感。

七、《四川古代史稿》："由外省来川开垦之人，多系一家、一户同住"，若繁衍成大家族，时又被川中"人大分家"风俗解体。因此，居住群体的宗法、伦理、礼义聚合已无基础。

八、小农经济贫弱能力亦无力构筑原乡庞大土楼。虽清中叶聚财者中有基本按原乡土楼风格建造者，但体量已变小，且仅住一家人。

九、川东客家人，在嘉庆年间白莲教农民起义的背景下，时朝廷下旨"坚壁清野"。以都统德楞泰、广州将军明亮《筹令民筑堡御贼疏》为镇压农民起义方案。因此，充分发挥了客家人构筑土楼碉楼的技艺，适得客家人建筑进一步生存的土壤。所以，川东客家碉楼民居发达于川中其他地区。

十、客家人入川时，几无本地建筑可借鉴，多是中原色彩浓厚的陕、鄂、湘民居影响。

综上诸点，必然形成以下三式：

1. 客家民居在川中的小型化。
2. 在不失去原乡客家民居基本特征情况下的综合化。
3. 基本保持客家土楼风范。

如此，又强化了某一模式在某一地区流行的形态，铸成了客家民居在某一地区内分布的范围。当然，这种局面还有些原因，容再补述一二。

一、四川不仅是清代全国内陆省份客家移民最多的，同时又是语言、风俗等方面保留最多的省份。它不可能游离物质民俗之首的建筑民俗单独存在。

二、国内尚无大规模发现非常贴近原客家人居住形态的地区。虽然亦有客家人居住在广西、台湾等省和地区。

三、其他省的移民，如陕、鄂、湘，其民居多以中原宅院形制为主体，少有发现如客家原乡个性突出、数量巨大又集中的民居建筑。因此，在封建社会宗法礼教森严的环境中，客家人和其他省人，两者都不会借对方的居住形式来供奉自己的祖宗和居住家人。

四、闽、粤、赣三省迁徙四川移民中，同时有大量非客家人。他们在原乡也和客家人一样有兴建土楼的习尚，甚至规模更大。比如，闽南南靖县各乡：黄汉民在《福建土楼》中说："土楼中的居民绝大多数是闽南人，只有与永定县交界的书洋乡、梅林乡的几个村是客家人"。恰南靖县移民四川的就有不少。是否于此就把四川闽南人民居和客家人民居混淆起来了呢？想来闽南人迁徙四川后也可能建土楼的。除了目前尚未发现外，是否还有入川后闽南人和客家人在凝聚力上出现了区别呢？

还有一个何以四川客家民居没有圆楼、半月围垅屋的发现问题。圆楼和围垅屋均是客家历史多种因素形成的家族聚居形式，聚九族之众，家族历史聚衍较长，人口众多，耕地集中，人力、经济易于集中使用以及沿海台风肆虐，匪盗猖厥等特殊自然环境与社会背景下产生。移居四川后，环境变化，时过境迁，也就没有必要或无力再建庞大圆楼，围垅屋了。自然也就谈不上分布了。

但"圆"的意识在客家人居住区内还时时有所流露。成都东郊农村过去有的大宅前，都有半月形水池。柏合场呈圆形街道布局，巴县丰盛场也呈圆形街道绕场一周，一个川西一个川东，两均以客家人为主，此是否圆楼意识的放大？因为像福建天宝寨圆楼本身就有"固成的日子，有赶集式的墟集"（《福建土楼》语）。

（三）四川客家民居演变与发展

据史学界尤其研究四川清代历史学者数十年的探索，基本上取得共识：四川客家人来自广东、福建、江西三省，又以三省交界的地区为多。时间在清前期和中期，迁徙时间跨度在百年左右。

来到四川后，或以血缘性、地域性聚居或单户与其他省籍移民混居。渐而又有不少人在四川境内多次迁徙，至使川内多数农村、城镇皆有客家人的存在，甚至于在少数民族境内亦有小规模的聚居及散居。这就造成四川境内成为中国客家人分布的五大居住区之一，且为内陆最大的居住区。经三百年历史的变迁，目前的状态是：(1) 在农村仍有规模化但正在逐渐缩小范围的聚居地区。如成都近郊龙泉驿区所辖部分乡镇，隆昌县与荣昌县交界地区，涪陵县、南川县、武隆县、巴县交界地区，西昌市黄连乡部分地区等。(2) 四川城镇过去会馆林立，"在四川这样的移民区域，闽、粤籍的商人会馆所占份量亦大"。而南华宫、天后宫、万寿宫或三者全有，或三缺一二者几遍布四川城镇，说明城镇客家人亦有大量居住者。(3) 散居于农村者就无计其数了。笔者调研民居曾在金沙江畔崇山峻岭的大乘乡发现围合状态极好的龙氏山庄，怀疑有客家民居围合意识的遗风，深入一了解，主人果为嘉应州长乐县（五华县）人。在其他边远地方，也发现不少个性鲜明的客家人住宅。

以上三种客家人居住地方特点基本上构成四川地区客家人分布图。它是研究四川客家民居的方向性导引。

客家民居初期状况

清康熙、雍正、乾隆、嘉庆（1662年—1820年）时期，闽、粤、赣三省客家人来到四川，有几种原因影响着客家民居发展。

一、入川客家人中，单独以父子、夫妻、兄弟小单位直系血缘关系者，经插占土地，拓荒垦殖，终经济基础贫弱，要求住房仅能遮风避雨，或者简单解决居住问题，谈不上有更多的文化追求。加之仍有不少人在川内继续迁徙，闽、粤、赣三省还有人陆续入川，这一时期是四川客家人在川内居住分布不断调整过程，一切尚在动荡之中，经长时间的变迁方才稳定下来。乾隆年间，四川经济全面复苏，与其同步，才在个体经济积累上谈得上建造像样的住房。这部分客家人多散布现川渝各地，尤以农村居多，所以，凡是具有明显客家民居形态的住宅，其建造年代极难发现有乾隆以前的。

二、客家人入川，不少以血缘性或地域性，或两者结合成规模者。入川后其亲和性容易形成新的血缘性、地域性结合，往往构成一块新的垦殖区域。但这种区域往往又是几县交界土地较为贫瘠地方。因为好田好土已被其他省移民捷足先登，或者地少不利于规模化的客家人聚居。恰如此，这些聚居区内最易传承客家原乡的时间形态与空间形态，形成四川境内具有独特文化特征的"客家人岛"。

三、客家移民中，虽然农民数量最大，但也有经商者、行医者、宦游者等，他们选择当时已被明末清初农民起义毁绝一空的城镇废墟上立足，再加上以农村分离出来的客家人进入城镇。这些客家人与其他省移民类似成份，构成四川城镇清初最早的居民。他们之间通婚结亲，互通有无，充满个性特点的时空关系相互宽容调整。适成新一轮的四川人文特征。但在客家人聚居区内的场镇仍有客家人为主的现象。

另外值得强调的是，自秦汉以来，四川就有"人大分家，别财异居"民俗民风并延至今日。其子女成人后结婚建房多离开父母住房在其他地方择基而建。这就是四川很少形成聚落的原因之一。但广大农村人口要交易，要联乡谊，要聚会，自然惟有城镇是一并解决诸多问题最好场所。因此反过来促使了城市与场镇的发达。客家人参与城镇建设最能体现个性和民系特征的就是他们的会馆，即广东人的南华宫，福建人的天后宫，江西人的万寿宫。当然，部分坚信客家文化者亦有把乡间居住模式照搬城中，但不是临街而是街后僻静处或城边。

四川客家民居特征

客家民居原乡模式是客家人经千年与特定自然环境、人文、社会环境斗争的结果。在它身上集中体现出当地气候、材料、工艺、作法，对中原建筑文化的继承与发扬，以及社会环境的适应，聚族而居与宗法伦理关系维护在住宅上的反应等等方面。客家人来四川，时过境迁，一切都发生着变化，一切都必须从此时此地此事来考虑新一轮的生存关系与状态。如果某些条件与原乡有一致或相似地方，那么，这种状态亦必将带来四川并与当地新情况结合创造出新的也有"旧"的痕迹的形态。四川客家民居充分地证明了这一点。具体表现在下面几个方面：

一、民居的防御意识强烈

客家民居在原乡以大体量利于聚族向心，创造出空间内向聚合，以中轴、对称形成中心，无论是土楼系列、围垅屋形态均是把内聚和防御软硬两方面结合得极为娴熟有机。反过来以围护的坚固墙体强化内部软硬两方面机制，同时又达到抵御外敌侵扰的目的，二者缺一不可，舍去一方面皆不可能延续千年。

四川客家民居忠诚地继承融入了客家人强烈的防御意识。比较典型的有：

（一）土楼向小型化方面发展。据多年调研掌握的资料，最大的土楼边长为八丈（24米），加裙房面积约600多平米。高三层约15米。四角有碉楼与墙体衔接，是原乡客家民居四点金的四川版。土楼中为天井，周全木穿斗结构，墙体与木构共同承重，墙体四周开有枪眼和窗户，有内向回廊于二、三层绕庭一圈形成通廊式空间，除卧室外，有马厩、粮仓、水井等防御设置。小青瓦覆盖，四脊齐平，整体造型端庄稳重。有的土楼还在天井中建塔阁并高出四周，起到观赏与瞭望并重作用。更多的土楼向更小型化方面发展，特点是边长仅有9米，平面9等分均摊，但中心仍留天井，因此，三层楼空间建造下来，天井犹如深桶，采光不甚明朗，加之楼梯由天井侧旁上下，使天井显得更加狭窄幽暗。但瓦面仍分四方，分向外向内方向排水。也有整座土楼被歇山式屋面覆盖的，形似大型碉楼，但平面多变成长方，多9米×6米的面积，已接近四川一般土夯民居，不同是楼高三层，对角上往往有碉楼衔接，碉楼楼面与各层衔接，防御与住宅统为一体。土楼小型化是四川客家人家庭单位变小从聚族而居的方式解体出来的必然结果，因此他的防御空间变小也是顺之成理。它们的分布多在川东山区。

（二）碉楼与墙相连结形成围合的防御体系。这种模式是四川客家民居中既继承古老防御意识又融进湖广两省木构庭院的结合体。由于围合面积一般较宽大，内又多置园林，因此，山区者多寨子、山庄相称，平坝者多庄园呼之。它是四川客家民居最具创造性的一类，分布较为分散，较集中的区域是川南各县，宅主多是游离客家聚居区的绅粮大户。它的空间特点是：外围以碉楼和墙连接形成围护，中间以庭院形成内部。内部多为多进合院，以木构平房形成规整的中轴对称格局，是家人活动的中心。在它的不等距离的四周，依据地形特点布置碉楼，或四角四座或宅后各一座。然后以墙相接碉楼形成围护，围护多为方形。墙体或土夯或石砌，皆宽厚，最厚者达2米石砌墙，如屏山龙氏山庄，墙高4－7米不等，厚2米，上面覆以廊道，层层上叠，绕城一周与四角碉楼衔接，蔚为壮观。在大门处又以歇山屋顶高耸似城楼貌，实为戏楼，其下过人，门仅1.4米宽。整座山庄又选址在巍巍大山的近山顶部，因此，从选址、围护、开门等设计看，均着眼于防御。龙氏，广东梅州长乐（五华县）人，康熙年间入川，先荣昌插占后落户屏山，正是游离客家聚居区者。

（三）碉楼和木构瓦屋、土坯土夯草屋相结合的防御模式。一个三、五开间的平房，或者曲尺形三合院、四合院，它们不设防的开敞性和材料的简陋对付兵匪盗贼是无能为力的。这些占农村多数的贫苦客家农民要自保，经济上不可能像山庄寨子都建围墙。因此，把碉楼纳入住宅之内以权充防御算是当时较好办法。目的是兵匪打来可迅速进入碉楼以避暂时，所以内部空间上碉楼底层门与住宅相通。有的还在碉楼底层四墙外再加围一圈防护墙形成回廊，似过道以迷惑敌人。更有的于底层内部挖地道形成地下防御并有秘密出口与野外相连，作用是防敌人火烧房屋留条出逃之路。必须指出的是，这类碉楼民居模式数量之大，分布之广，土、石、砖或与木相结合材料应用之广泛，空间形态之丰富等现象表明，碉楼民居绝非都是四川客家人所独钟。但它又明显地在客家人分布较多的县乡发现较多，似乎可以这样推测：一是客家人行之有效的防御方式影响了其他省移民，使其仿而效之。二是四川土著，其他省移民本来就有建碉楼的习惯，无非也是一种空间传承沿袭。可能两种情况都有，因为碉楼形态的相似性使得很难判断它究竟该属谁家所有了。而且仅凭宅主祖宗是否来自原乡客家人聚居地也不能完全说明问题。

（四）聚居地区的防御意识比起上述三种情况显得淡漠。聚居区虽然不是挨邻搭界的房屋聚落，但彼此房屋相距不是很远，视听可达，一家有事，消息很快就传遍四方，因此，住宅的防御性就不如山野僻远之乡个体住宅表现出的防御周密性和坚固性。这也是导至一种空间模式容易流传的重要原因之一。四川客家人几大聚居区：隆昌县、成都龙泉驿、西昌黄连乡，相距两千里，居然民居平面与空间、作法、材料非常近似。此一则道明四川客家人认同的居住模式必然来自原乡，二是乡情认同也是共同防御的认同。如果说个体住宅要防范小偷小摸的话，也仅仅是建筑的四围墙体基本上是土夯、土坯构筑，而不像四川其他省移民民居，动辄就是全木构作法，这一点是有很大区别的。所以聚居区内客家民居的防御意识反映在建筑上的特点应是墙体作法。

二、民居核心空间不变

陆元鼎在《广东民居》（建工出版社，1990·12第一版，91页）上说："围垅的发展是很有趣味的，它以堂屋为中心，或一堂屋、或二堂屋、三堂屋，然后两侧加横尾，后部加围屋即组合而成。"陆先生此说表明客家围垅无论最后发展多宽大,它总是有一个中心空间的。我们又从《广东民居》关于"碉楼"的论述看,尤其是开平县赤坎鹰村有三百多年的迎龙楼,以及过去全县数千座碉楼的历史推测,还有其他县碉楼的平面比较,客家民居在中心空间上影响着或者制约着其他客家民居类型的形成和发展。一定意义上讲,一堂屋、二堂屋是大部分客家民居的基础空间或基本单位,也是以夫妻为核心的社会最小单位的外化。因此,它就铸定影响这个宗法观念极为牢固的民系,影响着他们无论在什么地方的建房行为。

所以,在四川隆昌县,成都龙泉驿五个乡,西昌黄连乡相距两千多里的三个客家人聚居区里,其民居从平面到空间如出一辙,这种同类型性分布,在四川广阔的大地上,笔者断言,仅此一例,那就是一堂屋、二堂屋在上述三个地区的流行。其存在的基础是:(1)血缘性、区域性(指来自原乡)聚居,容易传承同一模式。(2)都是客家人一个民系。(3)四川经济条件和"人大分家"的民俗制约了四川客家人九族聚居同一大屋的奢望,原乡一堂屋、二堂屋又恰好解决了分家立灶的空间需要,且又继承了祖上习传模式。(4)四川无台风,但其他气候状况和东南沿海差别不是太大。建房只是导至材料简易、工作粗放、四围单薄等因地制宜的结果而已。为了说明一堂、二堂与四川客家民居关系,不妨再从黄汉民《福建土楼》(台湾汉声杂志社,1994版)论述中找一些依据:黄先生在五凤楼《大夫第》中言:"三堂即三个堂屋,位于中央南北中轴线上,包括下堂、中堂和后堂。下堂即前厅,也就是门厅。"由此可见,在原乡客家聚居区内无论粤北、闽西,均视堂屋中轴系列空间为核心。说白一点,四川上述三地区贫困者多一堂屋,稍好者二堂屋,富裕者三堂屋。但到了有三堂屋的建造能力后,则或者横向发展形成横屋,以至双堂双横屋,或者纵横两向再发展组合成大型庭院。若论地区不同,西昌地处凉山贫困地区,客家人多一堂屋,隆昌部分山区亦贫困,二堂屋中也夹杂一些一堂屋,成都龙泉驿地区地处成都平原,则多二堂屋。

就是土楼、碉楼,也是遵循着原乡基本营造精神,如涪陵土楼外部高墙围合,四角有碉楼外,内部天井四周采取通廊式。有的小土楼连面积、开间尺度、平面划分、空间处理都与原乡出入不大。区别只是材料、层数、外空间装饰等贫富差别出现的必然现象。空间本质却没有发生变化,如涪陵开平乡月亮屋基小土楼和广东花县万安庄某碉楼之间的相似,开平乡巫家碉楼与广东开平县赤坎鹰村迎龙楼的相似,甚至于有的近代式碉楼也和广东相似,如南川县大观乡派出所碉楼等等。笔者曾一直思考这种相距数千里的建筑现象是否是一种巧合,并把它摆在全国民居类型分布的格局中比较审视,发现只有四川地区和广东及客家人地区存在民居类似现象。调查同也表明,一些四川客家人发迹后,直接邀请原乡匠人来川掌墨建房。显然个中有桑梓之情的渊薮,有对祖宗的祈祷安慰。这进一步强化了其民居的客家属性。

三、四川客家民居的复杂性

前面论述中，谈到四川是一个肇始于清初的移民社会，是闽、粤、赣、湘、鄂、陕、桂、黔、川等省人共同组成的社会大家庭。他们和睦相处，五方杂居。三百年来，除部分客家人和湖南人在小范围内部说着家乡话外，市面上都讲四川话。这种时间形态的内外有别表现在空间形态上也"内外有别"，但也仅仅是上述小范围内。更多的客家人分布在几十个县市里，住房上已经消失了客家原乡的固有模式和特征，变得和其他省移民住房没有区别，尤其是占多数的贫困者和散居者。如朱德老屋，最早出生地李家塆仅有一个碉楼在左厢房外，碉楼一毁，仅三合院而已。恰东家丁维汉也是客家人，却保存了完全客家双堂双横屋特征。而邻近仪垅县的巴中、通江也曾是客家人较集中的地方，笔者对那里的考察是多次而深入。其民居尚未发现明显客家特征。金沙江畔的屏山县不是客家人居住区，却在大山顶上发现精采的客家龙氏山庄。三峡深处的奉节县也不是客家居住区，在附近深山也有双堂双横屋的发现。郭沫若是客家人，理应书香门第有传承传统文化的家风，住宅天井反倒狭窄如陕西民居。成都人叫"停丧天井"。还有四川碉楼目前最集中的川南、川东地区，各类碉楼估计不下千例。有的作法精绝奇特，在顶层上造戏楼、住房、观景楼、小姐楼。有的与塔结合形成塔楼。碉楼高者有达七层20余米者，数量多者一般于屋的四角建四座。更有甚者有的把碉楼搬进城镇，虽多在屋后不临街设置，如宜宾、江津复兴场、綦江东溪场等。也有个别以碉楼当临街铺面用，如忠县拔山场。这里不仅碉楼发生质的变化，宅主是否客家人也值得怀疑。如果宅主有确实的谱谍言来自客家原乡尚可言是客家人居住的民居，而不是客家人也可造碉楼，那就不能断定凡建碉楼者都是客家民居了。然而，二堂屋就不同，它的"硬八间"稳定平面及空间形态，放在什么地方一眼便知是客家民居，如成都晚报大楼下有座瓦房，从楼上往下看，二堂屋形态一目了然。因此，应该明确四川客家民居界定标准，那就是：四川客家民居必须有原乡同类民居核心空间借鉴与继承者，如二堂屋。这种民居不是客家人居住也应叫客家民居，而客家人住的不是客家民居也不能叫客家民居。因为研究建筑现象，空间和形态是第一位的，它不是历史学考古学等专业的研究。如当代成都龙泉驿客家人，不少在二堂屋正房上加高一、二层楼，材料也变成现代建材，但传统平面没有发生变化，它理应还是客家民居，就如广东等地原乡二堂屋没有草顶而龙泉驿过去几乎全是草房一样，只要核心不变就是客家民居。二是在防御构筑上明显有原乡客家民居的防御作法继承，围合形态有客家民居意识和遗风，造成建筑个性突出者，又有谱谍证明或其他依据可旁证者也应叫客家民居。

结 束 语

当我们提到窑洞民居、四合院民居、客家土楼民居、围垅民居、少数民族的羌族石砌民居、侗族干栏民居等等民居时，它们突出鲜明的形态立刻完整饱满地凸显在眼前，特点是不同而卓具个性。这些居民又往往是稳定居住在那里千年以上，它无可争辩地说明，一个区域有特点的文化形态形成绝不是短时间就可完成的，我们称这段时间为形成的过程。因此，拿此观点对照四川民居，四川客家民居，它的模式理应是还在形成的过程之中。就是说上述四川客家民居是新一轮客家民居的形成过程而不是结果。原因在前面已作了论证，所以本文探讨的是一种过程现象。

于是我们反问：什么是四川民居，它具体的空间等等方面有何特征，能否有如窑洞、干栏、石砌民居一样形成区域性特色？可能谁也难以一言蔽之。四川客家民居在四川民居范围内，无论客家人多么笃信自我信念，顽守原乡文化，它在四川民居文化大流中，不受其他移民居住文化影响是不可能的，尤其是周围都是其他居住文化的散户个体。而客家人聚居区内有团体的凝聚向心力在规模上可较长久地抗拒这种影响，但也不是一层不变。封建社会尚且如此，今后变化就更大了。

（四）局部地区流行的民居样式

局部地区流行什么样的民居样式，本质还是在这一地区居住着什么样的人起作用。达县景市乡、安仁乡一带聚居湖南移民，那里的人在内部还操湖南话，老人言必称祖籍邵阳、永州府如何如何。他们来自开发很早的湖南丘陵地区，那里的民居以聚族而居为主，少则百户，多则千户。民居布局如《湖南传统建筑》言："布局除正屋一侧或两侧出厢，或多进相连之外，更有多户并连，或一户一开间，前厨后卧，或一户二间，增一堂屋，形成统一规格的集体住宅形式为该地区特有。因地区产煤，又受广东影响，砖瓦应用普遍，……不加粉刷，山墙有一字形、担子形（二担子，三担子）、金字（人字）形、弹弓形等多样变化或组合使用。"拿这一湖南南部民居外貌与空间概况和达县西南部与开江县南部的湖南移民聚居区民居比较，凡清以来的宅院，其相似之处何其多多，尤"一户二间，增一堂屋"的"并连"形式，不是川中其他地区民居多见的格局。唯与湖南不同者，仍和川中普遍情况一样，聚族而居，少则百户，多则千户的现象没有了。单家独户，分散而居回复到川中大一统的以家为单位的居住特点。但是单体民居的格局、样式，仍是祖籍原乡发展而来，仍固执地遵循家乡传统的民居建造模式。于是，相似的格局布满了湖南移民居住区，形成了此类民居特有的分布范围。

像上述在一个地区大小不同的范围内，流行一种民居模式，以至形成各据模式"势力范围"的分布状态，是各省移民"插点为业"以同籍人形成凝聚力的结果。民居模式相似仅是一个侧面而已。如此之状遍布川中，如西充义兴与南部建兴两县交界一带，分布着一种曲尺形的穿逗式住宅，至今仍以木构穿逗作法，外墙竹编夹泥，以石灰粉白柱枋间隔方壁墙，小青瓦覆盖，充分应用本地木材不多，用尽不成材的，或有弯曲或直径小的材料于结构诸处，使得住宅十分轻盈、美观实用。

峨眉山周围几县，因山地多，平地少，又多雨，住宅多坡地兴建，给传统对称合院的展开带来困难，但总消除不了百姓中建房必有祖堂的观念。因此，无论怎样分台选基，怎样不顾朝向，祖堂一间必不能少，正房各间多少不论。再有是龙门到宅院必作风雨廊，以连接宅院，并有瓦棚与正宅屋顶衔接，就是龙门形制不讲究，再高也必这样作，以适应多雨气候。这一来就形成峨眉山麓周围几县，凡坡地民居，造型非常丰富，平面变化多端，房间大小悬殊，结构穿逗莫测，民居韵味充满与山上寺庙气氛不可言状的相通之处，构成了围峨眉山麓一圈特有的坡地民居分布范围。

还有彭山一带半瓦半草的屋顶作法小范围的流行。巫山一带尺度很小，但适合下川东坡度很陡的一种小型封闭三合院。夹江一带呈"凹"字型的、屋脊起翘、屋面十分硬朗的平面瓦屋。大竹清河、柏林、李家场多范绍增佃客，喜作砖砌封火墙的住宅。宜宾横江、双龙一带一字形一排三间，开间甚大的土夯屋。江津与合江交界的塘河流域一带，不规范的合院中喜在正房左右置碉楼，谓之"亭子"。建国前，住宅带亭子之风影响到场镇，像塘河场、福宝场、磨刀溪场等场镇中至今仍有亭子立于场中，尤显场镇和乡间民居的统一性。达县碑庙到通江麻石及平昌笔山、镇龙一带，亦因坡地建宅，不兴分台构筑，索性在同一等高线上劈出狭长宅基，至使横向一字型住宅出现，一排七间，一排九间，甚至一排十一间的横长民居，亦是极别致的造型效果，十分动人，十分有气魄。等等。

一种民居的流行，不仅是形制的流行，还有建筑材料、工艺手法、局部雕塑、作法、风格、结构等等方面的流行。川西平原清以来至民国间，十分流行砖砌龙门上方灰塑大牡丹一朵，意喻富贵祥和。这类龙门作法行至二、三十年代，适逢西方小教堂在蜀中的糜烂，不少民居借鉴，照搬其样式，在传统宅院的门首塑立不中不西的大门，一下搅浑了传统民居各部作法的统一性和纯度。虽然灰塑工艺上出现了不少艺高形美的作品，终因纳入殖民味十足的大门框架，显得受人制约，再好的作品亦产生雕虫小技之嫌。与此同步的宅院传统龙门，则在北方垂花门的统筹之下，结合川中自然、社会、经济、文化诸因素，虽家家多有改进，甚至僭纵逾制，然传统民居灵魂终弥漫其间，显得分外得体，分外朴实。比如成都宅院在龙门内喜再作一道屏门，亦是在垂花门的基础上有所改进，增加了宅院的私密性。

还有川中不少地区因木材匮乏，石材取之方便，石质又好，因此，用石板材作墙体，嵌入石柱凹槽中，构成坚固耐用的立面围护者，亦在不少地方流行。再有柱础间加木碶（即软磉）的作法，也是一种别致的流行。至于长出檐，双挑出檐，加檐廊，前后廊，房架或穿逗，或抬梁式，从檩架的五架、四架直到九架、十一架亦是广泛因地因人制宜的结构法。等等，待后详述。

（五）城镇民居

　　表面上看来，城镇民居一是在街道两侧形成前店后宅，二是街道分巷分道，然后在巷道两侧与另外的巷道两则间形成里坊居住区两大部分。然剖开两类居住单体空间看，则复杂而纷繁，多采而丰富。诚然，这是巴蜀民居最具人文色彩的分布之一。

　　里坊起源古代闾里制度，即传统城市规划为便于城市管理而形成的方格网状街道格局。里面街巷平直，呈垂直状态交叉而形成的方格里面积基本相等。古代成都街道格局延至现在仍然保持着这样的布置。而有的里坊街巷名亦以里称谓，像崇德里、章华里等。川中若干县城，选址在平坝者，布置街巷尽量平直相交，或严格，或意象，或摹仿以构成方格状，潜心追求里坊格局。虽不是严格意义的里坊制度，但明显受到传统城镇规划闾里制度的影响，如阆中、资中、成都平原各县城。而有的川中小镇，像隆昌响石镇，仅四条主要街道，又选址在一斜坡面上，亦追求"井"字形街道布置，个中亦有里坊制度的原始色彩，亦可说里坊的最基本单位空间。

　　战国时，一"闾"为25户人家，为一基层单位。四周都有封闭的城墙包围。除达官贵族的府第以外，居民一律不准沿街开设门户，夜间关闭坊门实行宵禁管理，傍晚街鼓一响，居民不得上街通行。每里坊内有独立的管理机构，如城中之城。所以像成都这样里坊制度比较完善的城市里，亦可说集若干个小城而形成的大城。

　　成都里坊，杨雄《赋》言："尔乃都门二九，四百余闾"。后《梁益记》言时："成都之坊，百有十二"。据有专家考证，此数在宋时包括内外城及附廓诸坊之数，其"建制之目，门闾巷市，道里亭馆，方面形势"。可见古时成都里坊制的完善。

　　城镇民居，无论居于里坊之中者，或并排相连，临街毗邻者，多宏大华丽，用料多瓦木砖石，雕刻精美。条件稍加充许者，则和农村一样，追求合院形制。因此，在里坊范围的大前提下，城镇民居实分成居家一式和商家一式。居家者多官僚、地主及大商家另外的住宅。其临街处多四合院前面的下厅房兼作大门，即龙门或朝门，也有续作二门或屏门者，其两侧或为仆人住处或作轿厅。里面天井大小视用地大小有宽有窄。左右厢房间数亦视地宽窄而论。或为正方、狭长方。成都陕西人喜作长方狭窄天井，谓之形同棺材的"停丧天井"。刘致平测量普通川中天井与房屋面积的比例约为1∶3，比北方略小，比云南大，通风采光够用。更有大宅多重四合院纵横两向递进与拼合者。不过无论住宅多大，其中部均有轴线形成传统的空间序列，即头道龙门、二道龙门、正厅房、祖堂、后房、花园等。其次左右为男女花厅、花园及亭阁榭台等。成都双栅子街"朱财神府"，为之成都首富，其宅几占里坊"方格子"一半面积。临街头道龙门，迎面照壁砖雕墙，左侧两道龙门，正厅七架五间，正房九架五间，厢房各三间，后院正房五间。除此中轴系列多进合院外，宅左亦有庭院，亦有房间数个、宽廊戏亭。右面有名"余园"的花园，山石花木亭阁及水舫、草坪，林木扶疏，溪桥野趣，极富江南园林韵致。此巨宅建于清乾隆间，就建筑而论，应是巴蜀城镇住宅的精华，亦代表城镇民居居家住宅的典型。

另外如崇庆县"宫保府"杨遇春宅，位于县城上南街，有院落两组。沿中轴线纵深布局，递进次序为门厅、接旨厅、迎客厅、戏台、筵厅、正堂、过厅、正厅、仓库等共大小五进。与之并连的另一组庭院，亦大致按此格局布置。

还有邛崃城内宁宅，四合院五个，房间98间。堂、廊、楼、馆、仓、厨、花园一应俱全。

四川其他城镇民居基本上按照此一格局纵向发展。当然，宅主经济、地位等因素导至占地多少，产生了纵向布局的空间多变组合更是丰富无比的，而坡地、临江一类城镇民居更是因地形局限导至花样翻新的纵向布局者，则千变万化，不可一言以蔽之。

以上便是城镇民居专门住家不唯商事的部分。多则里坊全是，少则一街一巷，像成都宽巷子、窄巷子、文庙后街等。也有不少于前店后宅连排民居中间夹杂几家不开门面作店的。所以，通观城镇民居分布，一类是纯粹住家的民居，另一类才是前店后宅式的民居。

前店后宅式民居占城镇民居的数量上应是最多的部分，临街住宅的前面作店铺，后面作居室，或铺面的楼上作居室。但有一点和纯居家的布局相同，即后半部分仍以传统的合院制纵向布局，有天井、厢房、厅房、祖堂、后房等。不同是把下厅房改作了经商铺面，充其量下房太宽多隔开几间铺面而已。那么家人的进出，或由铺面旁专开龙门，或由侧面进入，而占地仅一间铺面的人家，则只有兼作门道了。

兼作门道的前店后宅，以城镇民居中、小经商者为多数。这部分民居一般占地狭长，传统合院布局难以展开。因此，在后半部分的空间变化上显现的设计构思最为丰富，最动脑筋。有的后厢房只有一"厢"、有的索性不要全作天井，在正房上加楼。有的全作房间，只留一条窄巷直穿后院。有的因是旅馆行业，把天井部分改作抱厅。有的在二层形成合院格局，底层以柱网支撑"天上"的四合院，以获得底层堆存货物或行动自由的空间。

有的坡地城镇民居，下列街旁多作干拦式，视坡倾斜程度，坡陡仅进深一、二间，坡缓可达五、六间，进深十丈者亦不是稀奇之事。川中喜茶馆，有的把平街层空间全作茶馆，居住安排在楼上，同饭店、酒肆类，是另一城镇民居下店上宅的布置。而背靠坡面上列街旁的前店后宅，其宅于店后分台筑构，建筑随台基层层向上变化而变化，则呈现高低的空间和外观。因此，坡地城镇民居不少就无传统的住宅规范所言了。无约束思想解放最易释放出创造力，怎样安全以获得有限面积的最大空间舒适使用，成为城镇坡地建房的宗旨。可见在千万不同素质、财力的城镇人口中，他们将做出何等不平凡的空间想象和空间构成。仅此，亦极难分门别类详述其五彩缤纷的空间创造。

城镇民居由于受约的因素多，在巴蜀民居的分布上，可谓集中体现了从农村到城市的民居特色。它们集中的空间整体形态，又构成了城镇人文空间。而和周围环境的自然相配置，又把人文与自然有机地结合一体，呈现出又具地方与区域色彩的建筑文化现象。这种现象经历史的沉淀、发展至今，仍旧极具吸引力。显然里面蕴积了不少艺术性、科学性、历史性的内容。这是一笔祖先留下的无与伦比物质与精神财富，是值得我们后人珍视的。

五、巴蜀民居例析

巴蜀地区由于自秦以来至清初多次外部移民迁入，居住形态的稳定性虽说中原合院制大一统遍布城乡，仔细推敲起来，各地都悄悄地发生着变化。因此，唯仍存在的实例最能说明问题。究竟这种变化有多大，有的是否全抛弃了中轴对称布局，自己独创了一套空间形象？

当然，所列实例仅是沧海一粟，巴蜀太博大，和南北其他省区比较，历史与人口亦动荡太大，民居样式太多太繁杂。因此下列诸宅管窥之一斑亦不敢妄称大全。唯提取笔者认为尚可小范围代表的典型以示读者。尤祈读者发现佳宅美舍告知笔者，以便更大范围更多典型的发现来进一步完善巴蜀民居的整理，为巴蜀文化发扬光大共同作出努力。为把祖先智慧的结晶从民间收集起来，笔者于此先谢读者。

（一）宅第·庭院

宅第生辉——温江陈宅（陈家桅杆）（图94、95）

成都西郊有两宅均叫"陈家桅杆"，一是温江，二是郫县犀浦五粮村。前者翰林，后者举人。两宅第均有清宅制的规范，又多有结合蜀中"天高皇帝远"的逾制，基本上代表了川西平原大型宅第分布农村者典型。此类还有金牛乡茶店子叶家院子、郫县安靖乡邓翰林宅等。

温江陈家桅杆即为陈宗典宅，宅址选在川西平原富庶的腹心之地，座西朝东。陈家桅杆得名于宅第正中龙门外三丈处各立一双斗桅杆。"桅杆"实为华表又名旗杆，是清代功名赋予宅制的象征。旗杆上挂两斗。民间戏传陈宗典、陈登俊两父子，一为翰林，一为武举，故有上大下小两斗之状。陈原川东人，家祠碑刻"祖籍"言："川东重庆府壁山县周家场磨滩西坝人氏，拓迁新津县西河白鸡嘴，经插温邑王高坎，终插全笫乡九倒拐石马口。"九倒拐即今寿安乡天鹅村内。

同治三年（1863年）陈宗典在功名、聚财鼎盛之时，重开字辈之首，开始营建大型综合庭院，历时八年，占地10亩，成为名噪一时的乡间巨制。

整个庭院用砖砌和屋后墙面结合，形成近方形围合体。东西两向宅前后有小溪。大龙门居中，门前立两柱双斗旗杆，西向宅后有石牌坊一座。宅第选址与自然环境殊为考究，唯座西朝东之宅

（图94）陈家桅杆大花厅牌坊门

向有违风水要旨。民间附会其意：言陈翰林身在川西，心在东方。东方所指：一是老家壁山县，二是北京皇帝居住地方。正是祖宗和皇帝的恩赐才使他荣禄齐升，因此才不忌风水宅向，转而坐西向东而不择坐北向南的最佳朝向。并同时建忠孝祠于宅内，以祈佳境永驻。

从刻有"福"、"寿"二字的八字墙进院内，宅第建筑分三组合成。居中者为核心部分，为三进合院式组合，中轴对称布置。但大门和大龙门不对位，正是传统宅院局部服从整体的制度表现。有趣者是三屋顶的作法。下房为歇山式，过厅正房为悬山式。三房不为统一之式，尤下房为歇山使人迷惑。常理是歇山式多用于神圣肃穆之地，或园林之类小品的构作。比较而言，正房是宅中最核心最重要的地位，反倒在屋顶的作法上有所懈怠而使得下房变得"喧宾夺主"。联系宅中不少矛盾之处恐怕正是蜀中清代住宅带有幽默性的僭纵逾制。

核心部分三重住宅的下厅为面阔七间，中间过厅为五间，正房为七间，正房左最末处有一小天井为小花厅。从下到上，房间渐次进深加长，至正房进深已增至前厅的一倍。而天井面积却相反，由下到上越来越小。至后房又形成精湛不规范合院，增左右对称砖砌山墙各一处，比前诸院显得厚重，空间气氛为之反倒轻松。由于天井宽大，采光良好，庭院并无萧疏之感。其房架用料亦不甚粗壮，主要粗大用材和工艺制作都放在正房，重点装饰飞檐翘角，撑拱吊柱。其中正房檐柱撑拱镂空雕，抽象形式感极强，不像多数具像人物花卉、有源出的故事情节及喻比象征。这一反常态之作亦是不多见。

另一组群建筑为北侧诸房，朝向面南以构成系列空间向心凝聚之势。从东向西依次排列为："惜阴斋"，又名"翠柏山房"。内置书房三间，有万春书案、楠木书橱陈设，为家

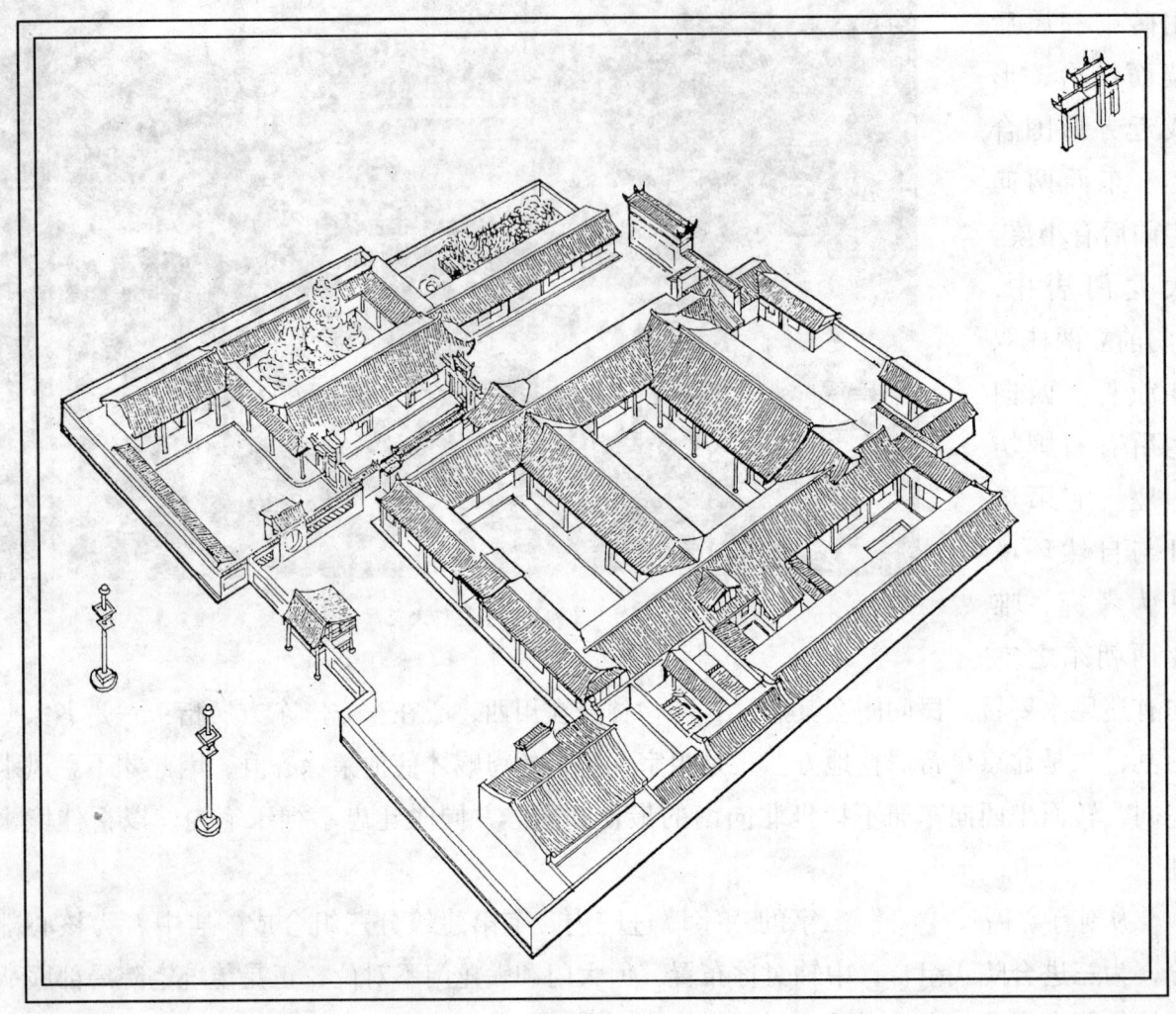

(图 95) 温江陈家桅杆鸟瞰

人读书授业之处。石刻楹联,内壁墙刻,镌凿诗词歌赋,水平参差不齐,可窥观当时习尚、主人喜好,有力地烘托了民居文化气氛。同治八年一居士在壁上题打油诗:"春花开得早,夏蝉枝头噪,黄叶飘飘秋来了,白雪纷纷冬又到。叹人生容易老,不如早清闲乐逍遥。虽不能成仙了道,亦不至混俗滔滔。"并谓之曰"别有洞天"。在外人的居士看来,书斋亦不过逍遥人生之境,"惜阴"不过抓紧时间"清闲"。书斋本质意义向相反方向转化。故陈宗典书斋之营建大有装点门面、附庸风雅之嫌。或得翰林名位之前,是否书读得太苦,今功垂名就,该及时行乐一番。自然这就深化了民居作为文化的内涵。虽然"清闲消遥"与"不至混俗"又是矛盾。

　　靠近书斋旁,即北侧建筑组群中部为家祠。家祠为供奉祖先牌位祭祀之地,为把国与家相联系,取名"忠孝祠",是北侧的核心部分。进祠堂门先有三孔石拱桥,上有瓦棚,似成无柱桥廊,桥栏柱上有吉祥兽刻。取中轴线跨水池而正对迎面墙壁,有主人画像、宗谱祖籍石刻,前设香案。有楹联两对于桥头两侧,一为忠孝祠大门内,曰:"圣德未酬忠务尽，光灵欲妥孝当思"。另一在过桥进入堂前两侧方石柱上，曰："家声重庆麟趾龙骧，基业万春天恩祖德"。从联语中国与家、忠与孝的不断交替恭颂声中，让人体悟到封建时代国与家不可分的积极面，又有基业得来全靠"圣德"、"祖德"的消极面。这正是传统民居焕发出来杂糅亦是优美之处。中国宗祠建筑，历来把国与家视为同"宗"，加以祭祀，应视为传统思想反映在建筑上的光点。亦可说通过建筑联络宗族人心，凝聚于国家这个祖国的总宗之为。祠堂设于家宅之中，多为其宅主还未形成九族之盛时，陈宗典开字辈之首，仅有儿孙三族之势，故设家祠。

家祠另一侧为小花厅。有房间数间，小天井一个。环境清幽，宁静恬适。

建筑布局、构思、工艺、雕刻最精美之处在南侧充满园林情趣的大花厅。所占面积约为全宅第的三分之一强。布局以花厅为南北轴线，整体面朝祖堂中轴系列空间，和北侧小花厅形成一北一南呵护之势。如此，构成了祖堂在上在中心的完满构思格局。所谓大花厅，实则是民居中书卷气最浓郁的建筑部分。建筑布局较为自由，空间多开敞和半开敞，开敞处多植花木，筑水池、石山。半开敞为最精心布置，有戏台、回廊。其柱枋、窗扇、门壁、雕刻老到、精熟，有镂雕、浅浮雕。内容花卉翎毛，神鬼故事。风格和中部住宅有些区别，显得技艺上更深一筹，想必建宅 8 年，常换艺匠，情当亦然。

整个大花厅仅有封闭房间九间，其他空间开敞与半开敞，造成空间由外到内光感不断变化，而把水池石山安排在中轴厅后，成为系列空间高潮部分，尤感古典知识分子偷闲中仍不忘遵循道德伦理的拘谨。和川西一些私家园林比较算是一个享乐游玩也不忘循规蹈矩的人。故僭纵逾制间，有小心翼翼的空间处理。其构思布局之谨慎，亦可见民居文化的深沉微妙。池中石山高 2.3 米，长 3.5 米，上塑青城山桥亭阁榭，道观宫殿。和小花厅书房道家遁世诗文相观照，南北合拍，反映陈宗典返朴归真，不与世争，隐居一隅，不事声张，偷偷享福的传统知识分子脆弱性格。民居者，正是人世界观、人生观的绝妙写照。即便衣锦荣归者，凡通晓世故的贤达，川中类似之作、类似之人不在少数。这可算功垂名就中人的清醒者，亦是几千年封建高压统治烙在人心上重重的印记。说是反映在民居构思上人性的扭曲，亦可言恰到好处。故民居之本质，不在表面空间现象的工程罗列。因为人作，必有人性。性之所在，千人千面。民居千姿百态，呼之欲出在此。

特别值得一书的是大花厅的照壁、牌坊门。它和西间大照壁、大龙门两侧照壁及其他各部砖石墙体作法、雕刻非常统一，恐出自一人之统筹，是陈家桅杆宅第民居艺术的灿烂之笔。这是借砖石作围护，或以门或以墙或以壁，充分展示砖石制作艺术的大成。单就大花厅三处仿木结构的牌坊门言，在极为有限的尺度里，将门的内外、两侧、上下、中部，从里到外，层层剥出，层层有结构，层层有错落，层层出空间，层层有不同内容的雕刻。仅两门就全刻划出有实有名的传统牌坊门从局部到整体的空间结构，任何一处原本木牌坊小构件皆可从上面找出，且比例精到，雕工圆熟，色泽浑厚，无论砖雕、石刻、灰塑、着彩，协调得天衣无缝，此绝非一般庸匠所为，简直就是古典木牌门精致的小博物馆。内容之丰富，形式之考究，对应之严谨，花样之多变，通体之完整，充分浓缩了川西民居工艺于砖、石、泥三材的使用，驾轻就熟的火候至炉火纯青，折射出此般艺匠极高的综合文化素养和丰富的制作手艺。艺术境界和修养之高，通过若干川西建筑"三材"使用比较，可言是清末建筑艺术于砖、石、灰三材使用的顶峰。

陈宅照壁有四处，照壁又叫影壁或照墙，为中国建筑独有。陈宅照壁分立大龙门左右各一堵，宅后右侧及大花厅中对面各一堵。除大龙门两处为统一高宽之外，三处各不同尺度。以宅后右侧最高（后墙面书"渊寨兴秉"四个大字），大花厅内最宽。但作法一致皆用砖砌中勾对称内框，磨砖对缝斜砌。和一般不同是影心和内框四角用红砂石嵌砌，影心呈菱形是方形的斜砌，四角用等腰三角形角顶对内框四角嵌砌，中有方形图案居中。除大龙门影心是二龙抢宝的团雕组合深镂雕外，其他石刻皆深浅浮雕的结合。内容有喜鹊芙蓉，牡丹绶带，红梅闹春，蟾蜍下凡等。由于砖是青灰色，它和带有雕刻的红砂石搭配，使得照壁格外醒目。加之石雕刻花卉翎毛、虫兽水草图案的精美，其照壁成为一堵展览艺术作品的展墙。和牌坊门墙体的严谨制作比较，亦毫不逊色半分。再有花厅墙体勾花砖雕图案线，线宽约20公分，内雕各类动植物更是不多见。有马、猴、熊、獭、龙、麒麟、狮子、雀鸟、蟾蜍、鹤、卷草、花卉、水纹、灵芝等一并俱全，又犹是一条雕刻艺术的展线。还有大花厅照壁影心大型砖雕吼天狗、蝙蝠等等。皆在似与不似之间，形神兼备，生动之极，动物憨态淋漓，植物翻卷如生。内涵了传统造型艺术历代相袭的"六法论"准则，又有巴蜀艺人独到的地方色彩匠心。从而让人更深层次地领悟到中国传统民居，是通过建筑为载体，纳雕刻、绘画、书法、金石、诗文、词赋、民俗、哲学、宗教、宗法、道德等等为一体的文化宝库。它浓缩了一个时代或一个历史时期政治、经济、文化、科技等多方面的内容，极具潜在的物质与精神研究价值。

综上赘述得下列概况：

1．陈宅为蜀中已不多见，宅第格局尚较清晰完整的大型综合庭院，是川西平原仅存的正宗农村大型庭院。

2．宅第功能分区一目了然。统而有分，分而不乱。以住宅为轴线展开布局，又有主次。

3．遵循传统住宅仪轨的布局中，又多有我行我素的个性发挥于各部小构。

4．砖、石、木、灰材料的艺术加工和统一完整，是蜀中民居艺术和科技结合的大成。

5．陈宅虽多有矛盾之处，但瑕不掩瑜，仍辉泽熠熠。如宅后高大照壁何以立在这样一个不伦不类的位置上，显然是二进主体合院与大花厅之间出现了一条布局上漏洞明显的瑕玼，造成风水上借机有漏气跑财的说法，且巷长而窄，于是只有在斜对的西方建一大照壁，以挡住财气。同时此墙又形成"通柴水"之便的便门，且成为合院的三吉方之一。《阳宅撮要》卷一门路言："大门吉，便门又吉，乃为全吉。"因此此照壁一立，不仅解决了"跑财漏气"问题，又完满了格局周全问题，真谓一举两得。

6. 陈家桅杆原左前角有碉楼一座，大花厅外墙有二层阁楼一座，堂屋后院正中戏楼一座，花厅石山外墙有两亩地的花园，这些均已毁废消失。

附谷川文："争奇斗异的百年古宅"

成都以西约20公里的温江县寿安乡，有一个小村庄——天鹅村。穿过依依垂柳，绕过馥馥花木的农家小院，在竹篱密密的浓荫深处竟盘踞着一座庞大的百年古宅。

布局迥异的建筑结构

11月，一个阳光明媚的日子，记者一行走近了这座古老而神秘的百年古宅。

宅院占地7000多平方米，有大小12院。据说是清代翰林学士陈宗典与身为武举人的儿子陈登俊历时8年时间才建成的。宅院刚刚建好，便遭到当地土匪袭击，部分建筑被焚毁。后来，又用了数年时间进行修复。

然而，房屋的主人陈宗典还没有等到整个建筑宅院完工就撒手西去，原设计中的一处荷塘因此没能建成。庞大建筑群的正面，原来竖有两根高十多米的石制方形桅杆，故被当地人称之为"陈家桅杆"。对"陈家桅杆"进行了十多年研究的民居学者、西南交通大学教授季富政告诉记者：该建设群布局迥异于几进式的民国天井和大院落，在川西古建筑民居类型中独具正宗性、独立性、典型性，是目前川西惟一保存的布局比较完整的古民居，更显得极其珍贵。

走进宅院，满目都是断垣碎瓦，再细看，蛀虫和白蚁在房梁上安家，院内的杂草有一尺多深。居住在这里的几家农户，把油菜杆、麦杆、稻草堆得到处都是。老鼠不时从草中跑出来。屋里、檐下挂满了大蒜，几只母鸡在院里刨坑。

尽管房物残破，景象衰败，整个恢宏的气势和精湛的工艺水平令记者震惊：陈家桅杆院前横立着一堵照壁，壁上虽墙皮脱落，但仍然透出当年家族的名望与浮华。绕过照壁，是黑漆卷拱重檐大门，大门两旁为粉墙，断裂的墙体上残存着石刻浮雕，图案精美、工艺精湛。檐上的彩绘花鸟依稀可辨。院内建筑共分三组：第一组是正中三重大院，分为前厅、二厅、正宅，是主人生活起居处所。屋顶飞檐翘角，斗拱五色彩绘，厅壁上为山水画，四围皆绿窗红柱；第二组是西侧的闺房、书房及小花厅。书房名为"翠柏山房"，布置典雅，四壁有镂空石刻和名人字画。书房后面有忠孝祠，祠内有精工雕刻的石拱桥，上刻人物浮雕，桥下为鱼池，祠内正面壁上有主人画像及石刻宗谱；第三组是东侧大花厅，为整个建筑之最，院内正面有照壁，两端石砌牌坊形大门，上面琉璃筒瓦，中设戏台，四周有走马转阁楼，雕梁画栋，曲折回环。还筑有亭、阁、水榭、鱼池、石山等等。

而令人痛心的是，这样一座极有价值的古庄园正在以惊人的速度被损毁。专家们发现，几年前还存在的东西，现在有的已不知去向，有的已损坏，如祠里一座连接阴阳界的"奈何桥"严重毁坏，花厅后面的回廊，连顶子带木廊都没有了。照壁附近一个浮雕撑弓坏了，损痕还是新的，后面一个吊瓜也没有了。每年夏季的风雨，都会给老屋带来严重毁坏。

谜一般的陈家桅杆

陈家桅杆内有许多对联、短诗。其中大花厅的正墙上写着："傍门虽非正道，曲径也可升堂"，节孝室外写有："春花开得早，夏蝉枝头噪，黄叶飘飘秋瑟瑟，白雪飘飘冬又到。叹人生容易老"。诗句、楹联均为清代书法名家所书。细细品来，这些诗句浅显易懂，对仗也不十分工整。

按照中国人"光宗耀祖"的传统习俗，陈家桅杆理应将陈家的创业史记录下来，传于后世。陈宗典、陈登俊父子分别号称翰林学士和举人，并竖立两根双斗桅杆于门外，以显示其身份不凡。而整个陈家桅杆所留下的碑刻等资料中，仅仅知道陈宗典是重庆壁山县人。陈氏父子是否为官？在何处为官？为什么要到这当时还相当偏远的川西腹地建一座豪宅？巨额的建房资金又从何处来？该建筑群为东西朝向，最令人称奇的是院中那座3米多长、2米多高的石山，竟然是按道教圣地青城山的全景缩制而成，山上所有的道观、寺庙无一处遗漏。

在寿安乡政府负责人的帮助下，记者好不容易找到了陈宗典的第6代后人黄兰西。黄已76岁高龄，曾是当地小学教师，并参与《乡志》的起草、编纂工作。据他说，他母亲黄陈氏是陈宗典第5代孙女，那时陈家已家道中落，至于陈家那笔建屋的资金出自何处,黄老师笑着说道,据传说,陈宗典曾经在京城当官,职位不高却颇有实力,因为他掌管着钱财。清朝同治3年(1864年)战乱席卷北京,八国联军焚毁圆明园,朝廷内外一派混乱。陈宗典乘机带着钱财逃回重庆璧山老家。这一笔不义之财令陈终日寝食难安,生怕有朝一日朝廷追究下来,陈家老小几十口人的性命难保。经过反复考虑,陈决定离开家乡,到成都以西的温江县寿安乡落脚。陈家桅杆修了8年时间,占地面积10余亩,大小12院,当时修建的情形颇耐人寻味。据说,附近三乡五里的木匠、石匠都被陈家招募。由于修建时间跨度较长,到陈家桅杆建成的时候,当初的小徒弟已成大师傅;老工匠们被尊为师爷;当年的小伙子已为人父,拖家带口还在为陈家修房子。

当时寿安一带还流传着一个尽人皆知的故事,故事说,陈宗典做了一个梦,梦中有人告诉他,有一个叫做"石马口"的地方埋着银子,你可以去挖。陈带人星夜前往该地,挖地三尺,果然掘出一大麻袋银子,陈宗典喜出望外。麻袋里留有字条,上面写道:"此钱只可修房造物,不可买田置地。"于是,陈宗典用这些钱修建了陈家桅杆。

有关这笔钱财,还有另外一种说法。传说寿安乡的吴家场村是陈圆圆的故乡。当年戎马一生的吴三桂曾带着陈圆圆回过寿安。而当时陈家祖辈就是吴三桂身边的侍卫。兵荒马乱之际,吴三桂把部分钱财藏匿在寿安某处。这件事陈家秘而不宣,到了陈宗典这一辈的时候,找到这笔钱财,修了这座庄园。相传,吴三桂打仗时穿过的铁衣、铁帽和一个铁皮柜子,至今还埋在陈家桅杆节孝室旁的女儿墙下面。

陈家桅杆的今天和明天

陈家桅杆早已是公有财产,1985年,被列为成都市重点文物保护单位。长期以来,这座庄园多年闲置,并无固定的居住者,更谈不上维护修葺了。这里最老的住户,71岁的费光明大爷告诉记者,当初他受托搬进院里居住,就是帮忙照看。那时候院内的房屋、石木雕刻及家具陈设还比较完善,照壁后的黑漆拱形门上还有一对贴金的狮子,正堂供奉着天、地、君、亲、师。

后来,院子里成了烟麻公司的收购场所,作过粮食仓库、公共食堂、养老院,还办过小学,住过养路工人和流动匠人。五十年代,因为不通公路,大庄园鲜为人知。公社化时期,大队要改建水电站,石桅杆被拆走。

曾参与拆除桅杆的陈大爷回忆说,因改建电站的资金困难,只好就地取材。就桅杆是否拆除的问题,全公社开大会讨论,最后认为桅杆属于"四旧",修电站又急需,决定拆除。最令人称奇的是,拆桅杆时来了许多人,都以为如此笨重的石头柱子需要很大的力量才能将其推倒。十多个人用绳子套住桅杆上端,不料稍稍用力,桅杆就倒下了。人们跑过去一看,结果桅杆根部埋进土里的部分,深不过10厘米,大家不禁称奇,这样一个10米高的石柱是如何在风雨之中站立了那么多年的时间。

居住在陈家桅杆古井旁的一户人家姓尹,主人叫尹大清,是1958年搬来的。尹家两个儿子、一个女儿都在这里出生,都是喝着古井里的水长大的。尹妻听说记者要看古井,热情地找来水桶,从井里打上一桶清凉甘冽的井水。记者一行忍不住上前饱饮了一通。

随着成温灌公路通车,汽车一直可以开到陈家桅杆的照壁前面。国内许多建筑学家、民居学者和旅游者前来参观、考察。专家们认为,陈家桅杆的文化内涵和建筑特色甚至超过大邑刘氏庄园。其建筑格局有明确的主导思想,各种雕刻丰富精美。刘氏庄园场面大于陈家桅杆,但有逐步扩张的拼凑感,且建于民国,缺乏雕饰。对陈家桅杆研究了十多年的季富政教授认为:陈家桅杆才是真正意义的川西古代大型民居,而且是惟一仅存的一处,是得天独厚的一笔人文资源。陈家桅杆如能开发,将起到填补成都周边人文景点布局空白的作用,必将成为一个热点。

专家的建议及陈家桅杆的现状,早已引起政府及有关部门领导的重视。副省长邹广严、省旅游局局长廖冬冰曾前往考察。有关专家已经讨论通过《关于在温江陈家桅杆地区创建自然生态、人文生态全新旅游景区的可行性课题报告》,建设规划方案也基本定型。

根据规划,通过景区的环境建设,形成独具特色的自然、人文景观、自成一家的天府经济、自然、人文复合系统,以陈家桅杆古民居为核心,以川西农家林盘为自然生态借鉴,综合川西小镇传统建筑人文风貌,将其提炼和升华,构成一个似镇非镇、似聚落非聚落、似园林非园林、建筑疏密有序、高低错落、处处小桥流水人家、家家都在绿色丛中的全新模式,形成巴蜀民间文化的高度浓缩。因此打响陈家桅杆品牌。

采访结束时记者还得知,陈家桅杆正在通过有关部门的帮助"打进"因特网,使其成为一个世界性的旅游品牌。

雅"俗"一宅——酉阳吴宅(图96、97、98)

雅分两种:一种是温文尔雅,一种是大俗大雅。居宅古典,雕刻精细,空间规整,色调馨香为儒雅之气,是模范遵守传统思想循规蹈矩之作。有规范人言行的奇效,人进其中,顿时手脚无处放,步伐放轻放慢,谈吐细声微气,生怕搅浑里面的宁静,人于是彬彬有礼。另一种住宅,外观生动,形制奔放,空间随意,营造出奇,极富个性,索无出处至为出格。人居其内自受建筑"挑逗",情不自禁,可喧哗可歌唱,可跳可蹦,分外淋漓酣畅。一切精神约束忘得一干二尽,人性真相露出,"俗"相大绽。

两种"雅相",历来互有微词,不可兼而有之。相互看之不悦,各行其事。恰就有于两者间合二而一调合于建筑者,实在是奇制怪宅。

(图96)吴宅"俗"门一瞥

川东南酉阳县龙潭镇镇旁吴绪先宅,一宅分成两部分,但统为一体,两者内部有空间疏通。外观隔而有分,一致中就有"文、俗"的端倪露出。但相互非常统一,且别致生动。

宅整体面西座东。南侧之宅为进深尺度不大的二进合院,仅十多米。朝门斜开校对西南方为最佳经典朝向。一进院内左右为厢房,上有楼,加雕花栏杆。对称式各两间,共宽约6.5米,进深却有8.4米,里分两间。天井约6米,中有石梯加左右屋沿石梯,三梯同步共上正房。中堂屋敞间,前有石栏杆,过堂屋左门可入后天井。堂屋左右次间与下厢房之间开巷道,可与北侧庭院相通,亦是唯一通道。后天井前有堂屋香火间壁,后有封火山墙,仅左右后厢房各一间,宽3.1米,进深8.4米,为主人卧室。内铺设地楼板,扇门雕刻做工精丽,嵌玻璃。天井虽小,但唯紧凑。因居堂屋之后,尤显私密。

庭院地面全部川东南特有的石灰石精工打制。从第一道院门踏步上来,至斜开八字门墙下再天井，屋内皆嵌缝严密，对接工整。庭院布局按严格中轴布置，仅垂花式朝门偏斜，门厅斜进天井，打破了天井规整的四方平面。但没有影响中轴对称的严肃气氛，因其是校正朝向不是寻趣探奇，反倒觉得严肃有余。

庭院四周均有高出屋面的封火砖墙，高约10米。除正房为两坡屋面外，两侧均为一坡。木构用材毫不吝惜，无一处勉强拼合或小木材痕迹，皆粗木析用。但全用本色，不事华丽色泽，儒雅之气油然而生。各处木作做花雕刻精丽在内宅，工稳细致在前庭，通体突出一个"严"字。因是主人起居、读书之地，不事喧嚷，不事轻佻。治家之道，虽伦理秩序为上，然形之不成空间沉稳肃穆气氛，亦形同暗示可以言行放肆。因此，整个庭院于封火砖墙高大围合于一统之外，内部对称，用材不马虎，做工丝丝如扣等，则概然全全以认真。故严格氛围形成必然如学问儒教的严谨，如讲究衣、食、言、行的规范，如端庄的品行。所以庭院平生儒雅之气，一种中国人崇尚的循规蹈矩的温文尔雅之气。这种气象的滋生弥漫于建筑，根在传统思想，在宅主文化素养的底蕴。如果只讲中轴对称，其他局部空间制作、工料、小技来个马马虎虎，等于是不得已而应付中轴线的威仪，雅之不纯，定有欺心佻薄在内。空间气氛亦随之大变。一事之微，可览全身。但国人并不是成天都板着面孔的，儒道并行不悖更情外有情，亦不断寻觅多样化的色彩人生。若吴宅南庭院为儒雅之庭，那么北侧之院则是大有道家无拘无束的山野气氛。

龙潭镇外多地下涌泉。吴宅前一里处即有巨大泉水平地冒出，水流成溪于宅前成"之"字形。主人于是在转弯处搭了个简易石桥，植杨柳两株，以谐"小桥流水人家"之趣。过桥便是砖砌八字门，朝向和前住宅门同。门墙和前住宅门墙相连，但北侧临溪全乱石砌坎，坎直下溪水中，坎壁爬满花藤，高齐门墙，此又是宅主一番亲近自然的构思。

（图97）吴宅雅门一瞥

进门是封闭式天井，前无厅，左右有带楼的厢房。精采在于在天井四周楼上构作了"走马转角楼"的内向回廊。廊过门之上如廊桥，人从"桥"下过穿天井，再过正房堂屋，堂屋香火处全敞开，干脆作过厅直到后花园。于是在进大门处，后花园诸般花草繁荣景象就先声夺人，蔚成野趣勾引之貌。说到此暂回天井后"堂屋"侧登梯上楼，其全木黄澄澄构件左穿右逗，扑朔迷离。绕廊而走到门外，原是挑出歇山书楼，廊再绕书楼半圈成外廊，即入内房间。书楼外之楼廊亦是回廊延伸出去的部分。而回廊过大门之上，因窄无间房如廊桥上行，由此可直通南侧住宅前院右厢房之上，其间有小姐楼二、三间。这样以回廊为二层空间中心，十分方便地把南北两庭院联系在一起，又和底层通道呼应，构成了两庭院的交通体系。亦是两庭院为一宅的动脉之处。

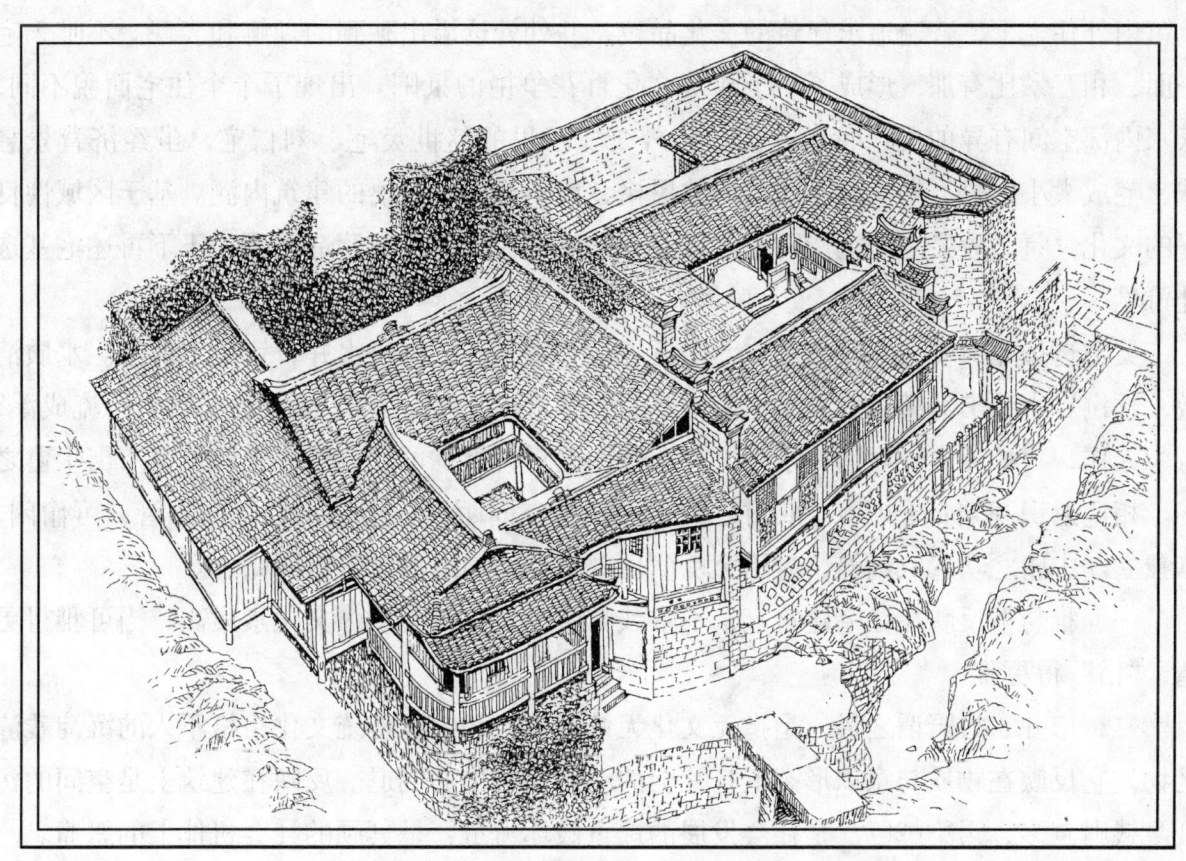

（图98）酉阳吴宅透视（参见图5吴宅在龙潭镇的住置）

回到北庭院前天井进后花园，这里让人惊讶的是地面花草纷乱。但出奇制胜而罕见天下的是：左、右、后三砖墙高过10米左右，其墙面全被"爬壁虎"藤蔓铺盖，砖体全无一处露出，实则构成了藤蔓之墙。且部分窜至瓦屋面，翻越墙头侵入南庭。所言之野趣，真是野到极致，这就和前面楼廊、天井、乱石坎壁等潇洒奔放之建筑分外谐调地统为一体。比较起南庭院的严谨形制和气氛，宽松得悠哉游哉，空间变幻如山野闲舍。比起温文尔雅的规矩来，亦可说"俗"到极致。然而，正是这充满自然大趣之"俗"，让人的本质一面，人性一面，得到了建筑这一媒介物的庇护以释放，个中多有道家宗旨。一儒一道之比并，反差何其大。建筑从构思设计、内外空间面貌、材料应用和构筑，得之空间气氛，气氛给人的感觉等等又是何等之大。如果说把南北两庭院放在一起，中间还隔了一堵高墙，形似两者互不相干，实则又是一宅的现象去寻索类似之作，恐怕不是多见的。真是一宅两制，本是一家。根都在传统的文化形式上，万变不离其宗，翻来覆去儒雅可，大俗之雅也可，故相似亦谐调，大起大落亦也谐调。灵魂及血液不变，面貌殊异如同南北之人。

吴绪先，江西移民，乾隆年间入川，时在乡下务农。后曾祖父做油、桐、漆、贝（五贝子）生意。低进高出水运沿酉水下沉江，在常德、汉口奇货可居发财。后在龙潭街上设商号于福音堂侧。因距水码头近，进一步聚财后于此建宅。龙潭是一个山青水秀又兼具农业中心的地方，发财者多，又有深厚的传统文化素养。因而在街道建筑、宗祠会馆、寺庙及镇内外住宅上，普遍追求建筑的文化品位，并处处透溢出独到的理解和表现。不唯千宅一面，相互攀比有加，形成了一个建筑文化百花争艳的氛围。出现了个个住宅面貌不同，家家内部空间有异的民居特色。比如镇外二、三里的赵世炎宅、刘仁宅，虽经济背景悬殊，宅成大小之分，然均呈不同凡响的风格，成不可同日而语的建筑内涵。基于区域性良好的文化气氛，故吴绪先宅恃财力之雄厚，必然不在其他住宅营造之下，于下再述宅基选址可见一、二。

吴宅选址龙潭场街中段南侧方，附近聚集了大小五、六口水井，皆地下涌泉。水质清澈，甘洌。水量丰沛满溢。长年均衡，不受天旱水涝之忧。且有溢出之水绕宅而流成溪，虽为人作，犹如天工。而诸井泉间大片空地，面对村野，可获自然之爱，可免市街尘嚣之扰。相宅意识基础介于街市与农村之间，于两者空间距离为不过不及，两不管，可偷闲，慕独立。中庸之功驾驭娴熟，应用至臻。反观生意经的成功，殊途同归也。

一、雅与俗反映在住宅建筑上，不唯钱财所左右。钱财多，文化素质高，当可雅得更精，"俗"得更雅。

二、市井、村野谓之俗，是指无文化无修养的，和中国传统文化格格不入的沉淀残渣之物。它反映在物质与意识形态上是社会的溃烂和历史的倒退。反映在建筑上是空间的污染。钱财越多，污染越巨。是社会发展的严重破坏力量，是冥顽的社会机体上的恶瘤。

三、无钱财，有文化，不在乎材料的粗陋，故城镇、乡间于过去时代经济贫弱之境，国人照样以简易的住宅顽强地表现着自己的高尚情操，学识涵养，审美情趣，空间理想。

四、雅俗观是中国传统的，也是人类的。故西人惊呼我们也觉得美妙但材料破旧的建筑时，大家取得了建筑背后文化深奥玄秘的共识，大多西人是严肃的，是在仰慕我们的文化，不是在嘲弄我们建筑的落后。

"杂"院深深——洪雅王宅（图99、100）

巴蜀之地，地平者多成良田沃土。若要建稍大之宅，绝然少见于良田沃土之上。尤丘陵山地，更是惜土如金。农村如此，城镇也如此。有洪雅县柳江场场头一建宅者，宅主王姓，聚财后欲求一宽大宅基展开建房宏图，最后择准一河滩地。其地后靠浅山，面对宽河，狭长有余，宽则不足。然满河的鹅卵石，近便的距离，只要稍动劳力便可垒集成堡坎，若再挖土填方，平整宅基自然而成。然既是如此，亦不过狭长地带，若在上面建传统四合院，显然处处受地面尺度约制。如何之好，的确是很费脑筋之事。

不过从平面看，王氏尚有中轴对称最初意识的。大门居中，右侧不规则四合院，横向以戏楼和四合院相对等都能看到中轴布局的端倪。实在因为地狭长之故，似才不得不作出放弃严格中轴选择，留下意象的"大致有一点"的中轴味道。恰此一松动，等于启开了宅主空间创造想象力，调动了主观能动的设计构思基因。这就把宅院空间气氛搞活了，使建

(图99) 洪雅王宅透视

筑的表现力变得丰富起来。建筑体量、空间大小、建筑形式、空间功能等亦因此得到解放。而"搞活"不等于撒手放野乱建一通，亦还是有板有眼，意象中轴，讲究格局，功能有分。因此，颇感杂而不乱，乱而有序。拿这个观点深入地联系川人幽默的乡土性和自然环境的随意性相融汇，王宅之优美则更是融天时、地利、人和于一炉，显得特别灵动，别具风姿。

民国初年，王宅相宅选址于风景十分美丽的杨村河畔，杨村河为青衣江支流。过去柳江产纸，又是一方农业中心，地在峨眉山北麓，物产殷实，崇尚文化，耕读为本传统思想浓郁。致富的几户大家各有所好，乡间流传"×家房子，×家谷子、×家银子、×家女子"的谐说。尤"×家房子"实指河对面曾家，曾家庭院以"寿"字笔划构成庭院平面，奇诚奇矣！可惜内夹若干西式形式于传统格局之中，又理解不透，结合生硬，彻底毁了传

（图100）杨村河畔的王宅

统格局与建筑的纯度。而王宅迫于地基窘境中建宅，以传统仪轨为建宅灵魂，然后在此基础上发挥，淋漓尽致之处仍是中国的，更是巴蜀的，可贵者于此。

王宅河滩地顺河岸等高线庭院，中大门一侧，面迎河面仅三、五公尺。过去浅水竹筏均聚于此，亦权作码头。下乐山山货、纸张，返回之百货、食盐也由此装卸。故门前成要道，热闹非凡。又同作水埠，全场镇用水均取于此。因而古往今来镇人于此作为重点绿化，有黄桷树、麻柳树、竹子等同作护岸保路又兼遮荫美化之用。王宅于此建宅，显见还有临水之趣，人气之盛，场口之利，交通之便等诸般考虑。所以，王宅布局必然把庭院的功能分区分划清楚，把用于家人和用于生意的空间从进入大门后便立即分开。分道归属，公私有别诚亦传统空间的遗韵，不非中轴对称莫属。

如果以大门面河面道路为正立面，那么，庭院为座东朝西。若以内四合院单独论朝向则座北朝南。然从大门进入，北则为家人居宅，南则栈房系列，中为一木构小姐楼。居宅因地狭局限，下厅成过廊，加几步石梯上去，形似一排三间，却开间悬殊，厅廊同天井宽。临河岸一排厢房作家人起居、待客之用。作干栏式，光线明媚，风声浪声，可览河上筏帆、远近景致。此为最惬意空间，但太小巧。另一靠岩坎壁厢房，潮湿阴暗，作厨房、杂物堆放。正房三间，后置封火砖墙。一坡屋面，尺度太窄，祖堂仅作香案神位，不能议事会聚。转角房同祖堂大小，临河一间恰作小读房倒刚合适。如此紧缩屋内空间为何故，全在宅主太痴迷自然之趣，因而把本来就窄的宅基用在天井上。天井一大，屋角的大黄桷树虬枝可斜垂天井之中，又在枝上悬吊兰，植寄生兰，这就把人与自然关系搞得亲亲热热，亲密无间。春之淡红黄桷苞，夏之浓荫，秋之屋面、天井一层落叶，整得满庭芬芳，搅得满天落叶。人居其中，里里外外，一派自然如入无人境之地的倘佯放肆。宅主如此放纵自然，显见恋自然太深之故。大有衣食住行皆小事，得罪自然卧寝不安皆事大的道家风范。于此可窥见名山圣寺旁民居受其影响之深，而不在于民居本身非像寺观建筑不可，影响之透彻全面可见一斑。

以栈房为主的另一侧建筑群中、面积大于家宅。有临河二层高大全木结构房屋，内置楼廊，廊与中戏楼楼面相通，但各有楼梯上下。戏楼楼面有左、右、后三面房间包围，似像过厅，又似堂屋。此又是宅主另一番妙算。

川中戏楼广泛兴起于清中叶，是伴随戏剧发达而产生的精神建筑。边远之地，尤住宅中建戏楼也一时成为文化时尚。但戏不是经常都有演出的，以至多有戏楼闲置。宅主十分清楚这一浪费现象，因此在构思庭院时，就把戏楼置于中心位置，其下作过廊可通后院，其他房间皆围绕戏楼布置。如此之作，既尊重了戏楼特殊的教化作用，又把它纳入平时可使用的考虑。有戏演戏，不仅有"楼厢"，还可在房间里看戏，旅客大有共同参与之感，无疑吸引了顾客，成全了生意。无戏演出时，楼面一间的中心位置恰似堂屋之间，整个二层若干房间客人进出都可集中于此。主人亦摆桌设椅、掺水烧茶，把众客人枯燥生活搞得热热闹闹，尤如舞台上的戏趣。也就进一步招揽了生意。

把戏楼同作他用，制度上可否不可考。然河对岸曾家院子更把戏楼当小姐楼，则更为蹊跷。而国内各地宅中戏楼独立地位相当地强，川中其他地方也罕见类似之作。恰柳江便有二宅这般"羞辱"戏剧的教化神圣，个中原委则仅充分利用空间而已，并无他意。不过可以看出此地乡人办事运算的精到，同时感到川人素来"原则上变通"的诙谐情调。

王宅把主人住宅与栈房空间统而有分成两大功能区域，加大门正中书阁小姐楼风物，几乎全木结构的营造，戏楼歇山屋顶四角起翘的优美，建筑高高低低的起伏，天井、敞坝、过道、屋廊多类型空间的变化，看似杂乱，实则有序。内蕴宅主成熟的文化修养，又不僵化又不放纵的手法。尤其是在环境上的经营，大黄桷树、麻柳树、斑竹林在屋前屋后的精心栽培。又面迎浅宽带跳蹬的河面，背靠峨眉山北坡的雄峻。从大环境到庭院，从庭院整体到功能分区，从分区建筑的局部空间处理，都让人咀嚼到民居文化的甘美和绵长。所以，多有此一现象再絮结一、二。

(1) 川中有不少民居显得很"杂"。大概可归一类：内有住宅、文阁武碉、碾坊作坊、栈房门市、支祠家庙、塔楼亭榭、水池假山、大树繁花……等等，这是非常优美的民居现象。这种现象内积丰厚的意识形态背景。

(2) "杂"，可在城镇，亦可在农村；可为绅粮、大贾，亦可为贫农佃户。皆因地因财、因事因时而宜，充分追求住宅内涵的多样化，实为文化素质表现在物质形态的行为延伸。

(3) "杂"非面面俱到。内有多少之分，有此无他，多少不论。

(4) "杂"的源流仍需溯之"湖广填四川"各省移民之"杂"。其住宅仅为融汇之一侧面，亦即过程之中，故形制仍在发展。若历史仍沿着稳定的轨道发展，必然有稳定的模式出现。

幽兰芳墅——峨眉山徐宅（图101）

（图101）峨眉徐宅前庭吊脚楼

峨眉山区不同于一般纯以农业为主的地理环境，它以山林、高山、河流、耕地和宗教寺观构成自然与人文合二而一的特殊人文地理概念。在这样背景下产生的民居有着不同于其他山区的风貌和内涵。大致可分两类，一是专事农业的民居形态，二是亦农亦商的民居形态。

专事农业者距交通要道较远，商业条件不具备。住宅多按合院制格局展开，唯坡地构筑，分台分面，导致屋面宽大拖长，构架随坡变化等特点。

而同时兼做生意的农户，亦不唯都开餐馆、旅栈于山道旁。更多有专营奇花异草，挖寻草药，打猎捕猴，罗织山鸟，加工食品者。自然这一类民居呈显出各自多多少少的职业属性。有的外露，一目了然。有的含蓄甚至隐蔽，须经过一番室内室外等多方面的周旋之后，方能渐入芳境。

万年寺下桂花场徐厚新宅便是一种不了解其职业特点、生存方式，则不可详知住宅内涵的幽芳之制。

表面看来，徐宅与一般四合院无甚区别，选址于山间台地之上，有和峨眉山相依盼的心理照应。确实，从正房和两厢房的形制看，宅主仍老老实实地沿着传统模式在建房。

然而抛开这大骨架而综合起各部小空间看，发现主人非同一般无文化的等闲之辈。有和山道相接的龙门一架，无围栅，和主宅无建筑联系。作为住宅而言，形同虚设，仅为符号。使人想起伏虎寺下几道山门连续。然后宅门由侧入，宽大的檐廊和天井顿觉光线柔媚，檐廊围绕天井一圈，在堂屋处更是退进诸多，把卧室诸房似乎逼得很远很窄。于是形成了一个半遮掩的十分宽绰舒适的庭院活动中心。此又使人感到这里莫非留有办席欢宴，读书夜谈，拨弄花草，内眷针织的余地。如不然，何以做出这样宽大空间的选择。围观天井，中一浅石露出地面，似破坏了地坝的平整，然正是主人故意留下原生石状，待来后布置园林的灵犀，果然，石板路作天井中轴线上铺陈，左右兰草葱茂，一片墨绿间，淡紫兰花送出满庭"王者之香"。而檐廊之处正是绕而观之，坐而闻之绝妙之处。若欢宴其间，可谓人生最高境界了。这是古往今来读书人的梦境，也是其渗透力在民间空间表现的淋漓流露。宅主效犹之，且工精圆熟。底蕴之厚，犹如幽兰之馨。这是一家人长时间关门独享的天地，专为兰作，故以纯为雅，不栽其他花树。

穿庭出前厅下外三合院，下房尺度窄小，带过厅三间。三合院面对山野，敞开感觉很强，有天空宽阔之势，似安全不足。恰两厢干栏高置，均有楼廊以美人靠兼栏护，美观实用绕厢三面。大有眷恋干栏古制的遗韵，实则得一空悬底层好堆放柴禾、秸杆杂禾。但是两厢中间却筑高台加土石混墙把天井改成花园。左右乔木，下栽时令花卉，有门道和后院落相通，门一关，又自成一统天下。其庭院气氛自成，而带廊的左右两房间，无论读书、休闲、客寝均是不可多得优美环境。尤其在尽可能多地加大开敞面，和峨眉山山林景观相观照上，视觉面可到达的角度上，宅主是有一番运筹的。有一个看似简单的道理，即为峨眉名山腹地，建房却不考虑这一特殊环境，偏要像平旷地一样把住宅封得严严实实，割断和名山美景从实景到心理的联系。那么于此居家、待客还有何独到之处呢？宅主把这一绝顶中外的环境因素十分娴熟地揉合在住宅中，不能不使人油然而生钦佩之意。人不在乎读了多少书，拿了多高的学位，文化程度和文化素质不是绝对必然的关系。尤其在环境认识上，犹如当今风景区不少响当当的建筑，什么都不错，就是于其中常感觉不到已经来到美境之中，好象在城里宾馆，使其设计留下一处致命的硬伤。设计者文化不可谓不高，却又留下了民间初识字者住宅的嘲弄。此还算不能以偏概全之处，再到后院南侧小天井，则又是一番和自然顾盼亲近的佳构。

南侧小院为狭长天井，天井四周摆满盆栽各式兰草、盆景。兰草喜阴，不知是否有意在此形成光线幽暗之境，但见生长旺势，奇香弥漫。由西上阁楼，两层全木结构，楼上一间小屋，刚好放一架单人床，一张书桌。外三面围走廊，为歇山屋顶。这一院外之院纯为家庭再营造一个休闲空间，其上有耍楼，且幽静私密，摆一张八仙桌打牌亦是合适不过。还可一边观览峨眉山色，下有阵阵兰草花香袭来，真是神仙之居了。仅就此院，我们可列出几个时髦于当今的词汇：有阁楼的小木屋，温馨的小院，兰花幽香淡淡的氛围，……。何以一个农家能如此眷恋环境，把住宅经营得文雅儒风，空间处理得如此恬美得体，有如开头所言两点是不可忽视的。余下再补述。

(1) 峨眉山亦农亦商者不唯专事餐旅者,还有多种经营者。徐宅主除农业生产有相当殷实的收获外,平常以种植兰草兼挖山药为额外收入。兰草与药材两科均要一定的专业知识,深者可谓大学问,浅者游走江湖泛泛而吹。无论何种知识,皆是人类发展过程中的分工,其认识模式应是同构的。徐氏能把兰草之功做到精熟。同理也可把住宅布置周祥而富情理,是一种思路的两种表现形式。言商家富文化者为儒商,徐氏便是儒农。儒商之宅可以典雅,高贵追求一种美学境界。儒农之舍亦可以朴素忘我,真率直述自然之恋为另一种美学境界。前者以钱财加文化,后者以环境加真率。虽产生出不同的空间形象,仍是美的殊途同归。

(2) 特殊的地理人文环境是一种物质形态产生的重要影响因素。徐宅慕峨眉山之名,不独徐宅才有如此空间现象。比如宅院建小阁楼一构,过去峨眉山民居中仍较普遍。现存者黄湾肖宅等处也还有此风物,而且是三层。

(3) 峨眉山对山民的影响是多方面的。山上寺庙本来就是民居模式宗教化的结果。它后来变得又多又大又宏丽,反过来又影响周围的民居。这种影响主要是心理的,通过同时是寺庙修建工匠,同时又是本地农民的媒介来完善这种影响。故山区民居多神似寺庙。而神似不单只建筑本身,还包括和环境关系、内部空间关系以及传达出的文化气氛,反映的深层本质等等方面。

(二) 碉楼民居

大岭山庄——江津王宅 (会龙庄) (图102、103)

凤场乡地处大娄山北翼余脉的山脊上。晴朗时可遥望贵州习水县境群山。会龙庄选址于场镇东向一"燕窝"形凹地间,建于光绪九年 (1884年)。正值清末民初择基相宅风水看地盛行之时,又是社会动荡,匪盗猖獗之日。安全与风水相助,田租管理方便集中,构成川东山区峰巅之境一处叹为观止的大型庄园。

民间流传"会龙庄"之名来源于宅后有龙脊之山脉,前有往二郎滩大路弯曲如游龙,二龙相会于"燕窝"地,会龙庄因而得名。恰又于此滋生出龙蛇为吃燕窝之燕卵的迷信邪说,因而种下宅主王姜氏守寡绝嗣的祸根。此传可窥视过去时代愚昧状态,一些现象无从解释而与住宅相偕说的迷茫,又深深的隐喻着剥削者与被剥削者之间不平等的诙谐抨击。民居文化之微妙于此可悟分寸。再有,一个事物的出现,总有它发生发展过程,孤立地看

五、巴蜀民居例析　　　　　　　　　　　　　　　　183

待分析现象本身，而不从现象发生的诸方面深掘追寻，亦往往导致片面，那怕发生的原因充满离奇感情色彩。比如川中农村豪宅华院产生，必涉及大量钱财问题：清中叶郫县犀浦五粮村有陈举人的"陈家桅杆"大宅。言陈

（图102）会龙庄碉楼风姿

掘野坟见有一匾额，上写"只许修房建屋，不准买田买土"。再揭棺材盖子，里有瓦罐装满翘宝银子，于是才有了陈家桅杆宅第。无独有偶，会龙庄之兴建，流传王姜氏丈夫原贵州籍讨口叫化流落风场一带，后靠睹钱以鹅卵石变银子发大财，才得以庄园的建成。显然，个中原委，时代落后低文化素质的社会土壤，适成了低级骗术的流行。其间掩盖了剥削或不义之财的来路，在今天唯物主义常识普及时代的人看来，实在是司马昭之心，路人皆知的可笑伎俩。所以，无论哪一幢巨制、宏宅，哪一组庭院、庄园，它总是有来历的。而来历的诸般种种，必然影响到民居的规模、选址、布局、空间、组合、装饰等等。因而，事物的发生阶段是构成现象必不可少的过程。舍此，民居文化将变得破碎，变得不能自圆其说。

会龙庄占地约2万平方米，有碉楼五个，其中三个碉楼布置在左、右、后山头上。有高4米，宽2米的石围墙串联三个碉楼，加之宅院左侧悬岩天然险壁，构成了庄园外围坚固的防御体，其围护墙体长达约一公里。何以如此兴师动众于庞大土木，亦正是民国初川黔匪窜最凶悍于两省交界山区时。故碉楼和围墙后建于庭院，是时民国七年。果然民国十年九月十二日，匪首曹天全率众攻打风场及会龙庄。因事前有防御围护建筑的准备，固若金汤，免遭洗劫。"

碉楼为边长2丈的方形平面，底层石墙，以上土夯，共5层。顶层为女儿墙，高约1.2米。墙上铺板立柱装窗，窗可推启，可俯瞰院落，极目四野，立于其上心境视觉均十分开阔。屋顶歇山式，构架以墙体和内部四柱从底顶到顶层分别承重。尤其在顶层，从四柱斜穿挑枋承起屋顶四角，又在内从挑枋末端分别吊出四个爪柱，尤显得技术与工艺结合的巧妙。每层高度不同，底层最高约1.3丈，层层减少。各墙面层层同开枪眼和窗户，包

括专用于楼梯采光的斜斗窗。二、三、四层内设房间，楼梯回旋而上，和楼道分割出房间。又从外墙面挑出围裙状屋檐三重，和屋顶形成四重檐外观。这是一个迷惑人心的内外不统一构作。内五层、外观四层。若以瓦檐论楼层则易于产生错误视觉判断。里面恐怕有对付匪盗攻击的运筹。值得指出的是，这不是严格意义的碉楼，碉楼是不开窗的纯防御结构体。加顶层每面三个大窗的木构不具防御性。因此是一个碉楼与耍楼结合体，正是江津、合江一带所说的"亭子"。故民间称呼，至为准确。

由于"亭子"晚于庭院34年后才建，似乎会在两者的空间衔接上产生不协调之处。经众多专家现场反复观察，认为不仅没有削弱庭院的审美性和空间实用性，反倒有力地烘托了轮廓天际线的丰富变化与环境的默契性。

另外布置在庭院外左、右、后山头的三个"亭子"和院内的同式，还有一个硬山屋顶的小碉楼在与院内"亭子"同一侧面。因此，众碉楼和石围墙成为形成山庄式庭院的关键形象。舍此，亦为复合式庭院而已。像这样兼有游玩娱情的防御体系庄园，如屏山龙氏山庄，通江唱歌山庄，武隆刘氏山庄，涪陵陈万宝宅院均有大同小异之处。是巴蜀民居中殊有特色的一大民间建构，尤显分外珍贵。

庄园的主体当然是庭院。庭院功能齐全，规模宏大，布局规整，工程严格。仅天井院落十二个。其下厅与中厅间天井为罕见的宽大，是轴线由此通过所展开的第一宏巨威严场面，是情绪整肃的声张。虽大而有些空旷，然正是中厅的谨严，两侧走廊的高朗与廊上书楼对称统一，戏楼宽大材料的厚重粗壮，规矩与庞大，一下置人于拘束缈小之中。待过厅而仰视正房，本来天井尺度还是合适的，因前大天井印象尚存，有比较其中，故顿觉窄小。此为纵横轴线交叉之地，原意建抱厅。直径近一公尺的巨大石礅磉已雕成，民间传王氏被人诬告想充当皇帝，已在建皇宫，后被朝廷下旨取缔，故遗存石磉至今于四角。从此纵轴线上左右展开的若干狭长小天井看，仍是蜀中不甚守规矩的"对而不称"布局。只要大门与祖堂中轴不犯大忌，左右增减有加，亦是川中建房普遍快事。所以又影响到房屋的布局，以及空间的大小分配、功能区域的划分等。虽总共有用房六十多间，然大小呈太悬殊之状。如正房中堂一间当比佣工8间之和。正是刘致平言富人一间当穷人八、九间的社会写照。

不过从正房前两侧把厢房隔得很远，又用两道墙隔断，然后开宽门，加屋盖，通左右天井的用心看，是宅主有意拉大卧室距离，增加户外空间面积，同时又加强了居室的私密性。其理至为周到。这后半部分庭院的核心，实则即为横轴线中段起居礼仪最频繁的活动区间，成为"十"字两轴线之交汇处。于此纵可达过厅、戏楼、大门。横可右去客房、过桥亭而至家祠敞厅，左可面迎宅中生活区域和去碉楼、厨房、加工房、厕所等空间。这就在横轴线上组成了完整的生活起居一统的属主人使用的私密性最浓的"宅中之宅"。

而庭院左侧服务于主人的若干设施及房间，则各有门、廊、道与"主人区域"有隔有通，各属不同身份者活动领域。房间构造、用材、宽窄大为不同，一看便知。自成一佣工活动空间,偕大小碉楼、厨房、厕所、磨房等。尤大小碉楼间小院落,其中为长狭天井两旁各列四房同等大小的开间,有门道和碉楼直接联系,在左后角构成独立的空间范围。恐为家丁武装特殊的居住领域。位置攻守自如,高可上碉楼众览群屋任何一处。下可进来迅速抵达宅内宅外。

整个庄园以石作、土夯、木构三者的完美结合而罕见川中。地面部分几乎全由石板嵌成。掌墨师刘玉成系石匠出身,尤重石作选材、工艺、施工,以尽量选择整石柱、整石板于合适处安置。下厅戏楼下过道8根整石柱,直径2尺,高近2丈,下础端成三角圆锥体嵌入磉磴间。中厅前石阶,五步有三步是整石板,宽2尺,长1丈5尺,厚0.8尺。其材均出自山下,如此陡峭山地,材料如何运输,至今仍为乡间讨论的话题。还有数十根2丈左右方石柱于庭院各处,通观里外,几无木柱立脚之处,清一色细腻的青砂石,质地上乘,加工精湛。更有甚者于天井石砌基础,民间传下底铺垫了多少层石头无法说清,仅现在天井地面如初的平整,嵌接对缝无丝毫裂缝,"油菜籽都不漏一颗"的技艺看,百多年不变分厘,显见确有非凡的石作工艺于其中。

(图103)江津王宅(会龙庄)透视

土夯墙体分前后筑成的庭院和碉楼两部分,很明显,早34年的庭院墙体无分寸自然剥落,而碉楼墙面则斑驳处处,传统的夯筑技艺何以临近现代反倒退化!而土墙于近、现代并不是一种落后建筑材料和形式。它的优越性亦为建筑、工程、百姓所共识。这是一个很值得研究的问题。

木构为穿逗式,多用在门窗、隔断、楼面、梁架等处。全用本色,用材粗细适度。木雕刻集中在戏楼，尤台唇宽厚深浮雕，面宽景深，雕制粗犷中亦不乏精湛。内容为二十四孝、折子戏等。

最后再回首整体朝向，下厅房以东向而座正西。然后在外坝子的围墙角又折东北方开大朝门一座，以对喻比龙形的大路。于此方才完满了山庄格局。而后面高大的楠木、松树所形成的屏风般绿化带，围护状层层向后向左右延伸，又构成了环境和庄园威严与神圣。其隐藏于崇山峻岭的山巅，又如此庞大而工整，则又叫人惊讶和神秘。它的风格不是豪华，而是深厚，是土生土长传统土壤中建立起来的大型山区民居。故得总结于次：

(1) 会龙庄核心部分庭院是山庄主体，复合式合院格局仍是传统宫室式的布局。

(2) 后来出现五个碉楼环踞周围，是庭院强调防御在空间上的延伸放大。不仅没有削弱庭院的主体地位，反而加强、完善了庭院功能，故得庄园之谓。

(3) 之所以称为山庄：是包括"山"这一环境概念，偕自然与人文合论的空间构成。

(4) 特定环境产生的民居现象，是实用的，也是审美的。更是一方历史、社会、经济、文化、科技、民情风俗等等方面的集成。

(5) 匠人留名碉楼顶层大梁之上，至为高尚习气。于责任、宣传、文化、历史皆大好处。

秘境诡制——武隆刘宅（图 104、105、106）

乌江下游段和若干支流，形成河谷深切，地势崎岖，两岸石灰岩连绵不断、高耸入云的奇观。地质及测绘专家评鉴为："岭谷高差300～600米以上，河宽100～300米，……其险峻程度不逊于长江三峡"。这是很客观的见地。可惜被长江三峡非常一般"峡谷"掩饰，而被置于距长江三峡不远的长江支流内。就在乌江支流石梁河流域内，亦是峰峦叠翠，巨岭苍茫。刘致平教授言，四川境内风

（图104）刘宅碉楼与围墙雄姿

景佳美,在这样的环境中很容易有优美的建筑出现。这同是深化环境认识而引伸出的高妙而科学的见解,是很了不起的结论,是一个建筑家同是实践家由衷的赞叹和推断。果然就在石梁河旁一名大梁子的山腰,俗称翻扁的地方,笔者于1992年6月作民居调查时偶然发现了一座庞大碉楼群组合体,时就倾倒山间,急呼"不得了"。1996年6月又专程复查。其间查阅资料,遍访川中,初可断无二例可之媲美,国内亦无同类比较,绝种孤例无疑。此为首次向世间披露,如何?静候佳音。

组合体为四碉楼分置四角,间有高墙相连而成方形围合空间。四碉楼略有高差,前两个各7层,为长方平面,顶层为一坡屋面房屋,作封闭回廊。层高约3.6米,通高约25.2米。后两碉楼各5层,底层之下为6米左右石砌基础之高。底层平面呈现"凸"形,像两个长方形叠加错开。四碉楼各"边"长7米,宽4.5米,面积约31.5平方米。墙厚0.9米,无收分。后两碉楼升至顶层同在四面伸出楼板梁约0.8—1米若干根。又在其上围绕土墙作封闭回廊,于是形成宽窄、面积大于下几层的悬山式房屋,覆盖小青瓦。伸出回廊恰起到屋檐遮挡雨水冲刷下层墙体的作用。

后两碉楼之间墙高及四、五层之间。其他三面墙高矮不同,在3—12米之间,并分成若干段。墙脊用青瓦扣顶。

前两个碉楼不在南北直线上,左前者在东北角、右者在南。

整个围合边长约52米,面积约2704平方米。围合的下半部分均用红砂石作墙基,后两碉楼基础间为墙基下一壁天然岩石。整宅座西朝东,前左北碉楼下开大朝门。由此进,即一空坝有墙南北横向把内分成两部分,前坝子长52米,宽9米。宅主又在逢中处开二道朝门。再由此入即为上二层木构三合院一座。前坝子占组合空间面积约5.5分之一。

这样就出现了一个外围高碉高墙,里面庭院,外围赤红土墙,内部庭院穿逗结构小青瓦的奇诡组合物。而且内院除左山花面靠墙外,其他三立面均距围墙有一定距离。由于四合院仅500平方米左右,于是在整个围合范围内留下大面积空荡之处,屋后有水井两口而已,估计是留作今后建花园之用。又由于围合碉墙过分高大,比较之中使木构屋体显得太低矮。这就在面积、高矮、材料、色彩诸方面,形成强烈反差,在力度上亦同感外刚内柔,在工料耗费上也全用在防御构筑上。如壮汉呵护一幼子,好似绰绰有余。

恰是这样一个"不伦不类"的组合物,使人感到民间审时度事,因地制宜所唤发出来的空间想象力,所营建而成的财物挥霍又天真半解的创造。因此有以下诸点是川中罕见的:

1. 如此大面积土夯围合体。
2. 碉楼与墙体的高度。
3. 碉楼顶的造型为悬山房屋,且面积大于下诸层。
4. 外围与内庭空间比例跌荡幅度。
5. 大部分结构、材料在外围与内庭空间关系上无联系。似各施其工、互无关系。外

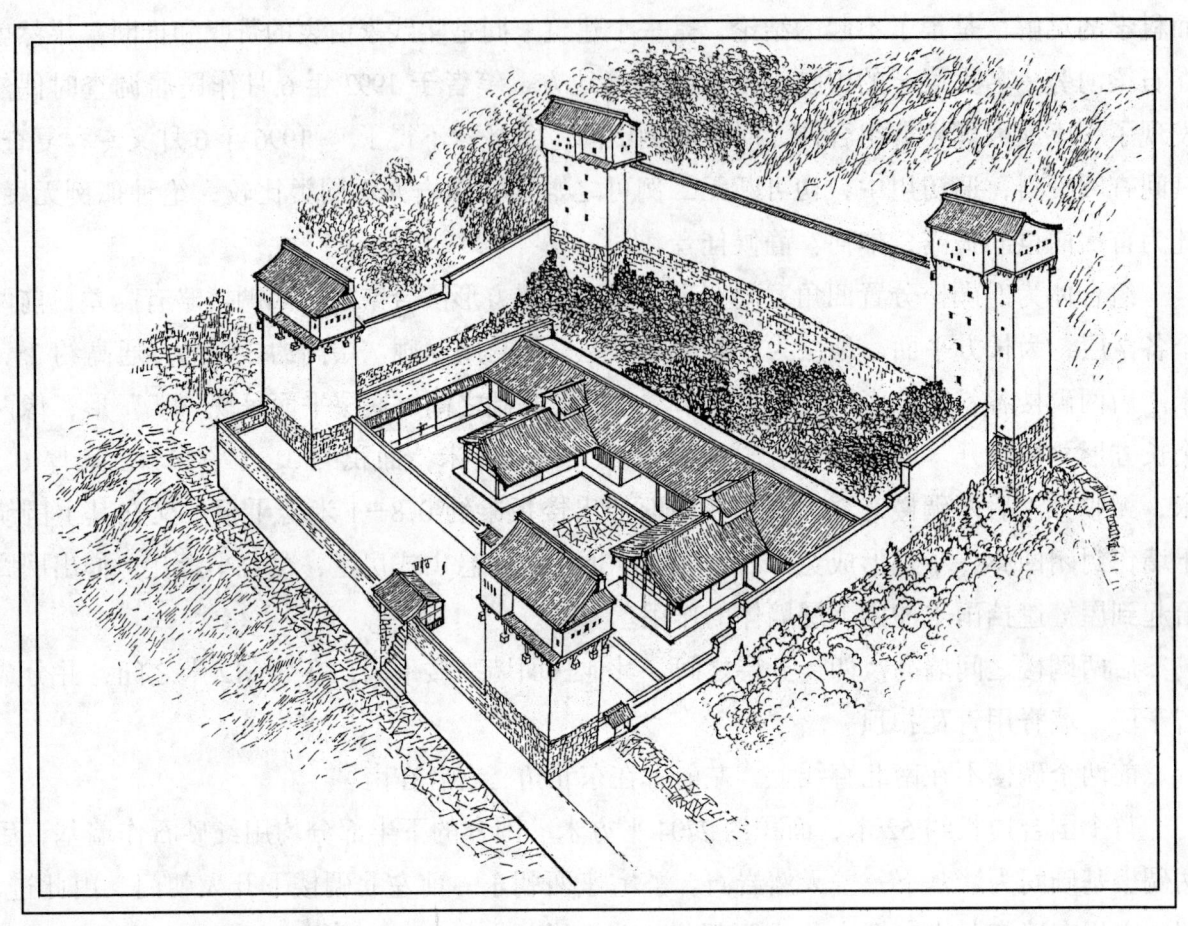

(图 105) 武隆刘宅透视

围之功能仅为保护内庭院而已。

综上诸点,又以独特的空间形象一反川中普遍流行的碉楼民居模式,完全彻底是土生土长,似国内亘古无处索源,无处可寻的山区建筑创造。它虽然在一些处理上尚有"生爆"之处,然而我们言之成熟的古建筑诸类是中国几千年延续下来,经千万匠师、文人画家、官宦百姓共同不断修正的认同,已有"建筑法律"终始贯穿予以实施。故大同小异者多。而此种组合中还是在围合之内的三合院,遗存了古典的形制,于是更精确点说,这种创造主要在于围合体的防御空间上。围合意识和福建土楼、川中其他碉楼民居仍是相同的。不同是围合设计的粗犷朴实,围合理解的文化层次及特殊社会、地势、财力等原因。这些原因蕴含了极大的创新意识。新则奇,奇则耀人眼目,撼人心怀,奇才鹤立鸡群。何况围合本身,既要把碉楼用土夯方式筑到八丈高度,其内亦有服人的构筑技艺和周密运算。因此,奇特得较为合理,又兼具了很强烈的审美感染力和空间震撼力。一切成熟都是由开始的不成熟发展而来。此物仅存川中,甚至国内。所以又有非凡的建筑及文化价值。

此宅兴建于民国 11 年(1922 年),费时 7 年。临解放时还在断断续续完善。宅主刘子余为一方财主,后亡故由子刘汉农继修。刘汉农不久又在宅北侧墙旁建一猪圈,整体变得画蛇添足。据参与初建的叶洪斌老人讲，这一带多为江西移民，建房有夯土墙习惯。但周围百里之内没有发现这样大的碉楼群组合。修碉楼起因是民国初年以来，土匪太凶，常掠大户。刘家宅大体完工后即被披蓑衣戴斗笠的伪装土匪抢过一次。在修建过程的七、八年间，动用百多人，天天开十多桌流水席。工程量之大主要在基石，要从后面五、六里的山上采集。加运输，石头动辄10吨、8吨，所以必须人多。运输石料方法有两种：一是滚木上托石头下滑，二是地面泼水让其溜滑。木构杂木、杉木混作。梁架柏木，装板杉木，大门枣子木，门板厚3寸包铁皮。

整宅仍具浓厚的风水相址事实。选址于半山腰一"窝塘"之中。后靠大梁子山，前有石梁河，远有东山偕朝案，左右有弓状山势。宅前境界十分开阔辽远。整个组合居高临下，气势雄壮威武，犹如城堡巨垒。红色土墙灿然鲜艳和自然环境苍绿深翠对比，极悦眼目，极其突出。正对面深谷之上的东山看碉楼，距十里之遥亦清新如眼前。

仰上似有如下诸点再归纳：

1. 和汶川布瓦寨羌族碉楼比较，布瓦寨土夯泥碉五座，"其中东部一座高20米，底边长4.5米，土墙厚0.74米"（《阿坝州志》）。因此，刘汉农宅碉楼是目前川内发现的最高泥碉楼个体与组群。同时又是最大面积的碉楼围合体。碉楼高度超过羌族同类土夯泥碉。

2. 盆地内在石、砖碉楼的调查和资料上，至今也没有发现比之更高者。

（图106）别致的碉楼造型

3. 围合体极其特殊平面和形制，川中尚未发现二例。

4. 四碉楼相互独立，各自形成上下的交通系统。碉楼之间却没有空间上的交通往来，其防御功能通过各自为阵的形式求得整体。这一点也是川中罕见的。

印台堡垒——达县柏宅（图107、108）

（图107）柏宅之风火山墙

达县景市乡、安仁乡，开江县甘棠乡一带的农民，至今内部仍讲湖南话。其住宅钟情并连三合院布局，犹两个、三个"凹"字型并排横向组合一起，呈现川中一定范围的流行民居样式。此地区多为湖南永州移民，原乡的民居以多户并连像集体住宅形式，且为特有。恰川中此一地区民居犹如前述，同出一制，又为永州后裔，相信不是偶合。

原乡湖南永州府境内民居，多聚族而居，多则千户，少则百户。移民四川后，宗族聚合形式解体，不仅分散且单家独户。那么，并连多个三合院的居住形式已没有存在的可能。但是作为并连组成的单个、两个的基本单元，即平面呈"凹"字型或呈"山"字型的空间格局仍保持着恋乡情结。达县上述区乡，富裕者可作"山"字型平面布局，一般财力者为"凹"字型平面。

柏飞雄宅居景市乡李家坝新屋里，时做盐巴和纸生意致富，又在宅附近兴建纸作坊。于民国初年开始建住宅。住宅平面即以"山"字型始作两个三合院并连。宅座西朝东，后在南院加下房，过厅上作戏楼，适成四合院围合。但没有触动一正三厢格局。住宅正房总长22.8丈，三厢两院正房各11.4丈，堂屋宽1.8丈，次间、稍间各宽1.6丈，共四个转角房，各宽1.6丈，实则成为两排各正房7间的并连。奇怪的是因而形成两间堂屋。整个住宅除三厢后大半段为平房外，其余都是二层。有檐廊绕通全宅，檐柱粗壮，廊道宽大。南北两院中，以南向庭院为主院，居住家人，带戏楼。正房中3间两层房架高于所有屋面，设看戏台，加栏杆。北向庭院为佣工居室，天井前半部分为花园，厢房东向两头置封火清水砖墙亦是永州遗制。三厢房各6间，前2间两层，下作干栏，上为存放纸的仓库。整个住宅地面全用打制工细的连石作底，嵌接严密，十分坚稳。

住宅前外,南有水池一口,北有天然土台,形如印盒谓之印台。印台与北厢之间设大朝门,朝向斜对东北。中间置连石垒砌碉楼,2丈见方,高9层,约10丈。下二层作盐库,故称"盐炮台",又因靠近土台亦呼之"印台堡垒"。

住宅选址弥漫浓厚的风水意识,凡相宅术诸要如后玄武龙脉,左青龙,右白虎护山,前朱雀环流溪河,以至正前之朝案二山皆十分形象而一应俱全。宅周围植被苍苍,自然生态十分良好,亦是风水术中优秀的一面。在如此优美的环境中得一宅址,自然有宅主和风水师相互的苦心经营。扬弃相宅术中不合理的部分,其独特的地形地貌,山青水秀的地理环境营造了一个十分宜于居住的气氛,是柏宅传统文化熏陶下崇尚自然的流露。也是相宅术中最实在合用的精华。

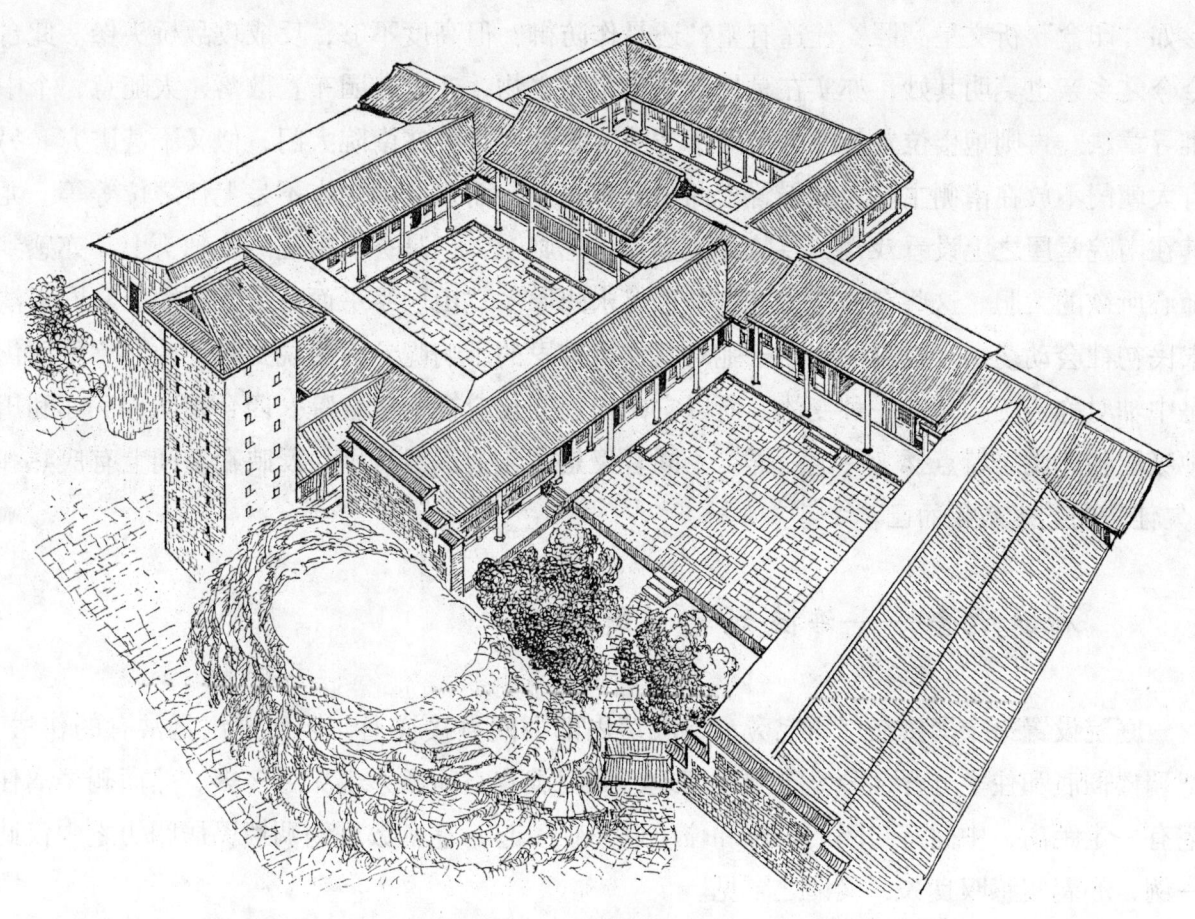

(图108)达县柏宅透视

川中住宅,无论土著或移民,十分注重住宅从整体到各部,乃至小到构件的尺寸象征喻意,据此以谐比汉字所包涵的喜庆祥和之气。柏宅总长22.8丈,两厢之间各8丈,天井边长6丈,堂屋宽1.8丈,其他房开间宽1.6丈,炮楼9层等,均在尾数和数字上呈现8、6、9三数,读音上取"发""禄""久"谐音,意在图个吉利。住宅尺度的谐义在全国南北方皆视大事,但并不统一。统一者多为"8、6、9"数。不统一者为"5、4"等数。

比如北方话读4谐"死"川音，四川话读4谐"仕"，四川住宅尺寸就敢广泛用"4"数。再如5数，汉人视"武"为不讲礼，羌族以尚武为高德，因此羌族住宅连榫头都讲究"5"数。此数字的迷信色彩越演越烈之势，大大限制了中国民居的发展。严格讲来算是不足之处。若进一步剖析，还可严重影响国人建筑审美观念的麻木。天下大一统的模式缺少更多的空间刺激，不易激活大脑中的兴奋点。这自然又会影响民居匠师们的社会地位。所以某住宅在空间上稍有一点破格的作法，诸如有小姐楼、戏楼、炮楼等高耸之物立于宅中，顿时就会引起人们的注意，激起社会的兴奋。可见创造基因在过去时代受到方方面面制约，一旦释放又会"小题大作"的局限。

柏宅在住宅经营上有诸多不易理解之处亦感神秘。如此庭院正对塞满天井东向有天然土台一座，其上平齐，高约一丈。此物留之何用？论风水，屋前有堵塞物皆不能成立。喻形如"印盒"祈文星高照？仕途有望？还是作防御？但高度不够，反成攻敌桥头堡。此台令今之乡亲也莫明其妙，亦实在是川中住宅罕见之物。还有花园布置散落，太随意，个中难寻章法。再则炮楼位置设在"御敌于宅前"之处，且挡住南院大门，似又不甚讲究。另有大朝门不放在南侧主院，而斜置于佣工庭院一角，而东北朝向亦不是上佳之位等等。尤其在南院堂屋之上设看戏楼，以骑楼之势复以檐廊上，正是香火祖位的中轴头上，亦感到随心所欲的大胆。这些有违常态之作是否有永州原乡"山"字平面意识太顽固，又囿于清末民初社会动荡，合院制的逐渐松弛对其住宅构思的影响呢？因为说到底"山"字平面仍是中轴对称传统格局的一种变体。所以它的内涵变化应视为三合院、四合院同理。亦和川中吸取各地民居特点揉为一宅一样。不同者仅是文化上深浅区别，反映在空间上有成熟和"欠佳"的艺术效果而已。

廊连碉舍——涪陵刘宅（图109）

庭院设置一个碉楼在屋角宅旁，与底房内部空间直接连通，以便进出是常有的作法。把碉楼彻底和住宅分开，分立于周围高地，其间没有空间联系也见之多多。然而碉楼离住宅有一定距离，中间有封闭的长廊和住宅联系在一起，笔者数百例碉楼民居阅历之中仅此一例，亦着实感叹良久，又谓之罕见。

刘宅立于两山分界的脊梁东侧，宅座西北朝东南，是民间相宅"挂四角"上佳朝向。有一碉楼立于宅后正西角，一立面斜向俯下庭院，正对东方，在庭院与碉楼间约有10公尺左右高差，即庭院在坡下平地，碉楼在宅后坡上，两者相距约4公尺左右。庭院为中轴对称二进合院，并无民居中特别之处。唯正房右侧第三间房内挖空屋顶，揭瓦开洞，从稍间置陡木梯于此跨出屋顶，再搭旱桥连接后坡碉楼底层。旱桥为斜面，间又开梯若干。左右栏杆上升齐瓦顶，竹编夹泥封闭成廊道。其上覆以青瓦廊盖，适成和庭院正房内空间的延长，或者像另外长出的怪异之物。廊道衔接碉楼底层，从碉楼二层又接出偏厦以迎接廊

五、巴蜀民居例析

（图109）刘宅碉楼

道一端。于是在庭院与碉楼的内空间上形成贯通一气的通道。显然，外面绝对看不见里面如何行动的，动静之态至成神秘。于此便产生如下饶有趣味的问题：

1. 廊道为木构，若劫匪先毁其廊道，切断碉楼与庭院的联系，两者之间进退不得该怎么办？

2. 亦可说碉楼上设瞭望哨，匪徒尚在很远之地家人便早已进入碉楼躲避，即是毁了廊道，亦可保全家人性命。那么夜袭又该怎么办？

说来这种木构体的防御性太令人怀疑。其实此一带多居住客家移民，他们头脑中潜隐着古典的防御意识，在新的环境中逐渐转换成怀旧、崇祖的美学意识，以建筑作为精神寄托而已。当然，前提是此时此地匪患必定在劫掠的"度"上有一定的社会节制，表现出一种选择。否则见房就烧，见人就杀，区区土木碉楼、廊道、房舍存心毁掉它，在劫难逃亦是举手之劳。所以不少碉楼的防御仅是象征意义的。或者说是一个远来民系的情结点，通过它展示一种延续一种文化，一种精神归宿，一种遥远的怀念。这些都和全世界流寓外洋的客家人思乡情感特浓的生性品格相一致。无疑，因而又在建筑上呈现出四川人特有的幽默感。

这样以廊道连结庭院和碉楼的空间，致使三者浑朴一体，产生了川中带碉楼的民居中十分优美的建筑景观，呈现出奇诡别致的美学效果。此一纯系朴质理解的民间手法在民居功能上的应用，直述了民间丰富空间创造的意识。也许，庭院与碉楼兴建之初并没有此构思。后时局变化，增加了廊道。尤其是从屋顶上揭开瓦面开洞一举，感到有悖常理，照一般的处理，从廊下屋角某处开一道门。然后置廊开梯直上碉楼即可。工程且小又易，又无后顾之忧。然而宅主作了挖开屋顶以洞作出入口，再悬廊天上的大胆举措，尤可贵者因而并没有破坏建筑完整的可视性，相反，倒还给建筑添色不少，使得有碉楼的民居中，产生出新鲜的作法，大有众多雷同模式里脱颖而出之感。这种勇气和幽默同时相谐而行，又使人透过空间现象窥视到宅主的内心和性格。真可谓建筑如人，犹如文若其人画若其人一样，在同为艺术归属一脉上，是何其相通。

（图110）涪陵刘宅正立面

在坚稳如铁，经千年历史淬火而不可动摇的中国传统民居模式上，平心而论，曾不知压抑甚至摧毁多少具有空间创造能力的人才，曾不知浇灭过多少想建造一座与世不同住宅而闪灼的空间独创火花。因此，稳定的空间模式建立起一套稳定美学程式，在民居文化上掘进了空前的深度，使得中国民居在世界民居中独树一帜。即俗说中国民居可谓处处都有来头，有说法，有规矩。然也产生了一些负面影响，正如前述。这样一来，在合院制的格局上，若稍有一点出格的变动、改进，犹如在触动社会的神经末梢，立刻即为"众目之的"。引起社会的兴奋，引起人们的关注，同时又伴生人们精微的观察力和审美判断力。故国人对事物审视的精明至微于民居一科再得充实。所以，在中国诸多乡土地名的称呼上，就直接以民居的"出格"局部谓之，比如：某家碉楼，某家花朝门，某家冲楼，某家"花壁头"等等。这正是民居具有创造特色部分个性化的社会认同。是"出格"产生的民间影响。当然内中也深深地隐藏着大一统，无变化稳定模式的麻木。

"出格"最后仍是传统民居的发展和完善，尤其在很多不同历史、社会、自然诸条件的地区，传统合院制全然已不能维系生存需要，亦可放弃部分或大部放弃。比如客家圆楼，山地干栏等民居，已经不易寻觅到合院制的芳踪了。如此更呈现出中国民居的丰富多彩性。

刘家碉楼居于涪陵开平乡四队。宅约兴建于清末。现从庭院到碉楼至廊道,保存相当完好,是土夯、石作、木构三结合的混存体。庭院格局为二进合院,选址在山脊旁凹地,周围山峦起伏,地貌奇特,植被丰茂,加之住宅与众不同廊道碉楼的造型,在自然与人文景致上,密合得天衣无缝。

泥亭热土——合江李宅(图111、112)

我们曾在前面谈到过城乡民居分布互相影响问题。比如一个地方在住宅上喜建碉楼,那么这个地方都钟情此物。乡间住宅建,场镇中也建。究竟谁影响谁,这是很难说清楚的。不过有一点,有的地方建碉楼,从数量总体上分析,并感觉不到有统一规格和内在约制。无论城乡,皆我行我素,因地制宜,多有创造。这和客家人分布地区的碉楼看,客家人明显存在一种内部制约力。不管样式怎么变化,感到万变不离其宗。

(图111)合江李宅透视

在合江、江津近贵州大娄山脉北坡一带山区里分布的碉楼民居中,无论城乡,多有碉楼奇形怪状,各家有各家的作法,互不相干,和住宅的关系也变得多样化。这是民居的丰富奇妙,是民间建筑智慧所在。比如江津会龙庄碉楼的顶层木构护墙,紫云乡吴南村碉楼的"不洋不土",合江福宝场中"皮家亭子"碉楼的高大,磨刀溪场中心碉楼的"孤独"等等,都从不同角度反映出此一地区碉楼民居的自发性和创造性。任何事物弥足珍贵者在创造,而不是仿临。其间虽然存在影响,但不雷同,这本身就是很不容易做到的大课题。

合江塘河段有顺江场，河对岸名"码头"台地上，有李开英宅。其碉楼在住宅中居于非常显要位置，在很远的地方都能看到它的雄姿。近看在外观上像两个不同体量的碉楼重合在一起，下大上小分成两段。进去方知本是一个碉楼，只不过在三层以下外三面加了大半圈墙体围合，又在三层楼梁外加盖了大半圈瓦檐，于是不知者以为是下宽上窄一种新的碉楼样式。实则宅主说得好：川南一带是川中气候最热的地方之一，在碉楼的下两层外加筑一圈土墙，等于加了一道隔热层，夏天在里面歇凉十分舒服。同时它又起到防范匪盗作用。在碉楼和护墙间形成一道巷子，遇有匪来可由宅内各房间分散进入碉内，不拥挤，又可慢慢进入。还有挖墙穿洞盗贼，即使挖穿了外墙还有内墙，可增加安全系数。

碉楼为正方平面，边宽约4米，面积约16平方米，共4层，通高约14米。层高约3.1米，顶层正梁间高出下三层，外有挑廊一角两边悬出，为硬山瓦屋面。下两层"巷子墙"外，高、宽各6米左右，均为精致土泥夯筑，墙基条石下脚在1米左右。外观通体褐红泥色，造型生动，十分壮实优美，为川中极少见的碉楼形式。

李家碉楼建于1942年，年辰虽不算久远，作为建筑学的意义，尤其作为川中碉楼民居的丰富多采的实例剖析，或者一种别致的平面、空间采撷，它都是有意义的。尤江津、合江、纳溪近贵州边境一带，在塘河流域，不仅乡村碉楼民居形式纷繁，场镇建筑及整体空间等都有不少令人叹为观止的奇丽、壮观。这是一个地方建筑文化底蕴的丰厚，只不过一个表现在场镇，一个散见于乡村而已，而就此地区农村住宅而言，特色在有碉楼的民居，更可贵是多不雷同。今提取李宅作介绍，实不能以典型论而以偏概全，只能说是众多碉楼民居样式中的一例。故不可以点代面而言其他如何。

此地区称碉楼为亭子，望文生义亦有悦娱休闲、高瞻远瞩之功。李家亭子布局庭院一角，背靠浅山丛林，面临塘河，可全览河对面顺江场。距离仅百多米，场上稍有躁动即可知晓。而乡间的寂寞、清淡，使得李家建住宅时总想到河对面场镇是一道闹热的娱乐，一道调剂精神生活的风景。于是在建筑功能上便包涵了多内容的构思，包括了实用性和精神性两个方面的考虑，亦不独是防御匪盗而已。因为匪盗侵扰总是很少的时间，绝大多数时间内是平常日子。放弃长时间的使用，浪费不说，还易于腐败。正如乡间老农所言之"房子越住越久"，意即可经常清扫、修缮。因此，李家亭子和此地区其他亭子一样，顶层多在墙外悬置挑廊（川南叫走楼），人可在上面来回远眺。室内可作小姐卧室或书楼、绣花等专用空间。它的光线明朗和私密性，也是碉楼产生的原因之一。当然，底层作粗粮堆放，二、三层布置房间，或储藏细粮、种籽，甚至细软也是较普遍的。因此也就从构思到使用上产生了它的群众基础，也就显示了存在的生命力。

在和庭院的关系上，寄托了庭院中人的安全感。以门为通道串联所有房间，构成室内交通系统。结构上的全土夯墙体，紧靠碉楼，纳入庭院有机组成部分，又可在支撑力上相互作用，互得稳固，外观上多了一个高耸物体，轮廓线有了起伏变化，丰富了线、面节奏、转折。尤全部红色土壤夯筑，整体呈现气氛热烈的褐红热色调子，和背景绿色山岗对

(图112)环境优美的李家碉楼民居

比相衬托,更显得壮美。红与绿和紫与黄一样,是色彩学上若干对对比最强烈的"互为补色"之一,它处在色彩学色轮变化图上的180°两端,是两种极限色彩对比。因此,川南一带红色土壤土夯墙有着十分迷人的空间效果,充满了一种规范的自然美,和乡土构作的粗犷美、人文美。于此得感想如下:

1. 川南合江、江津、纳溪等县山区是农业经济中下水平的地区。即是贫困线上仍在维持基本生存条件下,尽可能地在建筑上寄托朴素的精神追求。

2. 一种追求的充分个体化,反映在物质形态上亦产生多样化。

3. 多样化流行一个地区,使这一地区呈现丰富的建筑景观,是和模式化流行地区建筑的一种对比,是地区整体建筑文化不同内涵的表现。

4. 多样化建筑形式背后,存在和模式化地区不同的社会、历史背景,尤其是各省移民人口构成的背景。

地坝水池——璧山张宅(图113、114)

川东璧山县自古为成渝大道上必经之要地。由成都去重庆于此住宿一晚,第二天即可抵达重庆。因此在来凤驿、丁家坳一带百姓见多识广,景慕文化,信息灵便,脑筋活跃。从场镇到乡间建筑,既循古制又多变通。不少新意迭出者亦令为之一振,感到民间利用自然资源和智慧之间亦充满诙谐之趣。

缙云山脉南段的来凤区青杠乡一带的乡间住宅,多为土夯规范合院,间土碉、石牌坊的遗存。民间建筑形象不感呆板,总体给人印象:内涵本地区有比较能把握建筑制度的社会力量在支配着住宅兴建的一切,因此,虽呈现建筑的多类多型,然内在文化气氛上仍感分外统一。

由于璧山县境处于川东平行岭谷之间,海拔又较低,仅为300米~800米之间,夏季连晴高温时间长，山下丘陵农户、镇民甚是难熬炎热。故以土墙御热之外，多有"土办法"解决散热问题，间以青杠三组张家大院办法最见实效。

张家大院前为徐姓，张从徐姓买过此宅时即为原形制。大院座东向

（图 113）张家大院与碉楼关系

西，正是川东民居十分忌讳的"当西晒"朝向。"当西晒"和川东上午雾多，冬天阴霾满天是一对矛盾体。冬天雾散在下午，"西晒"恰是取得阳光温暖的好朝向。夏天"西晒"又是烘晒收获粮食的好天气。但它同时带给住宅高温，又使人难以熬过酷夏。当保证生存基本条件的粮食收获和居住更舒适两者发生矛盾时，自然百姓首先选择生存。所以，川东甚至四川盆地内民居，占相当大的比例是座东朝西。然而在争取生存条件的同时，充分利用可能的因素改善居住环境，亦是人们时时刻刻注意的。

张宅后靠缙云山南段西麓，有山溪水自山涧流出。水凉质纯，长年不息，从宅旁一里外南侧白白流过。如何把这津凉的溪水引一股于宅前，利用水力之余让其散发炎热，用尽其力与凉的固有物理性能，一直是宅主为之动心工程。经一番运筹，宅主作了引水后的三种利用打算：(1) 引渠于南侧厢房前端，利用落差先建碾房，碾房加工的碎米和其他杂粮同时增建酿酒的糟房。(2) 从碾房前水渠开小闸门一道，下设过滤石缸两个，引水入缸经过滤作家庭饮用水。(3) 在两厢房之间的晒坝作微斜倾的石板铺底细作，要求不漏水，放水迅速。然后在地坝前端作一道高约 40 公分的石埂，石埂两端打制石孔两个。这样就等于把本来晒粮食的地坝亦同时兼具了方正形水池的造型。待夏天盛暑之时，粮食收晒入库，就开启碾房下闸门，引水入地坝，一刻工夫，水池即出，很快关满地坝，水临房舍沿下。清凉一池水犹如浓缩流动液化的清风，很快荡去暑气。加之水气蒸发，一时浸泌宅中，造成夏天局部小气候。据宅主邻居言：有时还放两次水，第一次为清扫尘土，第二次放水更加清亮卫生，为的是大人小孩能下水沐浴，以洁一天劳累之体。经一夜的蓄存，第二天早上抽石孔木塞放水，待半天太阳烘晒，地坝又可晒粮食了。

传统民居之妙，不定乎内空间如何奇巧，外观如何动人。它是一个与外部空间充分利用协和的整体。民间在利用空间和自然资源的关系上充满了朴实的智慧，里面除了实用之

五、巴蜀民居例析

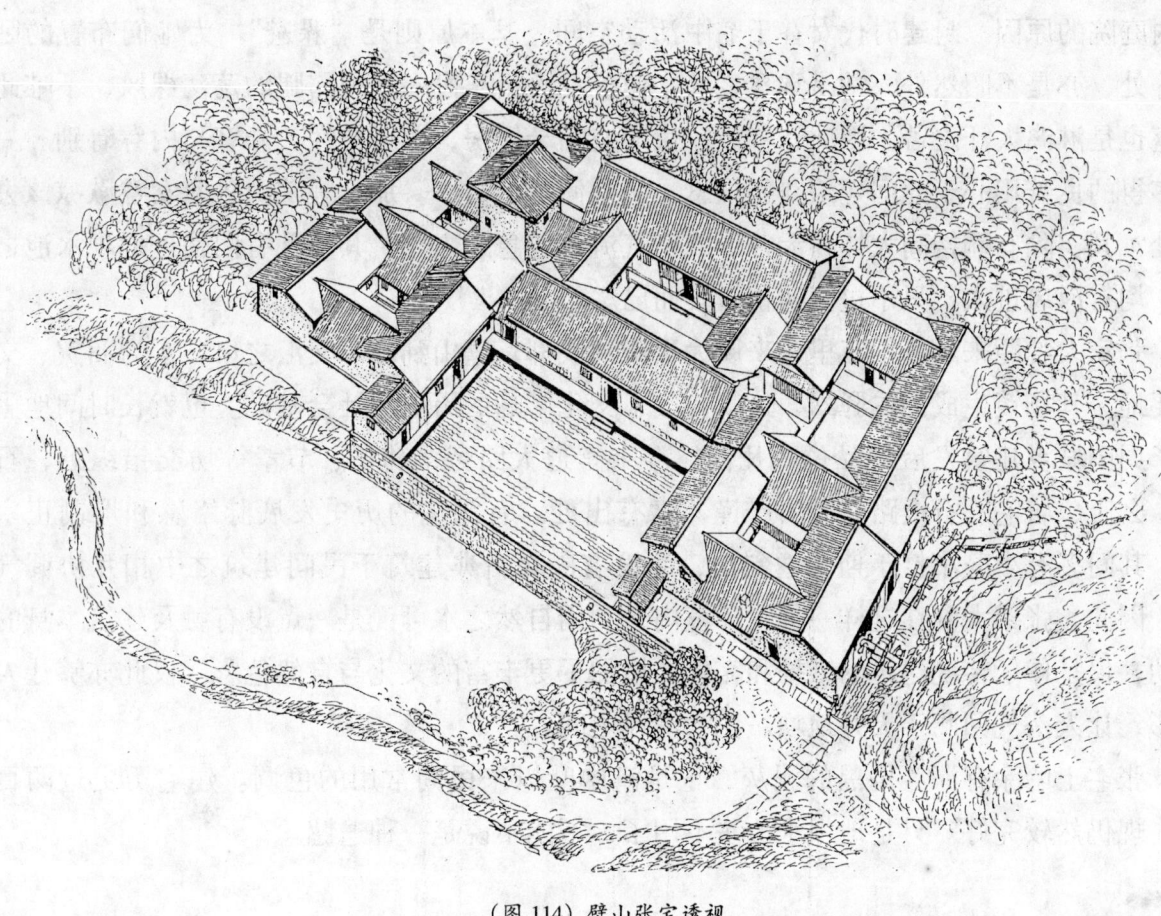

（图114）璧山张宅透视

外，亦同时获得自然给予的欢快情趣。可以想见，宅中一池紧临屋下的洁水，它带给夏天人们多少心灵的美感，多少惬意的慰藉，多少妙不可言高逸。张宅引水分三层次利用水力和水温，造成民居一种乐园气氛，此难道不是民居文化一处优美特殊之笔吗？这一点，和民居周围构筑小桥，广植竹木，栽培四时果树，围护以风障篱笆应视为同出一理。不同是一个是动态的、流动的，一个是静态的长时间的，但都为自然之爱。可宝贵者为流动的自然的简单实效之用，实在是农业社会物尽其用的美妙极致。同时也是川中不多见以水退热的粗犷之作。

张宅在其他建筑处理上，也还有闪光之处。处在右转角房位置的土夯碉楼下，围了一圈裙房，与联系地坝的一道门进来即为小天井，小天井犹如一个大气窗，可吸收地坝外空气于此形成气流，气流成微风亦从天井上方冲出，因此，宅主在碉楼下和天井间设一房不作隔断，以半开敞接纳从地坝穿门而来的凉风。又因碉楼高大，底层的凉快，其与风结合一起，形成室内最舒适歇凉之处。加之采光有天井，背靠碉楼有心理依托，唯此空间特色最吸引家人。一般乡亲串门、客人亦安排此间接待。若此空间构思与地坝关水生凉同步，显然此宅的设计就非同一般。此不仅是把室外之凉导入宅内，更为隐蔽的是它兼顾了夏天女眷衣著单薄，透肤露体不方便之情。此正是为什么不把地坝凉意从正门及下房各门引入室内庭院的原因。封建时代女眷于宅中活动空间，基本原则是"躲避"。为她们布置的卧室等处，亦是不昭然外人常易觉察之处。何况夏天川东民间赤膊露腿的荡荡裸风，不唯此静座也是淋漓大汗之苦。因此，置最凉快的空间于侧房，兼可男性、外客与内眷有别。一举多得的良苦用心于此间建筑空间构思，该是何等的微妙。那么庭院内各室女眷歇凉该去何处？其实除有碉楼高大体与天井形成空气流通较急速之外，其他凡有门临近地坝水池之处，均有凉风进入，只不过流速稍微缓而已。

张家大院距来凤场约三里，来凤为重庆到成都，璧山到江津交汇之口，素为商贸、交通要地。其场镇生成为古驿站，这就构成了文化影响的历史、社会基础。也就长时间地熏陶了周围城乡建筑发展的品位。凡古往今来官道大路旁，功德、节孝等坊交错纵列，石桥、幺店、居宅、石板路亦做法严谨，索有出处。有深邃的历史发展脉络感和形制正宗感。其间多有小敲小打于斯旁逸斜出，终没有破坏古典建筑于民间建筑之中相互协调气氛。因此，张家大院在这样一种大环境内，利用自然之水可说是一点没有触及建筑本身的移动，仅是作了传统建筑的维护和完善，增加了更丰富的文化与自然色彩。仅此亦够让人喝彩，让人荡气回肠于天井地坝、池水清风之间。

张宅土墙涂有深兰偏黑的泥灰，正是清中叶以来民间常用的色调。建宅历史近两百年，现仍然较完好。只是地坝水池法不用了，不能不说是一种遗憾。

武为文用——宜宾邓宅（图115）

宜宾县北部浅丘地区，深藏一流誉四方的大宅，都叫它"顽伯山居"。何谓"顽伯"，经查经访仍不可知。但"山居"确如其形。

"山居"主人姓邓，宅兴建确实年代亦不可考，但从民间流传和形制、法式看，属清代作品是无疑的。宅选址在一山丘斜坡上，后临高岩，前迎缓坡，座北朝南，是攻守兼宜，视线开阔，向阳高燥之地。由于宜宾县北部多浅土红砂地，土质贫瘠，农业人口分布稀疏，因而无南部长江、岷江两岸农业区的繁荣昌茂景象。旷野静静，山林空寂，山居气氛为之平生。单从选址看就不难悟出宅主是一个有文化或旧学底子的人。且偏寓一隅，恐为"顽固老大"。

邓宅在庭院平面追求上是不可能跳出时代局限的，二进天井中无非也是上、中、下房左右厢房之布局，外加围墙，四角各置一个碉楼。不过正如我们一直讨论的，中国民居正是在变通、灵活的处置上多有闪光之处，邓宅之精要正是以武碉为文塔展示了这一心迹。唯动人春色不在多，小处一动便带活了全局面貌，使整个庭院充满了山居本来为文雅，又必须武力襄助的诙谐色彩。

匿隐山林野水之间，不求闻达世事，是中国文人摆脱现实之法。为了寻求一种说法，

五、巴蜀民居例析

(图115)宜宾邓宅(顽伯山居)透视

觅找一处遁迹,或尊儒说,以退为进,找个地点暂避一时。或彻底破灭了幻想,看穿人世,归园田而居。如道家所倡,深潜大自然,老死不相往来。若建一座房子,则考虑甚周,带有长期厮守打算。这种思想影响着整个社会,影响着人的居住行为。尤其对有相当文化素养的人,以其居住形态的品位即刻就可断言宅主素质的优劣,其间不唯有学历、有"文凭"者。民间浩瀚,更多更聪慧者因贫穷被置于荒野之中,但并不能扼杀其灵性。因此,其所作所为均有突出之处,自然更易接受儒道之说。故而一座住宅与众不同,多有文风拂拂之貌,不一定就是翰林、举人之第。相反,官宦之宅不敢越朝廷宅第制度一步,形制框死如法律。而民间庭院则大致敷衍场面后,多有"自作聪明"的摆布。尤其在巴蜀,窃以为"板眼"多于其他省区,显得不甚守规矩。又恰如此,在不少民间庭院中荡起一股革新的春风。虽为小构或局部闹独立,但是可见内涵的深广。

邓宅表面看来,土筑四周、夯墙高厚。正立面更是枪眼密布,碉楼虎视眈眈。大门外再围了半圆木栅,其扮相状如军事要塞,像固若金汤的铁桶。然而宅主在庭院的左后角台地上建了一个非碉楼非楼阁非塔的混合体,便得此物建筑史上也找不到它的同类,姑且叫它塔楼。因此,取个什么样的名字还碍难了浅薄的阅历。若叫碉楼吗?其屋顶多重如阁如寺。叫阁楼吗?四壁枪眼昭昭。叫塔吗?三重檐间隔太大,通体无收分……。然而,此物风姿绰约,文武兼俱,武为文用,比例、尺度十分得体,其形其貌不仅别具一格,和庭院亦无冲突,平地高拔,观照全宅,又显得分外谐调。

如果回过头来再从防御构思上观察,宅分三台,前为敞坝,有丈许石坎构成第二台面,又有丈许堡坎形成后花园。三台面设门若干,各有明确的功能分区和人员归类,由前至后,层层升高,至"碉楼"成高潮。防御时可分段狙击,节节后退,最后孤守"碉楼"。

从防御构思的周密可谓"武装到牙齿"。这样一个不折不扣纯防御居住形态何以武不狰狞,反而亲善有加,文风荡漾呢?关键问题在"碉楼"形象嬗变的内涵发散,信息暗示在起作用。

不主动攻击别人,人不犯我,我不犯人为中华民族数千年处事准则。邓宅门额有"顽伯山居"四字,即意指诚信退居山中顽守不招惹是非为第一的宗旨。楹联又解释了宗旨的含义:一为"德门瑞雪书香远",二为"兰砌春深雨露多",亦告之外人,宅主崇尚传统耕读为本的信念,追求人生安适悠闲境界。言下之意,虽宅坚壁如堡垒,完全是不得已而为之。本来住宅就不是用来打仗的,到处加栏加栅,墙上凿些孔孔眼眼,其理尚需社会宽容。这种文攻武卫的儒将之风,这种住宅的构思底蕴,最后浓缩在碉楼的改造上。因为碉楼形象是最具火药味的,也是住宅内唯一专事战斗的构作。因此,宅周围三个碉楼形如普通住宅,尤把左后角一碉前移丈许,加高揉以塔阁之貌。这一来,火药味变成了兰香味,狰狞亦变成微笑。还在很远的地方就看见高耸的塔楼,得之感受为奇特、漂亮、少见、异而不怪、亲切,这和碉楼给人的恐怖简直是天壤之别的心境了。若人慢慢靠近住宅,大门左右联语"文诌诌"一番阐述,则更加宽释了住宅作为,感到宅主一番良苦之心。于是更加深宅主在建筑的尺度感受上的设计。即远可先入为主看塔楼,近则以联语亲近人心。一远一近,互为补充,层次递进,尤显得构思明晰统一。以空间和结构和诗词相互完善建筑功能基调,正是中国建筑到园林常用的章法。而僻远之地竟然也有此法,亦正是数千年统一的文化熏陶铸成相似思维模式的结果。常言建筑为凝固的音乐诗词,自然亦可言是凝固的思维。不同者仅是各处建筑表现的深浅程度而已。

宜宾县境内为闽、粤客家移民比较集中居住的地区。北部观音、白花、柳加及大塔、李场等区乡,南部横江、双龙等山区,至今仍保留土夯、砖砌各类风格的碉楼,但功能都从防御向其他方面衍化。"顽伯山居"居于李场和马场之间,是这一带土夯建筑体形式的一种深化。由于县境内民居普遍擅用土泥版筑,在数量基础上亦必然产生质量。像碉楼一类高大建筑体是土夯技艺质量保证的结果。"顽伯山居"能把土夯技艺应用得精熟,亦是普遍之中的典型。这一点和涪陵等地山区的现象一致,一个川南,一个川东,相距千里,竟然诸多类似,又不能不使人联想到这些县境之民的原乡,即闽、粤、赣三省交界地区好建土夯碉楼、土楼之风。甚至在川北仪陇朱德故乡一带居住的客家后裔中,他们的民居亦和川东、川南类似。朱德出生地李家大院原就有碉楼一个,想必不是移民四川后,在川境内的相互影响。所以必须追溯到万里之外沿海老家,是那里长期稳定的建筑民俗在巴蜀的传承。

城廓围合——屏山龙宅（图116、117、118、119、120）

(图116) 龙氏山庄大门

碉楼与墙相连结形成围合防御体系，这种模式是四川客家民居中既继承古老防御意识又融进湖广两省木构庭院的结合体。由于围合面积一般较宽大，内又多置园林，因此，山区者多寨子、山庄相称，平坝者多庄园呼之。

它是四川客家民居最具创造性的一类，分布较为分散，较集中的区域是川南各县，宅主多是游离客家聚居区的绅粮大户。

金沙江畔屏山县，地处四川盆地南部边缘，宜宾地区西端，与云南隔江相望。屏山古为僰道县地，元置马湖路，明改为马湖府，万历17年（公元1589年）始置屏山县为府治，清雍正年间罢府存县至今。境内90%是山地，资源较为贫乏，过去百姓生活亦非常贫困。在这样一个对川中中心城市而言，仍是偏避之乡的山区，竟然出现一个晓以周边几县的大型庄园，尤其选址于大乘乡一大岭名半面山的高半山腰，实不知宅主何以如此潇洒。用现代人眼光审视，至少安全、交通、起居、饮食、交往、读书诸多方面都极不方便。现代人于农村者，稍有几个钱就往城里搬，看来钱钟书"围城"之说于过去并不全是真理。因为像穷乡僻壤隐居的大户，豪华的庄园在四川还多得很。这自然是一个值得研究的现象。在过去居住安全为一首要的问题上，盗匪为首恶。我们在前面曾多次提到，盗贼选择目标，多针对有钱人家。你家能建庄园豪宅，必然大有钱财，也自然成为攻击之的。因此，凡笔者调研庄园豪宅，多听到一种建宅的说法，说某某宅主天赐大量钱财方才建起豪宅，内容多为挖坟得祖先随葬之财、路拾大量金银、卵石成金之类。龙氏说法大同小异，民间传言，龙氏早年穷困潦倒，靠担煤炭赚几个力钱蒙生，一次发现块状煤中有一特别乌亮者，足有好几斤重，取出一看，居然是一块乌金，于是龙氏发财了，并修建了远近闻名的大庄园。此说无疑是蒙骗社会之说，目的是削弱社会对其财产来历的抨击，同时又

(图117)龙氏山庄透视

有造成钱财仅够建房而无余剩的假象,为今后免遭盗匪打劫埋下伏笔,制造舆论。当然,核心问题还是中国小农生产几千年积淀下来的隐富藏富思想在作祟。

龙氏为广东嘉应州长乐县龙村乡人,即今梅州五华县祖籍。康熙年间随湖广填四川大流入川,先插占客家人聚居区的荣昌、隆昌两县交界地区,后辗转流徙川南,最后落户屏山,如前所述,正是游离客家聚居区者。更具体的情况是,龙氏家族尊奉汉光武帝为一世祖,63代携子来川,64代由荣昌县迁移屏山大乘乡岩门村,66代、67代均有人为清廷办理川滇边境的所谓"回匪,彝匪"之事,因清剿镇压回、彝民有功保升同知,候补知县等职,自敛财乡里,显赫一方。时道光年间,龙氏在岩门开始修建山庄,历十余年之久。有专家认为始建时间恐在同治、光绪之间(1862年—1874年),无论何说,龙氏山庄最少也有130多年的历史。

屏山、宜宾等县山区,素建宅同好建碉楼。比如富荣乡、清凉乡、大乘乡均有造型别致的碉楼,碉楼修建之风在清末至成高潮,时正是封建时代总崩溃前夕,社会最不安定时

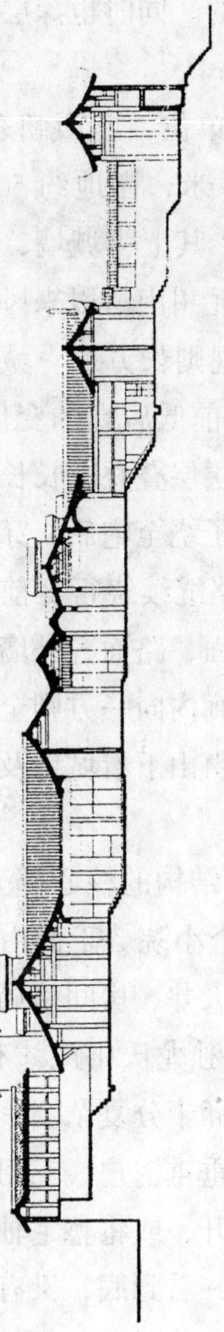

五、巴蜀民居例析

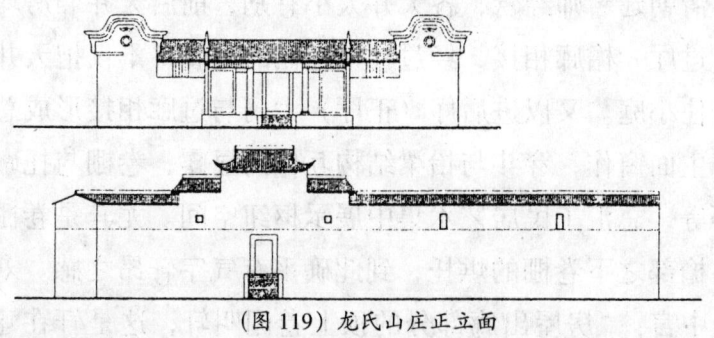

（图120）龙氏山庄剖面

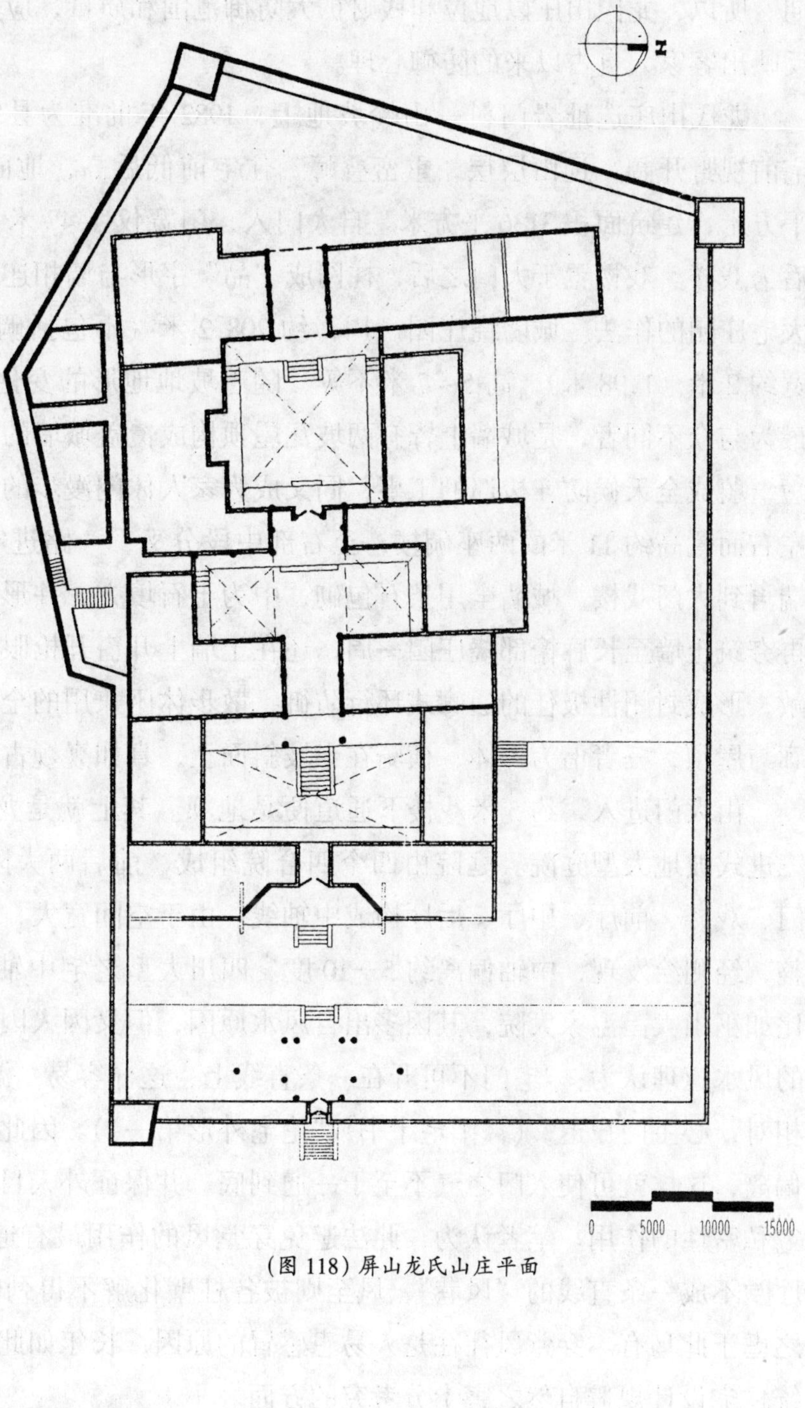

（图118）屏山龙氏山庄平面

（图119）龙氏山庄正立面

期。所以，龙氏山庄以地位和钱财扩大防御范围和质量，应是顺之成理的。同时也深层地反映出客家人自古以来的防御心理。

龙氏山庄选址岩门村一山岭坡地上，1982年批准为县级文物保护单位，座西朝东，宅前视野开阔，远山层层，重峦叠嶂，住宅前低后高，地面高差约7.8米，占地约5000平方米，建筑面积3136平方米。自大门入，门宽仅1.47米。高2.7米。其上为城墙，墙后为戏楼。戏楼置于大门之后，柱网成"品"字形与墙相连。正是川中尤川南清以来风靡大宅庄园的作法。城墙绕庄园一周，约208.2米（不包括碉楼），呈不规则长方形。城墙宽约2米（1.98米），高5~7米不等，随着坡地地形的变化，墙体亦呈前低后高的变化。最为与众不同者，是城墙上皆有两坡瓦屋顶构成覆盖城墙的长廊，长廊层层叠叠，长长短短，蔚成全天候防守梭巡的工事，同又成为家人休闲漫步的观景廊。廊子绕至宅后，穿过左右而置高约11米的两座碉楼，至右部中段分叉，一路进宅中部，一路继续绕行至前右端再到大门戏楼。城墙全用条石包砌，中为土石填方，并形成城墙上路面，路面齐外墙面再夯筑土墙至长廊檐部绕庄园一周，还在土墙上开窗开枪眼若干。而长廊内向一方则全开敞，形成封闭性极佳的通廊式环行防御、散步休闲兼用的全天候道路。由山下看城墙及长廊与屋顶，三者偕为一体，横骑在半坡斜面上，真如巍巍古城之貌。

由大门进入，约5米戏楼下通道便是地坝。其上就是龙氏山庄砖木结构的核心部分，三进式坡地大型庭院。庭院由四个四合院组成，前后两大院中间夹两个小院。于此由大门、戏楼、前厅、中厅、后厅构成中轴线。由于空间宽大，表面上看各天井、房间格局规整，经测绘发现，中轴偏离约5—10度。四川大型老宅中轴偏离现象不独龙氏山庄才有，比如巫山大昌温家大院，其因多出自风水原因，但又因人因地而异，内涵十分复杂。一般的风水道理认为："宅门不可开在一条直线上，这样容易'漏气'，所谓重重宅户，三门莫相对，必主门户退"（《阳宅十书》"论宅外形第一"）。因此，或将门错开，或将整宅轴线偏离，这样就可使入门之气不至于一通到底。并保证外人目光也不至于一看到底，又有住宅私密性的作用。笔者认为，此法避免穿堂风的作用最有道理，轴线偏离导至门与天井，厅堂不成一条直线的"风巷"，风至则被各柱壁化解不得劲吹，人于其中多得微风，风凉之虐于此乌有。穿堂风往往是人易患感冒的原因，长年如此，积小病而大疾，也是中国传统住宅设计规避自然之害十分考究的方面。

在庭院空间设计上，据说聘请了清朝廷名师经营，各天井大小有别，前后天井厢房均为二层，其前天井厢房二楼与中厅（过厅）檐廊相接，经过厅带卷棚的过廊，不仅把天井一分为二，适成居住空间最俊雅的居住小庭。又以进后厅（正厅）大门与过廊相接形成总门，于此构成道路，天井、门廊、各主面窗作，穿斗与抬梁结构互作的显露，卷棚与托礅雕刻的溢彩，各部色彩深沉的渲染等等，总汇了民居艺术集中展示枢纽空间。尤其是卷棚与总门高大尺度的相互明照，又以各檐部之下卷棚的烘托，到此确乎有气宇轩昂之感。刘致平教授在《中国建筑类型及结构》中言："房屋出廊部分的顶上卷棚叫轩，这是轩在建筑上的相当正确的称呼"。龙氏在这里欲以建筑表达为官身份，用心至为良苦。

而到了后天井，其宽大尺度使光线为之敞亮，四方皆二层楼房，又使立面格外高宽，营造了正房堂屋供奉祖位之地的神圣与肃穆。这种气氛不是靠内立面的装饰，而是空间尺度得体的设计，以及由大门进来步步升高至最后一进天井空间渐变的调动。庭院基础选址坡地由低向高，再分台构筑，喻意一步一天的人生境界，至最高一台轴线顶端的香火祖位，又暗示今之人生佳境全得香火诸神的保佑。天人感应，物我两偕思想用于建房的地面象征，虽然很隐蔽，但它结合天井面积与建筑表达的不断变化，仍起着相当有力的暗示作用。同时又丰富了空间序列，结合各段各台面空间的使用功能，全方位地进行着空间组合。

龙氏山庄左侧花园部分已彻底凋败，其树木花草、水池亭榭已无根据可描述。唯用地大小与庭院面积之比感到很适度。山区之地，四周林木竹丛，山峦旷野已满目皆是，若留过多花园用地栽种花草树木，易产生空疏之感，惟人文多多，人气浓浓方可解脱空寂萧疏。所以花园面积小于庭院面积应是合理之举。

另外，龙氏山庄在建筑与细部的作法上，终离不开川南区域性的影响，如带卷棚的过廊，叶启燊教授曾有文图对宜宾市城内民居作过论述，实则是一种抱厅作法。再则大量使用砖墙作住宅的围护，内部则全木结构，是加强纵深防御与防火的有效习惯作法。还有大量艺术水准很高的石雕、木刻、砖雕、灰塑丰富着住宅的文化表现。其内容有市俗风情、川戏折子戏等，反映了清中后期四川民居文化的共同性，如此雕塑多在大门两侧八字墙、风火山墙的中上壁心上。

综上，我们看到龙氏集住宅、花园、戏楼、长廊、碉楼、城墙等多功能形式空间于一体，正是庄园构成的一般要素。其宅又选择深山一坡面上，山庄之谓，言之凿凿，尽情尽理。

（三）土楼民居

川中孤楼——涪陵瞿宅（图121、122、123）

客家人系中原先民之后，西晋时由河南迁徙湖南、江西，是后定居在福建、广东、江西三省交界广大地区的汉族民系。因社会、自然环境诸多关系，喜聚族而居，形成中国乃至世界独一无二的民居现象。新近由台湾《汉声》杂志出版，福建建筑设计研究院院长黄汉民著述的《福建土楼》专著，全面地论述了客家土楼的发生发展，是目前最具福建客家民居权威的发言。另外广东客家民居研究权威陆元鼎先生及博士潘安先生也有关于客家民居的专述。统观上述地区客家民居现象，结合笔者客家地区的考察，再回复到四川客家民居现实境地中，笔者发现四川客家民居和客家人原乡民居有着直接的血缘关系。

（图121）瞿宅外观

海内外研究"客家学"的专家一直认为：涪陵县为四川客家人分布的三十多个县市的首县。笔者曾三次到涪陵南部山区调研，单以民居形态上识别，就发现四川境内仅有涪陵南部山区有数量较多的土楼、碉楼存在。尤土楼一类，至今在川内尚还没有发现同类型的消息。结合专家们"客家学"的研究，显然涪陵土楼不是一种孤立的现象，其中明家乡瞿九畴宅便是典型一例。

瞿九畴为本地绅粮，原建有两座土楼，相距两百米左右。其一号称"五岳朝天"，即土楼四角带小碉楼，中间还有一个突起的碉楼，故得其名。此种形态在云阳县里市乡有类似之作，虽也有"五岳朝天"，但是祠堂。且平面不方正，又是石砌围墙，中碉楼实则衍化成塔楼。

瞿宅现存土楼除中间无碉楼外，其他全同。土楼是一种大型土筑围合体，是纯粹的民居形态，里面住家，有完善系统的生活设施和空间功能划分。同时又兼具防御作用，碉楼体量较小，少见边宽超出两丈者，少住人。且分布于一般木构民居中轴线以外，尤四角位置上布置。是临时性的防御构筑，即兵匪打来了才上去防御。

瞿家土楼呈正方形，边宽8丈（约合25米），墙高3丈，墙厚2.4尺，通高约3.6丈，无收分，面积约1375平方米。上为平脊瓦屋顶。方形平面的四角有凸出碉楼部分，后东北角撤去一个改成马厩。宅座南朝北，原西边开有大门一道，后堵死。土楼内按传统中轴对称布局，中为天井，上、下房各5间。下房中为门厅，正对正房堂屋。左右厢房两间，底层四角房间和四角碉楼相通。

楼分三层，由进门厅左侧另搭楼梯上下。后来在土楼大门外建起四合院一座，土楼便处在左厢房位置，内堂屋也搬出。土楼底层架空80公分，和二层改作粮食仓储。因此，

(图122) 瞿宅内部天井回廊

仅三楼形成内向回廊，仍作房间。由于三层较高，视野广阔，作为建筑的防御重点。于是沿着内墙面又开了一圈封闭的回廊，回廊串联四角碉楼，各碉楼间土墙顶端开采光和防御共用的无窗棂的长形窗框。这样就构成了顶层可相互支援的防御整体。而回廊与四碉楼相通，又把碉楼推到了防御重点的重点位置。也就把三层的所有房间夹在两道回廊之间。为了两道内外回廊间的联系，凡四角的房间都不隔断，以形成上楼下楼从四角进出，可迅速进入碉楼的宽敞无阻的机动快捷之道。于是才真正形成了顶层为核心的防御体系。因此，整体分析土楼的防御功能，虽层层都有枪眼可对外射击，然而，下二层都在房间里开凿射击孔，并没有构成统一的有机空间联系整体，唯三楼才完成了整体防御。再则，如果没有凸出四角的碉楼，仅规则四方体墙面，也会造成射击的死角，死角既最易成为主要攻击点。这便是为什么土楼四角要建小碉楼的由来。那么，碉楼民居中仅有一个小碉楼又如何防止死角的出现呢？就在涪陵南部地区众多小碉楼中，它的每层楼每个墙面中，都在墙体里斜凿一个45°的射击孔，于是各墙面通过这个孔射击的枪弹在各对角线的延长线上，即死角上形成交叉点，这就解决了射击不到的死角问题。因此，凸出土楼四角的碉楼，作用和45°斜凿射击孔是一样的。土楼四角碉楼是客家原乡地区一种"四点金方楼"翻版，在闽、粤、赣三省交界地区广泛存在，体量有大有小，小者同瞿宅者也有。

土楼内部全木结构，不以墙体为承重负担，以柱网的均匀分布解决承重。各层横向梁，靠墙头一方梁头紧紧顶住墙体，众多梁端亦均匀靠紧墙体，同时又整体稳固了土楼。梁架虽为穿逗，然构架密集，甚为牢实。

土楼兴建于何时，确实年代不可考。宅主瞿九畴解放初期仍在。明家乡双石村六社社员胡立科老人言："瞿父手上兴建，是掌墨师后代告诉他的，时掌墨师战战兢兢唯怕垮塌。房子的主意由主人出，为什么要出此主意，也说这一带历来就爱建"大碉楼"。因此可以得出两点：一是瞿家土楼不是孤立现象，因为附近开平乡月亮屋基、巫家坡等处仍有土楼存在。显然存在是一种模式的沿袭和继承，其源头当是"湖广填四川"客家人初来川中之时，其恋乡情结尚还浓烈。唯照搬原乡居住模式方可解思乡之愁，何况客家人是一个非常突出忠于自己文化的民系等等原因。二是瞿宅于其父手上兴建，远不过清末。而清末正是

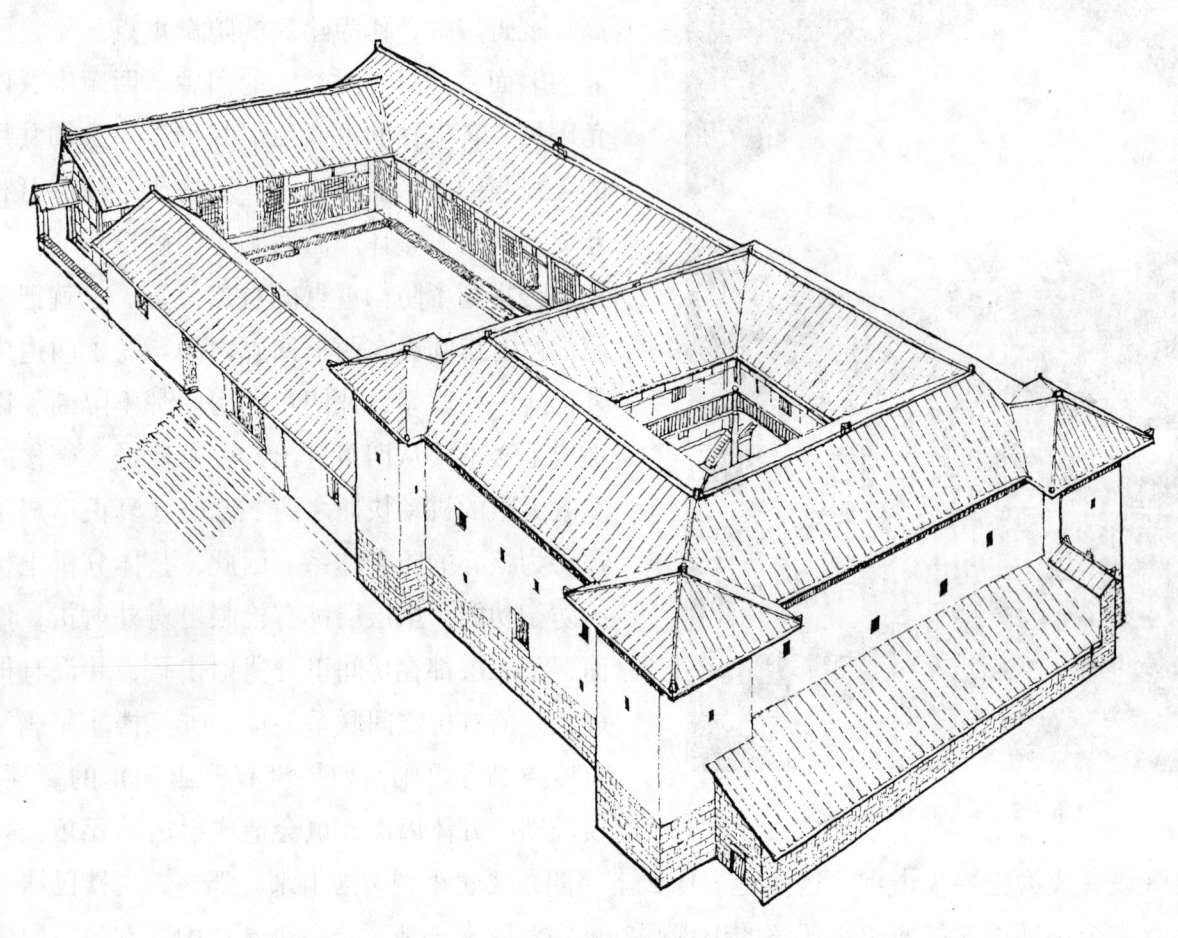

(图123)涪陵瞿宅透视

群雄称霸,匪窜滋扰之时,因此,瞿宅又是客家民俗结合社会背景的产物。

民国初年,土楼西侧建起一座四合院,形同川中一般木构合院形制。这一点说明时过境迁的川中客家人受周围民居文化影响,合时势、相融汇出现的一种新型居住形态的探索。永远都和几千里之外有台风的沿海家乡模式一模一样是不符合事物发展规律的,因此,使我们又看到了四川客家民居在川中变化的轨迹。

关于客家民居在川中的发展,前面章节作过介绍,其分布情况,各类模式等已有简介。于此再补述土楼成因概况:

严格意义的瞿宅应是土楼体系中的方楼一式。土楼包括五凤楼、方楼、圆楼、圆寨等式。土楼最后发展成圆楼、方楼是土楼发展中的一种模式。碍于川中各种条件发生变化,客家移民选择了适宜川中生存的方楼模式,是多种原因的水到渠成。因此又产生了川中方楼的多种样式。首先是正方平面向长方平面发展,它受到合院长方平面的直接影响,这一点是其原乡没有的。而涪陵南部山区广布若干大大小小的长方形平面方楼,像瞿宅正方平面者,亦未发现二例。合川七间乡耿布诚方楼,内无房间划分,仅外观似方楼,不能列为民居之列。因此瞿宅应视为和原乡血缘最亲近之典型。十分珍贵亦在此处。

山顶望月——涪陵周宅（图124、125）

涪陵县明家乡柏杨村周光中宅，选址群山丛林间一山顶台地，台地弯弯如弦月，百姓给它取了一个美丽的名字，叫"月亮屋基"。周光中索性顺水推舟，在月亮屋基上起一幢望月楼。"楼"实则是一幢小型土楼。孤

（图124）周宅有挑廊之一面

独地耸立在林莽崇山大岭之中，周围人家稀少，清寂静谧，不是钱财有余想讨一个孤寂清高的环境或追求一种什么人生寄托，一般人绝不会在此选址建住宅的。然正因为地形特殊，确乎空气清新，松涛唰唰，鸟啼虫鸣，自然生态几近原始气氛，而地势高于周围，上得屋顶可览森林大野，夜来更是清风明月一家独享，所谓望月楼真有其神韵。更确切点说，是一幢隐居的山野别墅。照此揣测主人建房用意，必然要在从里到外有一番与众不同的作法，方才在选址到住宅外型，再到内空间组合，从大到小，整体到局部有别出心裁的标新立异之处。果然，楼成之后，让人感到仅此一家，十分奇异。

周宅长、宽、高皆3丈，因此平面方形，体积也成正方体。每层均分9等分，每一等分长宽各1丈，面积约9平方米，共三层。于是在平面正中间就出现了一个9平方米的天井，天井直通顶层，有楼梯从天井侧联系三层各房间，也就以天井为中心，形成名符其实的核心纽带空间。采光、通风、排水、交通都由天井获得。由于仅9平方米窄小面积，其上又有9米高的四周环护窗壁，其形犹如一个深井，因此，二层以下光线暗淡，到底层则近乎黑暗了。

然而从天井扩展开来看，其平面布局终是跳不出中轴对称的合院式格局的制约。亦是下房、左右厢房、上房模式翻版。奇怪的是这种布局极类成都近郊龙泉驿东5乡一带除天井外的"硬8间"平面。千里之外偶合是否有同是客家民系的渊薮？平面是决定空间的基础，不同者是成都东郊为平房，而月亮屋基周宅为三层。具有本质意义的平面关系不变，

那么，此平面应有同系一根源之疑。

周宅四围先用 12 根柱子支撑起房架，柱距 1 丈。然后在各柱间下毛石再夯筑版墙，木柱外露，部分包藏墙内。木柱外均分四层凿榫孔，第三层已安挑枋从孔中挑出，估计留作披檐，以防墙高被雨水冲刷。外墙面涂石灰，今已斑驳。各墙面均有枪眼从内房间凿出，枪眼仅 10~20 公分，由石头打制嵌入墙内，实为太小。宅座北朝南，南北两面顶层有转角挑廊悬出，挑廊封闭。因屋高故出檐很长，唯怕承重瓦屋顶力不能敷，有若干斜撑支撑檐口檩子。撑枋之间再用木板封闭，估计此为地高风烈，为保暖防寒之用。屋顶为平脊小青瓦覆盖，内向屋面回坡归水宅内天井，四檐井口小于天井尺寸，于此又更加影响了采光面。

屋内底层有东西向两列土石混墙承重后，以上诸层展开全木承重柱网布置，至顶层均设厚木楼板。顶层天井周围构成半人高护栏木壁，且四周房间全无隔断，于是形成了顶层一大间的宽敞空间，这是最具特色部分。除天井外，足有 72 平方米。如此宽大之屋作何用？周光中在上面办了一个私塾，怕光线不好，又安亮瓦，又揭开下房上屋顶建了一个亭子似的采光孔道。因高出整宅屋面，可瞭望四野，又在"亭子"上置楼板，安护栏，原意是在采光的基础上亦可让学生上去开阔眼界。恰因宅基为月亮屋基地名，既然月亮屋基上起高楼，高楼上又有观望风景的亭子，想来周光中明月当空之时亦必然在上面赏月。因此，望月楼一名由此呼出，不胫而走。

这种高度封闭的微型土楼，能在乡间出现，首先是宅主没有农业生产的稼穑之忧，既不考虑堆放庄稼谷物的秸秆柴草，也无饲养猪牛的圈棚坑厕。二则宅主有一定的文化，受与世无争的旧意识影响甚重，加之有一定财力。因此选了一个孤寂的山顶作人生寄托之所，亦代表了旧时代相当大一部分人的思想境界。这也是农业社会某些裹足不前的负面。故建筑之构成离开建造者的时代、思想、经济、环境等因素来孤立地看待物质现象，显即非常表层的。

作为建筑本身的产生渊源，个中又有一个"远源"和"近源"问题。远者可透过平面，封闭土夯围合窥视闽、粤、赣原乡嗜好土楼之风俗。近者本地区大范围内若干区乡有广泛的同类建筑基础。这是事物发生非常重要的层面，关于它的发展，在四川特定环境中又受到各省移民的影响，这种影响又强化内部人格个性，因此又必然表现在物质现象上。所以涪陵南部土夯建筑体中，民居中，产生大量的几乎一家一个样的土楼或碉楼民居。表面上看来它没有原乡客家土楼、碉楼显得更加统一，相互之间变化差异不甚太大，窃以为那是诸多内部制约因素起着强有力地牵制结果。与其说统一，不如说有雷同之嫌。然而一旦脱离家族制的羁绊，换了一个环境，人追求独立自主的人生完善天性毕露，那么亦必然在一切言行中顽强地表现着这种天性。不过，国人又有遇事不走极端的几千年形成的中庸社会氛围，加之恋祖情结的孝道之风，所以，人生完善又表现出了一定的度量。就周宅形式根本的平面而言，正是这种度量恰如其分的流露。于是这就形成了四川客家民居多样统一的内涵。

月亮屋基望月楼之成是多样统一突出的典型。因其是完善中的发展，又必然产生诸多不足。最不足者是采光，此固然是恪守传统平面形制的行为，然而迈出的步伐尚还拘谨。于此比较距此不远的大顺场李蔚如宅，亦是土楼模式，他就大胆作了从平面到内空间的若干调整改造，使得庭中光线明朗。但围合仍是土夯楼体，尤显得胆识皆具。由此看李蔚如参加同盟会，协助刘伯承操练护国军，攻打丰都，内中深层思想不能说没有联系。以物观人，物若其人正是意识物质一致性的必然。

周宅建于民国初年，现下房大门上二、三层已毁，还剩三分之二，格局和结构仍可清晰明辨。无论如何，它是一部十分奇妙的个人传略，一部地方小史，故十分稀罕十分难得。

（图125）涪陵周宅透视（月亮屋基望月楼）

(四) 乡间小舍

天上人间——巫山石宅（图126、127）

长江三峡两岸高山上的人家怎样生活，他们的交通、用水、上学、居住、社会交往等是怎样的状态，这也许是留给千千万万三峡过客中有心人更多的悬念。

在大溪文化遗址后的山上，有一石人凤宅，其址居高临下可

（图126）石宅大门（背景即为瞿塘峡著名的桃花山）

俯视峡江浩流气派：船如豆粒，一览众山小，人高高乎而在上，飘飘然欲神仙，真如天上人间之感。

石宅为曲尺形平面，土木混作墙体，正房三间，堂屋门壁木作，左右土夯。视木高贵于土，派作堂屋用，衬托了祖堂的地位，又表现了土木结合次序。而罕见相反以堂屋为土夯，两侧以木壁作法者。堂屋后留有三分之一空间作转堂屋，后靠泥土层极厚山体，间隔一后院。后院泥壁凿有畜养、储藏粮食与杂物洞穴。极类西北之窑洞，联系现大溪人尤少女脸型间有北方人特征及较高大体形，使人在此地居民由何处迁来的问题上，想入非非。泥土堆积层中，稍加留意，即可发现历代瓦砾、陶片残存。足见此地自古以来人类活动的悠远，可遐想历代造房建屋的延续与兴衰，想必今之石宅定然有古风之内涵。果然，周游石宅前后左右、里里外外一番后，得两点印象最为深刻。

一为选址，石宅屋基选在瞿塘峡下游端南岸半山腰上，隔江可遥望著名的瞿塘峡桃花山。桃花山海拔1707米，山顶呈尖状，从奉节江面往下看，耸立在夔门之后。若缺少此

景观瞿塘峡雄奇峻险之貌则大为逊色。石宅南为绵延于大溪河边高山，长江与大溪河两水相交成角，石宅正在夹角内大溪文化遗址后，高高在上一聚落的靠山末端。宅向面对长江下游，因地形所限，未能正对东方，后经朝门歪斜校定，使得气贯正东又长河红日在宅中端起落，清晨阳光照得满堂生辉，全宅灿灿如镀金，景象十分喜庆。由此放眼，可纵览大江东去，遐思楚天云梦大地。于此，和相反朝向云阳张飞庙大门西开（喻张飞心向蜀汉），以及大溪镇众视线归于瞿塘峡口等现象比较，人心归属的象征也罢，风水也罢，自然崇拜的下意识行为也罢，终是人前屋向不可有障碍物阻挡为上。此为常理，若开门见山壁，逼死视线，任何人的想象力都会阻塞，造成严重心理负担，久而久之，不积郁成疾才怪。因此回过头来再端详石宅，感觉巴蜀相宅之精要，以顺趟、平安、吉祥、光明为心理宗旨，不在乎朝向非座北朝南或"挂东南"不可，凡能达到宅主美好祈望与憧憬的作为，宅主都敢勇于尝试。所以，这些不可见的意识通过物质行为表达，适成可见的建筑现象。于此也就派生出精神和物质相辅相成的民居文化，像特定选址于大溪古文化遗址之后的石宅，自然又使人在两者之间产生是否有联系的想象，产生是否有内在关系的疑问。无论有与无，恰是这些不可知的因素，往往构成中国民居文化中之玄秘部分，亦成为后世探索的未知空间。所以到了这样一个自然与文化的圣境里的宅址中，心境该是何等的不平静。那江流、山岫、斜开的朝门、后院的洞穴、石器时代的碎片、……都调动着你的想象力，再加之特定的地理位置，人置其中，情景交融，浮想联翩，天上人间，人间天上，实在美好之极。

　　二是两件吉祥物叫人难忘，一是堂屋门楣上的"吞口"，二是朝门前左侧的解救石"泰山石敢当"。吞口为木雕，解救石为深浮雕。两件东西均为传统住宅沿袭下来的辟邪之物。其中"泰山石敢当"国内造型大同小异，为一石方柱或竖立石板状，分两段，上1/4到1/5段为凶神恶煞，瞪眼长舌，有一短剑从口中舌后横穿而过的鬼脸，下段刻写"泰山石敢当"五个字。从笔者收集的数十例"石敢当"资料看，可谓无一雷同脸谱造型，虽都有一剑从口中横穿，但各具形态、手法、处理粗细有别，艺术效果深浅不同，均围绕口含短剑展开。不难看出工匠技艺的差别及此物在民间的广泛性。石宅"石敢当"亦同上述，但雕刻精熟，造型夸张，是该物类中上品。最为难得者为吞口，是笔者民居调查多年仅见造型。过去所见者多木水瓢反扣在门楣上（像南川、涪陵及土家族地区的吞口），然后在上面用颜色画出"鬼脸"，或者直接就画在门楣上方壁上，多为平面造型。有体积的立体镂空木雕此次在石宅发现，其形和"石敢当"大同小异，实在不易。此类吞口多见于建国前，据老人们回忆，有专门的匠人浪迹民间，谓之花工木匠。凡涉及细工木活，如门窗，花罩，雕字雕花，二十四孝图，川戏折子戏，偕福、禄、寿、喜的动物植物配属，甚至春牛、天官、菩萨、观音等都能刻制。在他们手上形成了一套完整的古建筑和民居艺术的造型手段和模式。有的达到相当高的水平，可算作技艺非凡的雕刻家。与其并行而伴的是"花工石匠"和灰匠、木匠，均能精湛地反映上述内容。这些工匠技艺的失传，是中华传统文化的损失。

(图 127)巫山石宅鸟瞰

和"泰山石敢当"与"吞口"并列的尚有灶符（即猫形象的灶神菩萨）神位、门神、门联、石狮、石鼓、门簪，匾额、础刻、撑拱、雕刻、脊饰、檐饰等等。这些附属在民居上的艺术构成民居文化的独特领域，是中国民居有别于世界各国民居中的精神特色部分。它虽然在物质功能上很多不具结构与使用作用，它构架了民居文化，处处与建筑同行，使得中国民居异彩纷呈、丰富无比，把传统文化于民居咫尺之间，烘托出极高的物质与精神结合得至臻至善的境界。里面反映的中华民族高度智慧与成熟是其他民族很难与之比拟的。

然而就在三峡两岸高山的民居里，这些过去的不毛之地，穷乡僻壤，那里的人民亦如殷富之乡的民居一样，钟情民居文化。不同仅是经济贫困而住宅简单，附属在住宅上的文化品类较少。一旦他们有条件兴建四合院之类，则全可配属完善而美丽。当然，里面反映出历代统治者在住宅制度上的严厉亦是"无微不至"，就连如此偏远山间也事事俱到，不能放过。又让人感到压抑了民间对于民居文化更多的艺术创造。

东山茅舍——成都钟宅（图128）

近、现代凡到过成都的人，都留下了"成都坝子都是草房"的印象。其实细心人稍加留意，即可观察出草房分地区、分范围尚有殊多不同。双流中兴沿府河下走彭山一带的草房多四合院，下房中间厅房同作大门，为全部草顶。到彭山渐自屋顶加了部分青瓦。再到仁寿、眉山则彻底的瓦房了。从西北走彭县则曲尺形草房较多。而东部龙泉山下诸乡则是另外一种特殊的"亞"字型平面草房，范围几乎占尽东部，谓之"东五乡"。而"亞"字型草房分布就远不止东五乡范围，可延至金堂县南部，简阳西部。和"亞"字型同类的还有隆昌县大部和荣昌县局部的民居，只不过全是瓦房之貌。于是这就形成了一种平面模式的分布范围，构成了巴蜀民居乡间小舍的一种特色。

（图128）钟宅之立面，（川中大部分客家人居住之模式）

由于旧时代川中经济的贫弱，形成了城乡遍布草房民居的事实。唯研究者不能染上"不言家穷"的市民虚荣陋习，实则草房中蕴积了百姓的智慧和由智慧而产生的诸多结构、材料、空间、审美等优点。有些地区可以把草房做得极为精致，并构成一套民居制作工艺，至使流行数百年。其中东五乡草房堪称川中一绝，是草房中的精品。

成都龙泉驿区客家人，俗称东山客家人。大多来自粤北山区的大埔、梅县、兴宁、五华、龙川、和平、连平等县，人口约50万。他们保留了传统风俗习惯和语言，同时把住宅制度也带来川中。陆元鼎在《广东民居》著作中谈到："客家地区一种茶盘形式的楼房民居，一层平面布置了三开间房屋，谓之'二堂屋'"。它的特点是以厅堂为中心，中为天井，对称组合而成，有简单的上、下堂，采光靠天井，四围无窗。这种平面模式可谓原封不动搬到了四川。龙泉驿一带称其为"硬8间"。拿西河乡跃进18队钟俊成宅草房而言，所谓"硬8间"即"亞"字型平面，它包括天井周围封闭与半封闭各4间组成。封闭者为四角房间，半封闭者为上、下堂，左、右厢房。也就是说，上、下房各为三开间，左、右厢房各一间的简单平面组合。唯不同者，因四川气候日照少而阴湿，故去掉了厢房的门壁，使之和上、下堂串通形成半封闭空间特色。这一改动，不仅使天井采光可影响到各角落，使得整个院内光亮满堂，又开拓了气流通道可随时驱散潮气。更实用者在于移民四川后，家庭单位变小，最适宜新环境中一家之口的居住和室内劳作。也就在平面不增大的基础上加大了空间容量，同时又融洽了家庭的和睦气氛。所以，仅百来平方米的总面积，进去不感局促，不低矮压抑，而宽窄合适，显得十分温馨祥瑞。

"二堂屋"的来历又产生于"一堂屋"。"一堂"者，即只有上堂而无下堂，进门就是天井，而无下房三间，故又称为"假6间"。所谓"假"，即把天井也算作了一间。如不统算在内则为5间，"5"数不吉利，故叫"假6间"。假6间多穷人又两辈人家，若经济好转，人丁增加，则加建前面下房三间，也就变成硬8间了。西昌安宁河谷地僻人穷，那里的客家人就多一堂层。

钟宅仅是千万"二堂屋"模式之一例，且面积、各局部尺寸、高矮、墙体土坯作法都近一致。尤屋顶草作的统一，展现了内部住宅制度上的强有力的小社会制约机制。

川西煤少瓦贵，但稻、麦两熟，有用之不竭的草料。中以麦草较之稻草硬朗、柔滑、易覆盖、易造型，若用其盖房不易变形软塌。尤在檐口处可剪裁修饰，使得光洁平整。并仿效瓦屋檐口，形成内斜7、8寸草层厚度，使雨水顺一条线流向天井。而脊饰更是如瓦脊，扎花做吻，翘角。草层下除檩子用细小的木棒之外，"椽子"，有的甚至檩子全用竹子扎编成网。此不但充分利用了川西盛产的竹材，亦有效地控制了草的下滑，稳定了屋顶。于是在民间又产生了一批卓有技能，专事盖草房为生的工匠，俗称盖匠。其以制作工艺竞争于社会，不断提高草作水平。所以，川西草房成为名闻遐迩的一大民居奇观，亦是多种因素合成的结果。

如果一个家庭人丁发展了，儿子结婚亦另按同类模式再建。也有事先一开始就打算不让儿子分家另立房舍者。那么，在平面筹划上亦以"二堂屋"作为核心空间，左右再并列"南北厅"增加两个天井，形制亦同"二堂屋"。同样为草房，不过规模大一点而已，但数量少多了。

"二堂屋"草房使用寿命可上百年。决定因素在草顶的寿命，"换草"是延续寿命的办法。一种是哪里出现漏雨换哪里，或局部换，或整宅全换新草。所以在草顶的外观上常常出现褐色老草和黄色新草夹杂的"花屋顶"色调。有的老宅，草换了若干次，但框架依旧。

草房最大的弊端是易火灾，这也是何以于当代不易延续的因素之一。

钟俊成草房之为类中精品，除了有草的系列盖房工艺外，更有广泛统一的从平面到空间组合的形制，且形制还涉及渊远的历史、民俗诸多背景。因而虽为草房，亦透溢出浓厚的文化气息,品位居草房民居之上,谓之精品。虽为小舍,优美不在某些所谓呆板的"华厦"之下。而川中其他各地草屋茅舍,有稻草或野茅草作顶者,就形制而言,有相当讲究合院式的布局要求,亦更多随遇而安者。经济贫穷迫使他们支起一个遮风避雨的居所即可,但它毕竟是房舍。而龙泉驿一带不少绅粮大户也盖草房,"茅草房中腊肉香",亦不可以草房论贫富。所以,凡草房民居现象均具体分析,不可一言以蔽之。

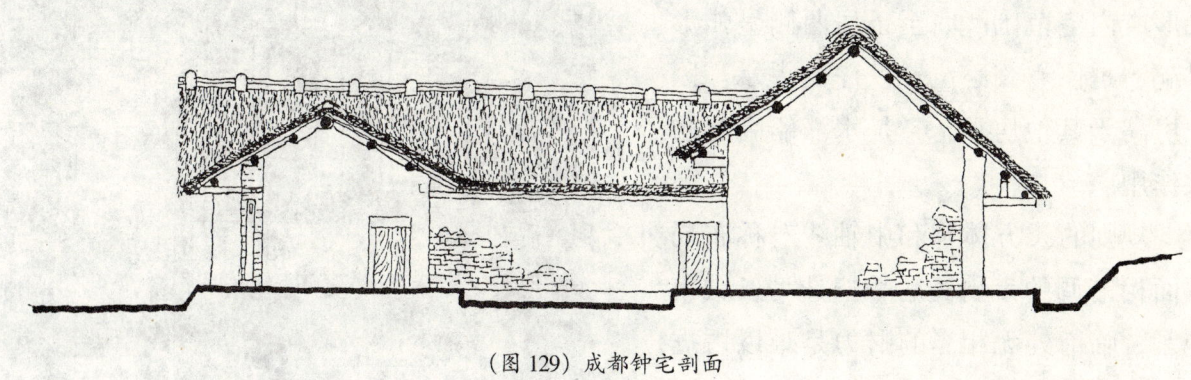

(图129)成都钟宅剖面

(五)城镇民居

店家两处——成都彭宅（130、131）

城镇民居直接和宅主职业、身份相关。仅成都若干街巷,分片分街居住着不同背景的人。少城一片多满人,文庙前、后街多官宦,府南河两岸多庶民百姓等等。那么,这些街巷的住宅区别就太悬殊了。成都为消费性商业城市,店铺加住宅为大宗,其间不唯都是前店后宅或前店铺后作坊加住宅,这部份不过小商小贩而已。凡中等以上商贾,多寻别处另立住宅,以完善家人周全居住、诸多精神寄托。而大中商贾之间又区别甚大。大者如双栅子街"朱财神府",含多进天井、高大房屋、华丽装饰、花园佳庭、楼台亭榭等。中等者莫过一进庭院,四合院一座。走马街35号彭家院子便是此例。

彭家在春熙路上做绸缎生意。春熙路和走马街在同一直线上,经东大街分成两段,相距甚近,住宅选择与经商店铺位置极佳。

彭宅临街有头道龙门一道(成都亦称门洞),和其他比较并无特别的装饰。按成都门洞的讲究,大门有宽有窄1至3间不等,有挑梁从柱间挑出,并施以莲柱和雕饰,外观特别以区分左右。且中间屋顶高于左右以示脸面，作符号以昭示市街，此处为门，内为居家之地。而彭宅实则把真正的大门摆在后面，这是一堵砖砌门作，额书"紫气东来"四字，以招祥瑞之气。砖墙左右延伸形成长方围合，适成封火隔墙，又形成内宅范围。墙至正房两侧呈弧形拱起，是住宅核心位置秩序的提示。因正房高于其他房顶，又是水涨船高起防火作用。

规则的长方体是和中轴线对称布局平面相谐调的市街民居普遍选型。城市地紧，临街处无相当的财力是难以占据多间铺房的，因此多为向纵深发展。成都市街民居凡临街向后延伸者，无论地面有多狭窄，都一往情深地忠诚于合院布局。以至有的天井显得过于局促，尤陕西人天井，大概囿于西北日照太好的缘故，到四川后还有此情结，故把天井作得犹如棺材形窄长，被戏称"停丧天

（图130）精湛的彭宅内部装饰

井"。而财势宏巨之宅和一般商贾之宅都追求天井的宽大，又囿于川中日照少的原因。但城市用地的局限迫使大多数临街民居在庭院设计上，尽量简化空间过程，以求光线的明亮。因此，和农村合院一个显著的区别是，取消了檐廊这一过渡空间。因为是狭窄平面，取消的重点又放在两厢房前。而下房和正房等横向空间序列，多又保留了檐廊这一川中特色空间，作法上亦呈多样化之势。如下房作过厅、轿厅，设大门、屏门，左右佣人房间等。正房或明间或抱厅，或延至两侧作火巷兼过道绕行后院。

彭宅自大门入，迎面即是屏风一道，以挡住内庭诸景，再由左右开小门即屏门转折入内。屏风木板上有怪兽、人头麒麟身符镇图一幅，为土漆堆积凸出沥金制线，整堵屏风为镜面退光黑漆制底，工艺圆熟传统，为目前尚存成都民居中罕见之物。绕屏门入天井，夺人眼目者在四壁装饰。壁柱、门扇间，概为雕中有刻，件件俱精。图案或花卉或翎毛，均围绕福、禄、寿、喜四方面喻意展开。且全用黑光漆，精丽之中透出光亮，正是清以来成都民居财力雄厚人家好施此色又不违"法"的色彩应用。不仅保护了木质，其黑色的祥和又营造了居家的安静温暖气氛。唯嫌"啰嗦"者是雕饰显得繁琐及粉彩过艳，虽为局部点缀，但到处都是星星点点，也就露出发财人唯恐不能露富的俗艳。同时亦对比出一般商人

与儒商在住宅建造上的文化品位和修养来。

绕正房左右火巷入后院,但见本该种植花草的后花园被一座砖砌房子占满,这是成都市街民居中不多见的布置。砖房为高出地面1米多的仓库,墙厚约80公分,分上下两层,以木板相隔。上堆放绸缎布匹,下放木炭,石灰等吸潮之物。整个形体简单实用,防盗、防火、防潮功能兼具。其正正中中摆在中轴线上,令人隐约感到宅主建房建库欲求万全之策的良苦用心。继而把库房置于祖堂香火的后中,也是力图万无一失潜心祈祷祖上保佑的默颂。

任何住宅建造,安全是第一位的。安全中又以火为元凶,次才是盗。用砖砌外围高墙首防街邻之火,内砌仓库加厚墙体为防家内失火。须知者仓储绸缎为生计所在,严防火、盗、潮全可不择手段,建在什么地方都可,而占据后花园之所,当还有"隐藏"之理在内,不被外人进宅一眼望穿,宅主戒心大可松弛。即便如此,宅主在庭院布置上仍把空间调整得规矩方正,秩序井然。个中传统合院制格局不可亵渎之外,亦窥见商家思考问题的周密。据此比较宅中花园、小姐楼、书楼等一类空间,它们有或无、败或塌又何妨。事不关及全家生计性命,摆在宅中一角僻隅,点缀一下文化气氛,装点一下面子即可。故宅中仓库一作又可领悟物质和精神在发生冲突时,物质的第一性是压倒一切的。

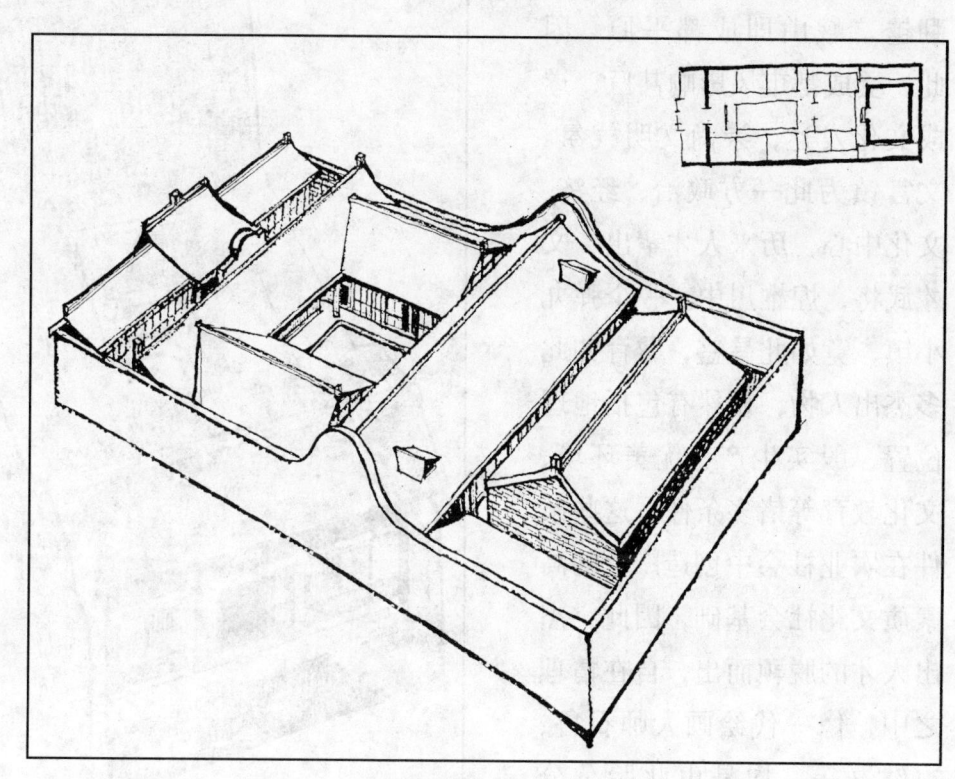

(图131)成都彭宅透视

综上彭氏在建筑上形成了春熙路铺子、走马街住宅和仓库两位一体三用的家庭空间面貌,二者虽然在建筑上没有联系,但在家庭财产、二者空间的心理联系,休戚相关的全家生计上亦是息息相关。类似彭宅与铺子分开现象,是城镇民居中非前店后宅一类,此正是市街所见何以临街不开店铺,只为住宅的原因。当然,整理下来还不至于此。

闺阁识胆——仁寿冯宅（图132、133）

龙泉山脉蜿蜒西南段，山势渐低，为二峨山。其东南坡下良田美土，风景秀丽，形成仁寿北部一方农业区域。由此翻越二峨山即成都平原。因此，受成都市风影响甚巨，遂成文化发达，崇尚文明气氛。文宫镇为此一方政治、经济、文化中心，历来人才辈出，文才武将，煌耀川中。一个弹丸小镇，竟如此昌盛，孕育如此多杰出人物，显然有包括地理位置、殷实生产、优美环境、文化教育等诸多条件。这些条件在农业社会中创造广泛的高素质文化社会基础，因此，杰出人才的脱颖而出，自在情理之中，像一代绘画大师石鲁、冯健吾等，均是由此胎孕分娩。

建筑为人作，川中便有一种说来颇为奇怪现象，往往一个小镇，一方农舍一好是一片，一精全镇精。这里面就涉

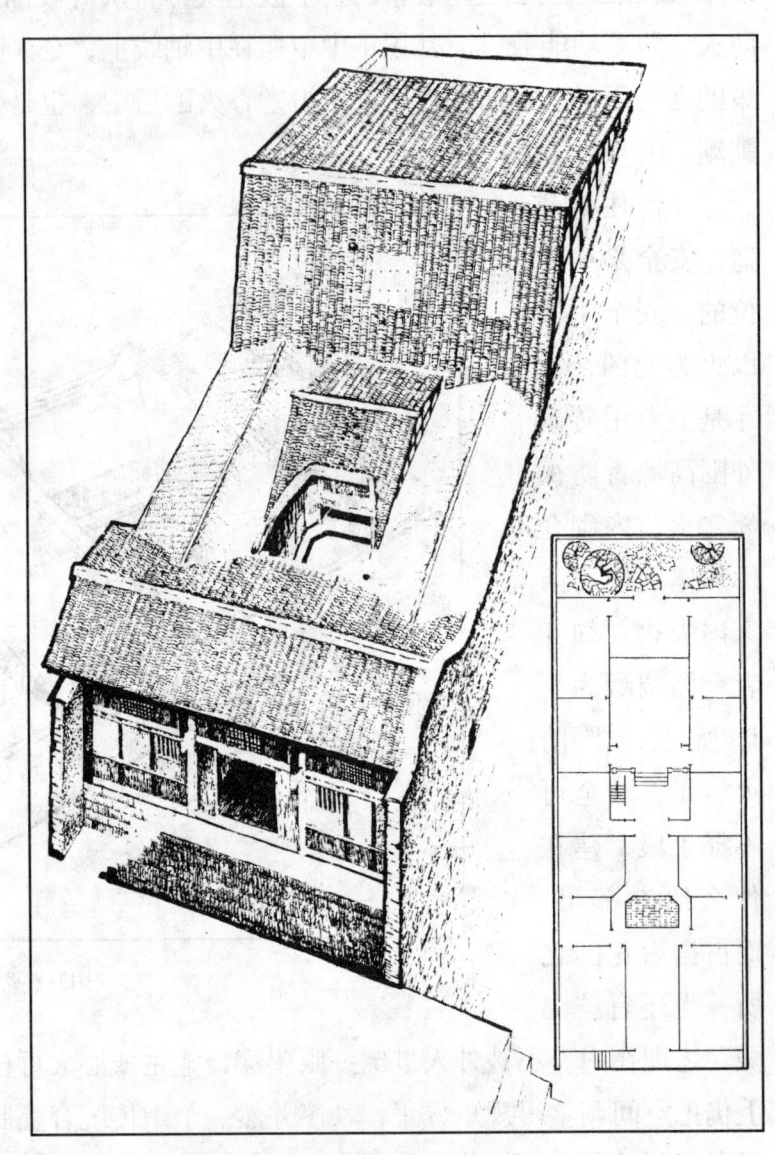

（图132）仁寿冯宅透视

及到一方、一镇普遍的文化素质问题。文宫镇无论寺庙、祠堂、会馆、学堂、宅第、民居等建筑，可谓处处精湛、宏丽。中有董三畏堂、潘文华公馆、冯家祠堂等十数处风格迥然不同建筑于镇中。董三畏堂宗祠的宏大华美，旧官僚宅第的奢华与度量等都感染着街坊，影响着市街建筑。加之百姓文化素质较高，极易吸收充满文化品味的建筑表现，因此小镇民居更是形式多多，绰有风采。

书香世家的冯姓，为本地望族，在祠堂与住宅上别出心裁。无论乡间松林村老宅或镇里临街的祠堂、宅院，其构思在突出一个"文"字的基础上，不事大动宗法伦理的大格

局，想方设法变通一些特定功能的空间以延伸其文化内涵，张扬其对旧形式的改造，以诉诸新思想的发泄。并把封建色彩浓重的空间部分着着实实戏谑一番。比如镇中上街祠堂，门后戏楼楼面退得仅剩不到 1 米，这样窄的戏台能演什么戏呢？仅是一种形制的敷衍象征了。于此再详看另一住宅。

和祠堂同一条街的宅院为上街 18 号，是石鲁三叔冯子舟的临街住宅。无前店，纯为居住，门面狭窄，进深足够，为中轴对称布局，中得一小天井，下房、厢房、正厅、正堂之房皆齐备。显然这是不顾用地有限，必须完善传统合院形制"法律"的不得已的又是心甘情愿之作。它的潜台词是：无论把房间修得怎样窄，怎样不好使用，传统的尊卑秩序还是要的，"法律"还是必须遵循的。然而，令人十分惊奇的是，却在整个庭院正中，即正厅中上构建一个漂亮的小姐楼来，于是中轴线的神圣变得苍白，一文不值了，尊卑秩序亦形同虚设。更令人和社会所不容者，是小姐楼下过厅变成一道"门洞"。人如果要进入堂屋香火祖宗牌位处，皆要穿"门洞"而过。其理形同小姐身下之人，这是男尊女卑社会绝对所不能等闲视之的辱犯行为，是道德的沦丧，是对长辈的大逆不道，是伦理的混乱。不要说女性身下之人，就是晾晒女性汗衫小衣也得有所隐蔽收敛。

这种戏谑中轴线，而开头又要按中轴对称布局的行为似乎极为矛盾。其实这里深深地隐藏着时代发生变化，家人思想动荡的社会背景。建筑之所以为文化载体，同是时代的晴雨表。犹如行将正寝但躯体庞大尚存几分威严的僵尸社会，表面上轰轰烈烈，实际下面在悄悄地发生变化。

清中叶以来，朝廷呈衰弱之势，鞭长莫及的川中建筑多有不按政府营造法式而僭纵逾制者，大者官府第宅，小者百姓民居。从《中国营造学社》刘致平教授 1941 年的蜀中民居调查看，少有不"超标"者。有的擅自扩大开间尺寸，增加间数。有的乱涂颜色，以民充官，混淆视听。有的擅改大门等等。慑于统治者的几分威严，又于无专门机构对建筑的管理监督，而民间建房多是自觉遵守行为或风水师、掌墨师说了算。这就给住宅制度的嬗变带来条件，也就在顾及统治者住宅制度的面子上，从住宅局部产生改造改动。当然，这些改动仍旧存在风险，万一有人告到朝廷，上面要兴师动众追究一番，也还是很糟糕的。所以，清以来川中住宅有的被朝廷查封，明令归顺正制甚至治罪者也是有的。像江津会龙庄抱厅修建，被诬告为皇宫，企图日后登基称帝的准备，后被取缔，现仅存四个石础亦是类似之理。因此，这里面就存在一个对上对下可自圆其说，如何把改动住宅功能空间做得高明的问题。

冯宅把闺阁这个历来约定俗成只能建在轴线以外、庭院边角较隐蔽地方的小姐姑娘的起居之所，建在了庭院中心亦自有一番说法，言此举正是维护纲常之理，把小姐置于众目睽睽之中，时时刻刻监视她的行动，以免生枝节。然而，真正的原因，即为什么此状况不发生在千万人家住宅里，偏偏在冯家发生呢？除了上述大的历史背景外，冯家乃是一个先知先觉，整体文化素养很高的家族。笔者考察冯家祠堂碑刻家训诸款，诸多楹联词语，结

（图133）冯宅天井中的小姐楼

合乡间大宅和镇中诸建筑得出体会：冯氏是一个精通传统思想而多有主张正义、明辨是非的家族群体。其族人素崇尚传统文化，深研儒学，尤书画最精。中有石鲁、冯建吾为代表。尤石鲁抗战时奔赴延安追求光明，某种角度言，是一个家族成员在正义、是非初级民主思想上的升华，是一个封建大家庭经若干年变化的必然结果。只要各种条件兼备，均会在物质与意识形态上顽强地表现出来，石鲁奔走延安是当时一种最高表现形式。小姐楼居庭院之中亦是另一种发展中的形式。形式不同，有前有后，殊途同归。

中国建筑无论稳定的每一个细部，还是细部略有变化，都深深隐含着时代的动荡与变迁。隐含着一个地区、家庭、一个成员的思想发展，冯宅带有极强创造性的构作，在传统建筑上如此标新立异，虽小技一处，全可窥视这个家族整体富于创新性的内聚合力和扩张力。此不能不使人联想到石鲁先生在绘画上于中国独树一帜的创新，以及以他为主将的，建国以来唯一受到社会承认的"长安画派"。建筑同为艺术，表现形式不同，但思想是相同的，尤其是艺术思想的一致性。无论他最后从事什么职业，职业仅是诉诸思想的手段，他都将把创造意识带到职业的表现中去。

木香绕宅——洪雅刘宅（图134）

处在农业社会的城镇民居，笼罩在农业文明的氛围之中，要想彻底抛弃这种文明套在住宅制度上的枷锁是不容易的。不过，正如我们讨论的，在不动其制度的根本上作些变通亦是完全可能。这就锻炼了国人思维在住宅完善方面的发达。

城镇民居分前店后宅、店宅两地、多店一宅诸多形式，自然以前店后宅为正宗。而前店后宅类型和样式就太多了，表面看都有门、巷、铺店临街，进去看内宅则五花八门，良莠参差。然无论怎样，大多数仍不敢变动，或钟爱轴线布局。也无论后宅有多深，总有这种灵魂在支配，在统治。夹江县木城镇临街刘宅（现镇政府）后面为庭院、天井、平房系列空间，纵深数十公尺。中轴明显，虽店、宅、平房杂间散布，由于有强

（图134）洪雅刘宅透视

烈的中轴串连，家的归属感便成。尤其上述各空间之间相对独立，建筑上并无必然的结构联系。除了中轴外，又靠什么维持这种空间的统一性呢？这就是产生了核心空间，一个主要的建筑体。从建筑角度言，此时前店建筑亦是次要位置。

刘宅核心建筑实为家人饮食起居场所，有如下特色可资一览：

1. 全木结构二层围合庭院，处于前店后宅纵深系列空间中部，宽6丈，长8丈长方平面，面积48平方丈。"48"意喻"世发"，世代皆发财的含义。底层中为天井，周围共16个房间，上、下房各8间，厢房各4间。仅从数字的6、8应用上可看出笃信迷信之深。然此正是围绕中轴，即围绕宗祖而展开的心理祈求，于此形成住宅整体的向心聚合，构成了聚财不散，祖宗保佑的内向庭院。不过，在堂屋和下厅的纵深尺度上就出现了过深过长的弊端。于是宅主在正房中劈出抱厅，也就解决了光线不足的问题。

2. 二层同底层平面，有楼梯从下厅、左右厢房间上二楼。楼面外伸出挑廊，挑廊绕宅大半圈，形成外向回廊。这正是川中清以来住宅盛行的"走马转角楼"。它分内向围绕天井的和外向围绕住宅的两式。实用功能起串通房间作用，多为相当财力人家住宅所为，一时成为断明财富地位的象征。刘宅外向回廊是比较完整的川中"走马转角楼"。而笔者所见各地之形状多为住宅一面或两面有楼，也谓之"走马转角楼"者，多为夸张之词。但刘宅回廊并没有360°地绕宅一周，廊至正房稍间即断。何以如此，显即再往前走就必然跨越堂屋香火之后，人在祖宗后上面捣鼓行走喧闹，自然不是严肃行为，宜避讳为上，适可而止。何况堂屋净空无楼，也没必要串连。

3. 高度封闭的围合完全形同土楼，不同是材料由泥土夯筑墙体被全木柱壁取代，还

有两面开窗采光、有外向回廊。全木结构住宅本不是稀罕之物,然而封闭得如此完善的二层长方楼体却不是多见的。加之用材量的巨大,材质的优良,工艺的严格,使人顿感置于木构世界之中,闻到股股木质散发出来的异香。树木和人同为生命体,它和泥土、石头、砖非生命现象给人的感受截然不同。木材建房有温暖、馨香、亲切、体贴之感,表现出生命之间的沟通和照应。泥、石、砖建房,气氛冷峻、隔膜,和生命有距离感。当然,里面还有木材的有限,泥石的无限等价值因素在内。

4. 刘宅所处之木城镇,地临青衣江畔,峨眉山北麓。气候潮湿,雨量大,日照少、静风多。全木构建筑无论怎样营建,工艺如何高超,加之屋面瓦椽之间不可能丝风不漏,终是一个和屋外空气一样纯度的、相互有流动的湿度环境。这就不至于造成屋内湿度大于屋外湿度,屋内易于潮湿、霉变的局部环境。尤其在底层地面遍建地楼,把潮湿控制在地面与地楼之间的隔潮层内,四面又无阻隔,潮湿易于散发流通,亦有效地保护了接近地面木构部分。同时又带给了整个建筑更多的干燥条件,延长了建筑寿命,又给人更多的舒适享受。当然,还有房间内外两面开窗,上、下厅和天井形成穿堂风,以及天井作为气流吸潮吸风的总通道,使其由此聚汇上升散发,都有赖于整体设计和木构体之间的谐调。如果没有两层楼房形成天井深深的排气道,犹如烟囱太浅,可想而知排气功能就大为减弱了。

(图 135) 刘宅外观一侧

(图 136) 刘宅内庭

无奈传统住宅制度太森严,城镇民居前店后宅亦多四合院平房,潮湿问题成为建筑与健康一大隐患。而刘宅在维护四合院的格局上作整体的变通,不事局部的改动,又全木结构辅之完善。个中地处峨眉山区木材丰富,后宅地基较宽都是有利条件。但要改善环境,主观因素亦是非常重要的能动因素。

　　刘宅建于民国初年，时夹江丰富竹木带动了造纸手工业的发达，不少人家以经营纸而致富。木城亦是造纸中心之一，刘家因纸发财而建宅，宅建得体面实用，思维应是和商业经营同构的。核心是精明，于是扩宽眼界看木城镇的众多民居，亦是和寺庙、会馆相谐构，是一个小镇整体建筑之一处，都表现出质量与文化的统一性和优良性。而其他民居亦阁楼、小品建筑多多，亦充分说明刘宅之为不是孤立现象。

（六）花园别墅

亦家亦园——彭山陈家花园（图137、138）

　　任何一类建筑的产生都有其发生和发展的过程。建筑是由人这样的主体，思想之后而形成的物质空间。而人的方化层次又决定着建筑品位和文化内涵。勿论你的建筑在何处，即是深山，也是明珠。刘致平先生四十年代以《中国营造学社》学人身份考察四川住宅时，经彭山江口得陈家花园一例。判评为"山居……别墅……有山石林泉乐趣……庄园……早年花园类型，很可贵的实例。"（刘致平，《中国居住简史》）。刘先生所展开的模式，给我们分析陈家花园的形成提供了契入主人思想探索的空间背景。

　　陈家花园主人陈希虞先生是早年推翻清朝在四川统治的斗士。川中革命元老张秀熟评价为"……不仅是辛亥革命的先驱，也是反袁的斗士"。像这样一个革命党人何以不周旋于官场，反而回旋于山野呢？终其思想根源，恐可上推至以孔子为主的诸子百家传统思想影响，下至留学日本又受到西方文明熏染的结果。先生是一个中西思想并存的复杂体，同时又是封建时代末期，新文化运动方兴未艾的特殊历史时代，中国普遍知识份子矛盾心态和行为的一类典型。他涵括了传统思想中以"仁"为核心的方方面面，诸如恕、礼、智、勇、恭、宽、信、敏、惠等，又掺杂着民主、民权、民生的朴素追求。这可以从陈先生生前的言行窥见一斑。

　　早年就读日本早稻田大学与孙中山、黄兴交往甚密，并参加同盟会。回国后在彭山举起反清义旗，宣告彭山独立。暗杀宋教仁案起，率师生游行，守护灵堂。这样的反封建拥共和的急先锋，又拒绝孙中山邀其到南方政府做官的盛情。后来更是辞去在成都公职、官衔，索性退避深山，"不求闻达于诸候"，被视为"川中八怪"之一。这和他厌恶"二刘之战"，书赠刘文辉"两军混战，生灵涂炭"八个字的护民安境，憎恨腐败，不违心去做有损人格的良心禀性同出一脉。显示了进步思想和气度。隐退山林后，杜绝车马，躬读深丘，敷衍到山庄谒拜权势，并谓俗客，常有嘲弄奚落趣事轶出。而对师生、邻里、学友、

(图 137) 陈家花园复原示意图

脚夫视为知己,谈笑风生,厚礼相待。透溢出生气勃勃的人生朝气,洋溢着朴素的民主情调,以及与民同伍与民同乐的"大同"意识。退居农村回到人民之中,以大自然为依托,自营隐士氛围,模拟陶渊明"心远地自偏","采菊东篱下,悠然见南山"的时空境界。更把六朝文士孔稚圭视为偶像,推崇他《北山移文》中的思想:"夫以耿介拔俗之标,潇洒出尘之想,度白云以方洁,干青云而直上,吾方知之矣。"这是一个现代隐士的形象,一个偏安一隅的心境。以上叙述陈先生言行,再反过来检索对应孔子"仁"的思想诸点,发现处处都有相似之处。再则,上述似乎和儒家主张"进"、"入世",而陈先生则在"退"的行为有矛盾。其实中国哲学的不系统性正是诸家观点并存兼容的对立统一体,以退为进,无为而寓大为,不独是道家才有的哲学。因此,本质上陈先生仍是儒家思想支配着心态言行。当然,这和官场失意,被动而山林野居者,削发而隐僧者有极大的区别,是一种主动的遁世行为。与其说"羁鸟恋旧林",不如说不为五斗米折腰,行为之因,隐含了对现实社会的不满,力图通过对《归园田居》的思想寄托,解脱人生烦恼。这恐怕是那个时代很大部分知识份子的真实心境。于是我们从陈家花园草木繁盛的气象中和颓唐消极的封建时代文人墨客私家园林的封闭、脆弱格局比较,前者属动态流动的情调,后者是苍白凝滞之格局。人民若观之,前者亲切,后者隔膜。亲疏之野,界限俨然。自然,这就产生了陈家花园格局、景观布置、绿化内容诸方面的大众性,以及作为园林的最初性和原始性。

刘致平教授在《中国居住建筑简史》中言及山庄时有这样一段话很值得玩味:"平坦的山腰里,在那里筑有三合头房一所,背着山峰,面向山峦,周围种些奇花异树,正房露

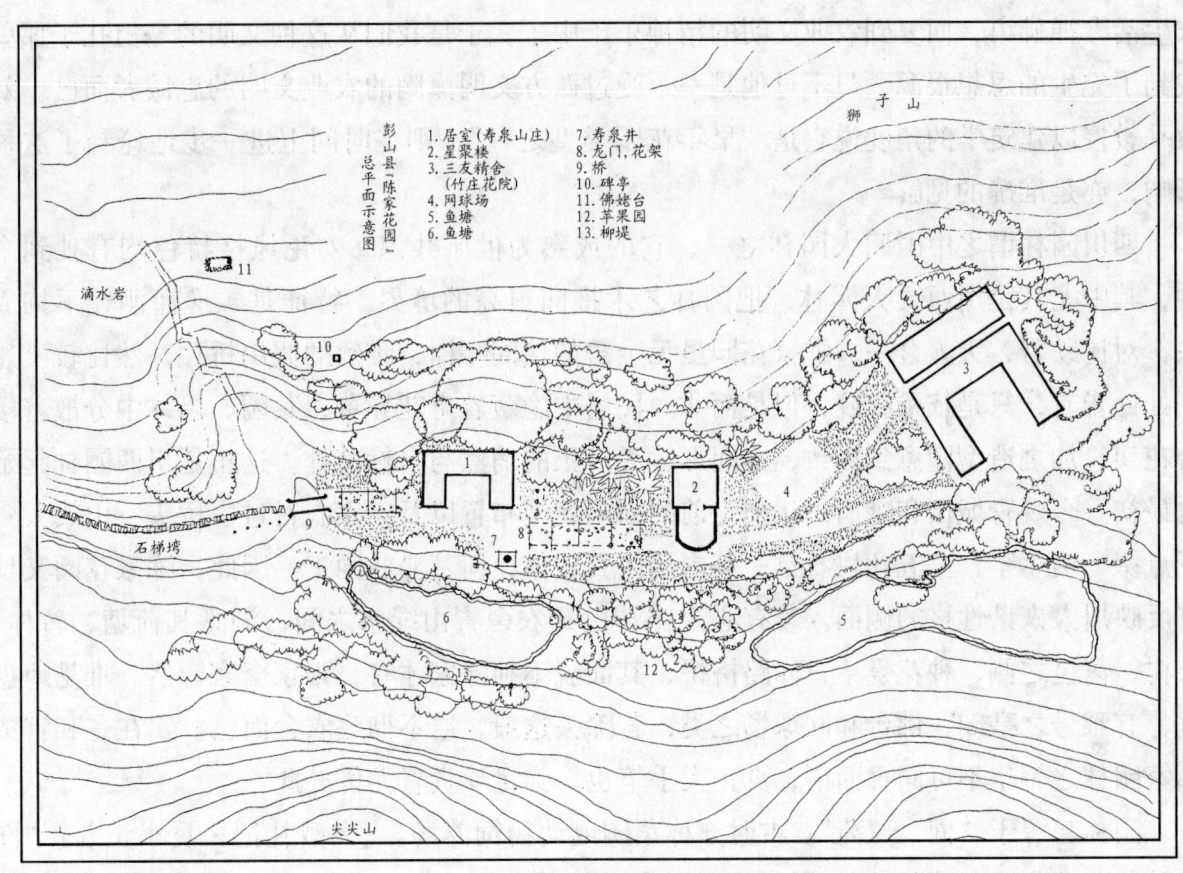

(图 138) 彭山陈家花园总平面示意

向天井之间，带前廊，左右耳房各三间也带前廊，右耳房满贮图书，是陈先生读书的地方，开窗见山，景致极幽，宅是民国初年建的。工料还不差，仅是木柱纤细，步架窄小是清末制度。山上空地常种些果树、蔬菜……"。而陈先生四子陈余信也在《陈家花园及其主人》文章中谈到：花园中"寿泉山庄"、"三友精舍"均系普通三合头民居，格局、装修与农舍毫无二致，"步架窄小，木柱纤细"。然先生藏书于此，周围"奇花异草"，"果树蔬菜"，自寻农家乐情趣。严格说来此并无园林、花园意义。仅是川中极为平常的农家而已，充其量赋予了两农舍各一雅号。但是，作为完善两舍之间约三百米大片空地的内容，作为加强花园构思中两宅骨干建筑的联系，则就在内容上产生了星聚楼、花架、龙门、荷塘、柳堤、桥、碑、佛姥台、网球场等精神价值大于使用价值或两者殊为平衡的空间。这里面没有一般园林故意盘曲迂回，一切因地制宜，毫无拘泥，以自然雅洁为宗旨。尤其是在花园里开劈了一个网球场，彷佛有些不伦不类，恰如此，点出了主人身份和文化层次，和一段不易被人察觉的二十年代巴蜀风中的"舶来味"。总体而言，花园格局兼容了古典遗制中轴仪轨，佛教内容，体育设施。精心安排中亦可窥视过去瞬息万变的政局中一种彷徨苦闷的空虚，一种苦恼解脱法。就特定人物而言，虽有百般之法，然陈先生选择了"归去来兮"之法，去向民间，回归大自然，在那里去建立一切统归于自由的净土，自然就趋向布衣生活参禅佛事，回复到农业文明的精神乐土中了。于是我们从这种文明的鼻祖孔子那里找到了先生的思想根源，只不过他是一个受过西方文明熏陶的农业文明的忠诚者而已。刘致平教授以建筑学的角度说它是"早年花园类型之一"，则在时间上进一步地诠释了这种影响，亦是准确的见解。

四川园林谓之中国四大园林之一，它的成熟为世所共识。勿论风格特色均有独到个性，其中尤其是川西文人园林，把园林艺术推向很高的境界。特征是飘逸潇洒，不拘成法，对比跌宕，天人合一。陈家花园虽无金碧的楼阁亭榭，雅致的假山桥栏，然比较上述则处处皆有，只是依稀朦胧，似是而非。民居中隐蔽着奇花异草，菜园、果林中分散着楼台花架，加之造型随意到极致，空间形体无声张的悄然与自然谐处。这正是川西园林起始之最初。今观青城山和峨眉山伏虎寺前的山门牌楼布置以及广大农村过去桥头、山梁大树下点缀一两茅亭，三五几块石桌，其内涵何其相似，何其异曲同工。因此，陈家花园又具有反映川人诙谐性格的侧面。若有心人辗转巴蜀农舍青山绿水之间，洞悉其荷塘、竹林、杂树、篱笆之侧，种花爱草，修路搭桥，其面貌不独陈家才有，张家李家皆然。唯是地盘宽，有雅号之亭阁、佛台和网球场之类，若除去这般，岂不彻底农舍而已。实在是和官贾私家园林之奢华不可同日而语，真正大手笔也。弥足珍贵者尤优於此。

园林起源于"囿"、"苑"。古时亦称菜园或动物饲养场。《大戴礼记·夏小正》："囿有见韭"，"有墙曰囿"。囿、园、圃、苑多有相通之处，常在见解中互补而用。所以说园子里栽了花草之类，民间称花园。自有闲趣逸情之谓深究者劈园作建筑、作山水，把花园概念扩而大之。说花园太遥远而小气，园林之称油然而生，不过是囿、园的深化。陈家花园里种了大片的蔬菜果林，刘致平教授说"生产相当可观"。足见古风弥漫，有文化的农人家园是也。囿，四周还有垣篱，陈家花园仅是房余边有象征性篱笆，通体与山野连成一遍，更和现代园林大佐其趣。这里遍是人间烟火，鸡犬之声相闻。而商贾富豪、政客骚人私园，清闲静止，四周高墙，神秘莫测，首先防的是人民。若用中国画的手法比较，一个是大写意，一个是工笔画，工笔虽精微极致也不乏妙趣横生之处，但少淋漓痛快，一吐心中块垒的气势。娓娓之声，慢慢叙来。太精雕细刻之笔，多有使人受不了的弯酸，里面隐藏着显富，炫耀权势的浊笔。若在园里种些蔬菜之类，岂不有布衣之嫌，那该是多丢人现眼的事。所以，陈先生治园，纳此时此地心境与背景于一境，包括了阅历经历，秉性素养在内。这和二、三十年代，留洋回来的知识份子中，有的在修房建屋的装饰上，搬弄西方建筑几何形泥塑，雕刻于建筑细部有异曲同工之妙。有人称之为"殖民"味道，谓之"殖民建筑"。虽不可把网球场体育设施和上述同理而论，但在文化气息上，仅如中国画中加入了西洋画的点染，总体感受上仍是传统的，中国情调的。

儒学是一种研究人的学问，这对我们当前时代仍是有意义和价值的。它"天人合一"的思想是顺应与谐和人与自然关系的沟通，也是它的人文主义哲学与天道哲学的沟通。其精神实质是认可人的天性中，有诸多善良而美好观念。诸如前述，礼、智、勇、恭、宽……等，这些老古董中的文化精华正是商业社会所必须的，在物欲横流的世界中，通过陈家花园物与人的观照，其反映的以仁学思想为核心的内涵，儒家的精神，尤其是自然生态严重破坏的景况下，显得特别具有积极意义。儒家的这种积极因素，不独是中国的，更是全世界的共同财富，对于人类如何对付后现代社会的挑战，弥补西方思想的局限，具有超越民族界线的作用和意义。

（七）溪河作坊——忠县油房（图139、140）

仅从地图上遍览巴蜀各地地名，凡以作坊冠名者，何止千千。如成都龙泉驿叶家烧房，金堂土桥张家酒糖房，新都禾登场高家碾房，重庆沙坪坝红糟房，武隆双河铁炉坝，巫溪宁厂、盐井坝，奉节窑湾，巫山大溪碗厂、水磨，云阳塘坊，万县长滩新油房等等。这种以作坊相关联的地名，或以作坊建筑胜，或以遗址胜，或以作坊所出产品胜，均构成以建筑为基础广泛形成地名特征的地名学区域文化色彩。它和巴蜀各地诸如某家屋基，某家祠堂，某家老屋，某家花朝门等建筑形象谐成地名量的很大比重，适成巴蜀文化一种颇具幽默情调的民间文化。通过它，一定程度反映出此时此地文化渊源，亦可窥探本地乡土建筑的发展，这些地名可谓乡土建筑实例总索引，甚至还可找到尚还存在的建筑。当然，乡土作坊选址受到很多局限，如碾房、碗厂必受有落差的水流和泥土的限制，盐井受盐源的限制等等，所以有的作坊选址往往依赖自然条件而定，不可随意。而诸如烧房、糟房（川西叫酿酒作坊为烧房、川东叫糟房）以及石、木、竹、金属、粮食等加工业的手工作坊则选址的自由度就大得多。忠县洋渡镇酒厂就设在街道中段，闹市之区，直接成为组成场镇空间的显要建筑，其作坊内高大木柱烘托起来的构架犹如一部乡土史书，不仅可洞察当时本地森林资源的丰厚，生态的原始，亦可揣度洋渡场的兴起亦与酿酒业有一定关系，因为它的位置在场镇的中心。在建筑空间功能分配上也不是常见的前店后宅式，而临街进门直接就是酿酒全过程的作坊设置。酒糟味夹杂着历史的沧桑感扑面而来，一反场镇街房前店后宅、后作坊的寻常布局，使得场镇以买卖为主的商业气氛和充满乡土味的作坊气氛揉和在一起，把场镇功能的多样性突兀地呈现在面前，又使人产生一种农副产品深度加工的手工业建镇的纵深感。

当然，像洋渡镇这样的情况因有酒糟味和烟火常污染环境和市街而在场镇建设中渐自消失移至镇外，但由于历史等原因，仍有不少作坊，像铁匠铺、木竹篾货铺、纸扎铺等还相间于街坊者。于此亦成为三峡地区古老场镇的一种特色。也就形成作坊在场镇内和在场镇外两大空间区别。

(图139)忠县黄金油坊与环境

各类作坊在场镇的两头两尾,以及距场镇有一定距离而落定,并非选址不计、见缝插针,实则有相当考究,皆以生计源出,一切适应乡人方便与市场方便需要。大致有如下原因:

(1)赶场人进场出镇必经之地,作坊与场镇不仅在空间上有所顾盼,在心理上亦有一定联系。所谓顾盼,即相互间视觉可达,看得见,作坊选址在同一视野范围之内,这就有场镇与作坊间的距离要求,离场镇不能太远。自然也就给作坊产品买主以心理上的安全感。

(2)选择一风景佳美之地,或有一棵大树、一块大石、一座小桥、一泓小流旁,或山垭、塘堰、垭口、岩畔处。于此建作坊,让买主取物、休息,买卖皆可值得逗留片刻不生厌倦，可观山望水，纳风乘凉。这里和幺店子无异，和场镇距离一华里左右，同是进场出场最后和最初的恰到好处歇气之地。

(3) 中国传统城镇素讲究整体空间层次，在城镇外围形成卫星小镇，进而聚落、桥头、牌坊、小店、长亭，以适应人进出城镇心境情绪的浓淡变化，渐自在建筑上以多少、大小、不同类型来调剂、对应这种心情。作坊虽不可如城镇外围建筑来一番精作妙造，乡间之作适应场镇之需，亦有类似道理。同时，也构成场镇外围空间层次。

(4) 必须利用水力作为动力的作坊，像碾米房、榨油房等，在场镇的空间联系上受到一定限制，因此和场镇的距离有远有近。我们是研究二者之间关系，则自然是取能和场镇空间构成关系者而言。但有一点，作坊必须设立在赶场的大路旁以利于相互间交易。像距场镇较近的作坊，往往有落差的溪流造成天然可利用的条件，擅于捕捉商机的人于此凿渠筑堰，构建加工农副产品的机械和建筑。而有落差的水流岸畔自然地形陡峭，作坊为适应环境在建筑上随意性就很大，恰此顺乎地形变化而变化的营造，正对应了"天人合一"的传统哲学观念。因此，作坊建筑就变得毫无可依据的程式可言，随遇而安，自成一格，也就容易在建筑外观上产生出奇险、生动多变的审美效果。它又以单体取胜，下有流水、水车，上有石碾，周围坡陡岩悬，绿树簇拥。像这样与场镇不远的乡土人文景观，在较短时空于场镇相对呆板的比较中，则往往能打动乡人朴素的审美心理。所以，赶场人常情不自禁地于此稍憩片刻。里面深层次地潜隐着场镇群体建筑长时间浸泡的闷倦与单体作坊随意大方气氛之间的宽松的对比。常听从喧嚣拥挤的赶场日出来的人说，"哎呀，真是松了一口大气"，个中就有对街道狭窄而产生的挣扎感的呻吟。恰此时正有一上述作坊建筑于场镇不远处，其亲切之情油然而生则可想而知。所以，不难看出作坊与场镇之间的关系。

由于群体建筑与单体建筑在距离上能产生这样的奇妙心理效应，因此，三峡地区场镇外围不唯作坊一类，诸如幺店子、土地庙、山王庙、草药铺，甚至有的绅粮大户等也于此建房造屋，并构成聚落与场镇"抗衡"，有的最后又形成街市者也不乏其例。这正是我们要进一步逐渐讨论的。

·㽄井河黄金油房情结

1992年5、6月，为调研四川名人故居，从川北、川东北来到下川东的万县凉风镇，并对何其芳故居考察一番后转而到忠县赶场镇东子大队。那是我1964年搞"四清"时梦回情绕的山乡，待会见房东似乎仅片刻的龙门阵后，殊不知已是半下午，幸好搭上最后一班万县到忠县的班车。黄昏烟霭中过一河边，眼侧忽有一几重檐的灰色瓦屋面倏然掠过，且建筑体量很大，它使我很震惊，不待我再看，汽车已物移景换。在车上问老乡，很快查明这里名黄金镇，隔忠县有20公里。第二天一早返回黄金，溯㽄井河约一华里，那重檐大屋赫然眼前，原来是目前四川极难见到的榨油房，而且还在作土制桐油、菜油加工。三架水车带动不同功能木制齿轮在欢快地转动，造成水力传动机械构造大观，实在叫人叹为观止，激动不已。1994年4月搞三峡库区淹没古桥的普查，又顺便再去看了一次。此座榨油房无论从机械设备、室内空间、外部造型、建筑选址等方面都令我久久不能忘怀。于是1995年2月,我又叫女婿和女儿去跑了一遍。后来我把外观造型和环境画了一张建筑钢笔画拿给故宫博物院古建组长傅连兴教授看,居然老先生也激动了,忙问是否在174米以下,如是可申报保护之列。1998年5月西南交通大学建筑学专业参加全国评估,专家组长同济大学城建学院院长卢济威教授在系会议室偶然也发现了挂在墙上的这幅画。问一青年教师是谁画的,感到建筑很美。后来卢先生问我测绘没有,可惜房子太大,个人势单力薄几次去都匆匆忙忙。1999年我申报《三峡古典场镇》国家自然科学基金,下决心再去三峡补充一些资料,3月又一次来到了黄金油房,此次才算较完整地进行了测绘和了解。为一个作坊,四次千里之途不厌其烦地奔波,若不是建筑和作坊机械巨大吸引力显然是不可能的。这种经7年慢慢缠绕起来的乡土建筑情结,实在也成为心中一团解不开的情感疙瘩,也算苦恋乡间一些优美建筑积久而成的一种心理病态。

(图140) 忠县黄金油房透视

䗪井河油房始建年代,据现在仍在榨油房主管技术的工人王万成讲是民国年间。王58岁,25岁于此学榨油技术。他讲油房从建筑到机械都是一名吴子连的木匠设计并施工的。吴子连家住黄金六队,前不久才去逝,若活着也才80多岁,有一儿子在北京当军官。

老人聪明透顶，相中此地建作坊道理有六，一是河流水量丰沛；二是于此有落差；三是引水渠段距离不长，仅几十米，工程不大；四是基础为巨大石质，谓大块整石头并在选址处形成断层似高差，高差约4米，足以造成水渠水流落差，而4至5米落差水流产生的动力全可冲动多个系列水车；五可在建筑基础部份节约土石方量，柱础和墙体可就地取材，直接取之毛条石砌筑；最后，也是重要的一点，此处距黄金场不远，仅半华里，正是赶场大路之旁，利于粮食和油料加工并方便于乡民。

作坊在解放前一直作面房，1952年改成榨油房。共有三架水车，三台榨油机，冬春榨桐籽，热天榨菜籽。全盛时日榨桐籽两千多斤，菜籽近千斤，出油各近千斤。通常共9个工人操作，一个烘工，负责将农户交来的湿度很大的桐籽、菜籽烘干。烘房在作坊坡地最高处，即大门外，于此交货可缩短搬运距离以省劳力。一个粉碎工，把烘干的桐籽用机械使壳与核（即"肉"，川东叫桐米）脱离并加粉碎。一个碾工，先在灶上将粉碎后的桐米或菜籽炒热等其冷干后，再在水车传动于地面的圆形碾槽内将其碾成粉末状态。一个蒸饼工，把粉末于甑子中高温蒸熟。一个坯工，将事先用竹篾条编成统一大小的圆箍放在地上，再放些稻草于箍内，接着把蒸熟的桐籽或菜籽粉末倒入箍中，先用手拍打，再用脚夯实，使其成型成饼状。三个榨油工，轮流将油饼嵌入木榨中，木榨多为上下两块厚重之木，相接处中间掏挖成半圆槽，两者相重叠即为挖空的圆桶形，里面正好能放下若干蒸熟的油饼，此时趁热于两木间缝隙处加塞小方木条，又在木条缝隙间加塞楔子，然后榨油工挥动铁锤猛烈击打楔子，又不断地再加进楔子，这样油液便源源不断地流下并盛在榨下的接油槽里。因此成为榨油过程中体力强度最大的工种，而击打锤子各地又有不同，有的地方用可伸缩索绳悬于梁上，下吊一铁锤进行击打，有的下吊一粗圆木进行击打。目的是减省劳力又增大击打强度。据说黄金油房木榨也是用机械传动齿轮带动铁锤进行击打。1992年第一次考察时已不见木榨踪影，于此亦无法复原图纸了（所画之油榨图取自工人回忆和金堂县土桥油房榨的结合）。但从一水车下有巨大的两个铸铁齿轮传动关系看，正是带动铁锤的所在。因为是三台榨油机，仅木质齿轮是无法负荷如此巨大负担的。这里要补述的是，作坊全盛时是三台榨油机，必然是三人各负责一台，而一台机器又必须由相配属的水车、石碾、炒锅、蒸灶及甑子各自承担，而这些遗弃物或遗址尚在，说明当时作坊盛况鼎沸之状是何等的浩然，乡土作坊于农业经济手工业的作用又何等重要。最后还有一个搬动榨干油后油饼及收集各榨机下油的工人及一个厨工。

以上9人加上油房承包人王洪军共10人，把作坊运转得如鱼得水，其土制机械规模和运用被当地称之"一条龙"方法，一时名声显赫，传说制成的模型于1958年在成都进行了展览。本文之所以不厌其烦地描述榨油过程，是直接与作坊内机械设计布置相关，它体现出的程序亦正是与机构传动程序相吻合的。而程序带来的机械布置又直接影响到作坊建筑布局，从空间组合、景观气氛、时代特点审视，如果缺少了作坊机械的存在，孤立地谈论作坊建筑就毫无意义了。因此，我们判断，黄金场簪井河榨油房的存在是依附于榨油机械而存在的，所以作坊建筑构思明显地围绕机械布置的位置而展开，而不是建好了房子后再安装机械，至少二者构思先后的次序如此。若是，就注定了建筑大俗大雅的适应机械位置的不经意性和自由性、随意性，并和自然岩体、基础、河面形态的高度协调性和亲和性。恰此一来，不经意之作反得高妙空间效果，雅俗一致共识"极美"。内中道理何在，自然值得深思。

有一种观点认为，中国建筑之美是周围自然环境衬托产生的，而不是建筑理论指导下的理性设计。它是一种不存在的虚幻之美，本身并不美。这种观点也许只对一半，的确，中国儒、道、释三家文化历来共重与自然环境关系而不唯道家独尊。天人合一之理渗透进百姓血液，依附自然生存通过儒文化集中表现出来，其广泛性便是农业文化，其中一支的乡土建筑文化则最为顽冥、淋漓、畅达、明朗。无论何类乡土建筑，或民居，或宗祠，或桥梁，或作坊，皆顺天理不作独立。百姓把自己建造的建筑看成是自然的一部分，不作强求，不事征讨，讲究与其和谐、亲善，以此加强建筑的自然属性，并以彻底融入自然而自喜。故有室内有树有石有水而忘乎所以者有之，有大树枝探入卧室、书房者亦有之。像这样的建筑就是很不起眼，但有自然的亲昵，那又何故非要一番高深的建筑理论去论证建筑的长短呢？何况此时平淡的建筑由于自然烘托已产生了"屋我两忘"境界，达到了儒、道、释文化最终的人的极端关怀目的。中国人在这样的建筑里居住或工作，情感与生理均感适逢天意，游刃有余，此难道不也是现代人追求的生存质量吗？纵观几千年来中国就已经是这样了。所以后来有人判中国建筑依附自然方才显建筑本色论是拿西方建筑作的一种对比，仅注意到了中国建筑的一个方面，亦最多才一半之理，究其理亦自有中国人的建筑哲学观。

另一方面，顺乎自然表现在建筑朝向、选址、地形地势的利用，内部空间组合，高差秩序的跌宕起伏，从而造成外部立面的奇特，加之就地取材，石、泥、木材料的组织呼应，把乡土建筑类型特征充分表达出来，个中之理和前述比较，如果说前者是利用自然环境来修饰建筑的被动现象，那么，后者则是充分利用自然环境来构思建筑的一种主动设计。于是，这就体现出了乡土建筑和自然环境相辅相成的两个侧面。就黄金镇瓮井河油房而论，则正是这种设计的典型实例。

瓮井河为长江小支流，油房位置距河流下游方黄金镇约一华里，距同为下游方的瓮井镇约10公里，瓮井河因而得名。1999年元月四川文物考古所在瓮井镇中坝考古发掘中，"发现三峡地区目前文化堆积最厚，地层纵深分布最完整的一处遗址群，它沿注入长江的瓮井河分布，长6公里，宽4公里，反映的年代含括新石器时期直至明清，时间跨度近5000年，遗址文化层厚达9至10米，仿佛一部由房屋、窑址、墓葬和生活用品堆积而成的'无字天书'。"还"发掘出东周时期的房址45座，这是三峡库区首次发现东周时期的房屋遗迹，它对于了解峡江地区东周时期的聚落形态、房址结构、生活方式等有十分重要的研究价值"。① 就在这篇报道一月之后,我就去了距此仅几公里,全可言同属一文化带的油房。更为奇巧的是,"房屋、窑址"这些词眼均与作坊、建筑这些词眼那样巧合,相距又那样邻近。

建筑作为文化,它的完美性必然经过历史的积累和沉淀,绝无无缘无故的现象。仅忠县出土与建筑有关的明器之地,还有涂井,亦是三国蜀汉时期仅见的达官贵人的民居模型,更有遗存至今的无铭阙、丁房阙,它和其他汉代阙的建筑造型一反常态,还有石宝寨爬山寨楼的独特,皆表现出忠县百姓文化素质极高的核心部分,即富于创造的文化个性。若反映在建筑上则自然产生出强烈的建筑个性。所以,从古至今看忠县地区好建房屋,好建好建筑这一高品位的物质创造区域文化特征来深究,瀼井河作坊出现上自建筑大师,古建权威,下至一般百姓都同声叫绝的空间形象,也就顺理成章了。而在建筑上表现得如此集中、优美,在三峡地区各县,应是突出的。哪怕仅仅是不"入流"的乡土作坊建筑。

· 瀼井河作坊建筑之赏析

作坊亦即手工业工场。严格说来其建筑历来无官方色彩,是纯粹的乡土建筑,全由老百姓随心所欲而作。但是,是什么样的作坊,加工或制作什么样的产品,在建筑上则关系就大了。笔者 60 年代在宜宾市工作,曾考察过五粮液、泸州老窖、茅台、郎酒酒厂。那时还是原始作坊式生产,发现厂房建筑都是木构体系加小青瓦或茅草房(如二郎滩郎酒厂)。其车间内明显感觉充斥着润人肌肤的湿度,这显然与建筑材料、空间有极大关系。还有川中各地砖瓦厂,它亦有坯房、窑房,但又和烧制碗、罐的厂房建筑有很大区别,表现出专业性的建筑内外空间特征。作为利用水力推动石碾加工农副产品的作坊,在川西平原水丰力大落差小的情况下,不足 1 米的落差即可建立作坊。而山区河流量季节性强的条件下,则充分利用地形高差较大的特点,筑堰砌坝引渠,做到细水长流能冲动水车即可。这就造成了视流水大小,季节变化,上下游诸多条件而产生的作坊建筑规模变化。瀼井河为忠县境内最大长江支流,全长 119 公里,分别由黄金河、水磨河等支流汇聚而成。过去这些河流溪水之上作坊密布,而黄金镇旁的瀼井河榨油房只为诸多作坊佼佼者而已。

瀼井河作坊得地形之利,作坊水力机械布置庞大、复杂之状。建筑面积约 500 平米,除荫庇机械外,更留有偌大室内空间以全其生产生活活动,可谓农业社会手工业工场集中缩影。由于作坊是利用垂直高差与斜坡相结合的平面构思,使得室内一、二层分成大小不同几块台地,其起伏错落之间以梯道相联,又无过多隔断造成琐碎小气的分割,因此,在二层空间造成大气磅礴的浓郁的手工业加工场气氛。一层临河岩下机械工场,更是以机械喧宾夺主之势,建筑气氛已被木制机械彻底取代。这样大大小小,高高低低略加改造的原生岩石地面,首先制约着屋面的大气和多变。于是屋面出现有一扭曲的屋脊大屋外,又旁逸斜出几间小屋面,加之一层披檐式的弧状屋面重叠,屋面多变组合成为作坊夺人眼目最

---

① 1999.1.29《华西都市报》:9版《三峡考古再获重大发现》。

为灿烂之处。又因为屋面巨大，估计整体超出600平方米。这是在其他地方很难见到的特大屋面。

林徽音先生在梁思成《清式营造则例》的绪论中言："我国所有建筑……均始终保留着三个基本要素：台基部分，柱梁或木造部分，及屋顶部分。在外形上，三者之中，最庄严美丽，迥然殊异于他系建筑，为中国建筑博得最大荣誉的，自是屋顶部分。"林先生言"庄严"者，指规范的民居与宫殿屋面，自是崇高，庄严美学范畴。而自由发挥"不成规矩"的乡土作坊屋面，则本质上是相通的，只不过表现形式为"粗野"大俗，理应是屋顶形式的另一极端，亦如国画之大写意，是一种淋漓畅快无拘无束的顺其自然之美。亦应说这是更符合人性自然属性的审美特点的。所以它迷人亦有从心灵深处拨动你的情感之弦，显得更具震撼力。

屋面自然是由木构架所支撑，在特定的起伏不平平面上产生的结构法，除原则上遵循传统的穿逗式，有基本等距离砖、木柱之外，其梁、枋之牵掣，亦显简洁、实用、粗放。这和屋面是内外互为照应的。唯四周什么地方多一根柱，少一根柱，构架上哪里多一条枋，少一条枋，在整体构架上造成一时迷乱的印象。如果我们不沉静下来去着意追求它的结构程序，而只追求一种结构产生的空间意趣和心理感受，甚至于美学情调，那么，柱、梁、枋、挑等一切木构物似乎迷乱的布阵，则使人犹如进入一座民间作坊迷宫。这是一种什么样的结构程序与空间序列呢？什么地方都没有，惟此独创。它是作坊功能需要，是特定环境下特定作法的自由自在的情感流淌，找不出一点任何"法式"的痕迹，更与雕凿之气绝缘，如流水欢快在乱石滩上漫流，亦如壮汉毫无制约的举止。如果说原始美，它又有一定规范构架的韵味，说规范严谨庄重之美则更不沾边。想来在乡土建筑中的山野作坊之类的结构韵律里，山歌的节奏与旋律与其最为合拍。如果情感从内心深处发端得恰到好处，那就会产生永恒魅力。我想任何国度的人都钟情"康定情歌"、"太阳出来喜洋洋"这样的四川民歌亦有此理。

外观除屋面之外，从面积上言还有立面。油房精采立面全集中在临河一面。造成如此动人心扉的视觉审美力量，其感召力来自立面堡坎，墙体，室内空透面的面积对比，以及材料在各自面积内显示的造型要素，即黑、白、灰色彩的谐调搭配组合。乡土建筑不会有事先立面包括色彩的设计，如果说这是偶然，正是乡土建筑因地制宜，就地取材这一必然现象中的偶然。因此，那空透室内暗部和木板壁呈现的深色，土夯墙及夹泥墙呈现的白浅灰色，石质堡坎和墙体呈现的中间灰色，三色正好构成黑、白、灰立面韵律。加之三色关系面积几何状态的大与小，直与曲线，转折与倾斜，长柱与短枋等多种构成因素的干扰，这就造成了立面非常难见，非常生动，非常活泼的视觉效果。更有作坊下深潭与流水，断岩与乱石环境衬托，以及从水面到屋顶的不寻常高度，这就激活了人类追求多样、丰富、统一、奇异、诡谲的审美天性。

以上由选址、平面布局、内部空间、屋面、外立面、结构关系、环境烘托共同谐构的油房形态，以及内部水力冲动的加工机械，其典型性与独特性均代表了三峡地区漫长的农业社会中手工业发展发达程度。是笔者经若干年调研发现唯一的，保存最完善的作坊建筑和水力机械。因此，它在科学、历史、艺术、民俗等方面的综合价值是非同寻常的。这是一种"极特殊，极长寿，极体面的建筑系统"（林徽音语），是"最古代简陋的胎形"。虽然本题研究核心着眼于场镇与作坊的关系，但深入地剖析某一作坊的从里到外的整体关系，仍是加深了解两者关系之必须。虽然它不存在影响场镇空间及形态的直接关系，某种程度而言，它却依附场镇而生存，有共存共荣的深层联系。可以预测的是，在当代若场镇消失，显然这样的作坊存在的可能性极小。

最后，笔者愿与童年生活在小城小镇的人士们共同回忆，那城镇之郊的小桥、幺店、茅屋、小庙，以及各类作坊，都是童年梦中美妙回忆的驿站，它也许留给你们太多的迷人遐想。恰如此，把恋乡情结换得更结实，直到永远也解不开这段情缘。

（八）刘致平川中民居调查概况

刘致平教授1909年生于辽宁铁岭，就读东北大学建筑系，为梁思成、童寯诸师门下。是《中国营造学社》早期会员和研究工作梁栋。1941年学社由昆明迁至南溪县李庄，即开始对四川民居进行艰苦卓绝的调查研究。涉及川中数十县、市200余所住宅，测绘60余所，其量之巨大，于当时抗战环境该是何等的辛勤，何等的顽强。这正是半个多世纪以来，一批爱国志士、学界先驱们为着祖国灿烂的文明，优秀的文化而勇于献身的苦行僧般的崇高人格所在。刘先生对古建、园林、设计均精通，其学养是多方面的，仅四川民居研究从以下县、市部分实例可见一斑。

成都：双栅子朱宅，南府街周道台府，棉花街卓宰相府，文庙后街杨候爷府，犀浦陈举人府，茶店子叶家院子，东城根街刘宅，文庙后街颜宅，肖家河某宅等。

广汉：营口路张宅，南昌路陈宅，西北乡宅甲，永丰乡某宅，西北乡宅乙，李家寨子等。

灌县：城内某宅。

彭山：陈家花园。

夹江：雷宅。

乐山：月呷塘宅甲，月呷塘宅乙，安谷乡李宅，安谷乡袁宅，安谷乡刘宅等。

荣县：刘宅，王家老宅，王家坝王宅，西门外谢宅等。

威远：严家坝郭宅，两河口"夏天官府"等。

自贡：双牌坊李宅，板仓坝王宅等。

宜宾：李方伯宅，樊太史第，刘宅，任宅，蔡宅等。

南溪：板栗坳张宅，月亮田刘宅，羊街刘宅，坪上张宅，月亮田张宅，上坝王宅、李宅，某宅，江宅，杉木构侯宅，刘宅等。

上列各地民居仅是极少部分，与此同时，先生还对寺庙宫观、宗祠会馆，比如成都清真寺、广汉张溪南祠、南溪李庄张氏宗祠等各类建筑均有极深的研究。

在如此广博第一手资料基础上，先生从四川自然及社会概况中，追溯历代宅制，把民居文化揉进研究之中。更浩繁者在住宅各种做法，包括川中建筑名词的方言称谓，民间谐呼和科学名词作了对照，并列详表一一编排，凡例千百条。又以清代、宋代营造法式和川中民间匠作反复对照。可谓微及一石一砖一木，一寸一分。从而在川中民居中使人从大木作到小木作，从房屋的间架到单析，从石作、泥瓦作、草作到油漆彩画等等方面有了更加全面的了解。

据此广泛深入的调研，写出了《四川住宅建筑》一文。并列入《中国居住建筑简史》巨著内独立附属之篇，约十多万字，若干幅图。因此，川中民居通过先生的艰辛经营，在海内外产生很大影响，对于弘扬巴蜀建筑文化，尤民居文化，先生是历史上第一人。英国教授李约瑟在《中国科学技术史》上赞扬了刘先生的成就。中国工程院院士吴良镛教授从独自的开创性及前人未及的成就上列三点言先生学术业绩：（1）从建筑创作角度认识中国建筑；（2）重视建筑类型的研究；（3）新《广汉县志》建筑卷的测绘。尤第三点，吴院士在《中国居住建筑简史》序言中说："抗日战争中当时国民党政府要员戴季陶建议在其家乡四川广汉县重修县志，辗转由营造学社委刘致平先生担任建筑部分。他的这项工作是具有开创性的，对城市规划、布局、城垣、重要公共建筑、民居等，均作了系统调查，并绘制成套图卷，这实是现代建筑图技法用于我国县志编写之创举……有很大的史料价值。"

本册子反复恭颂，引用刘先生学术品格及学术成就，目的是调研四川民居的数年时间中，始终以先生为楷模，才得以把研究工作进行下去。无论学术与品格，先生都成了我膜拜支柱。学习他对四川民居研究的思想方法、操作手段，把巴蜀文化向建筑层面拓进，方是巴蜀民居研究之根本。所以刘先生又是对巴蜀文化研究卓有贡献的大学者，是值得巴蜀子弟尊敬和爱戴的。

一个伟大爱国者的情怀

——四川民居研究的开拓与奠基者刘致平

摘　要　本文以详实的资料阐述了刘致平先生对四川民居研究的思想成就及其深远的影响，从中深刻地展示了刘致平先生的伟大爱国情怀。

关键词　刘致平　四川民居　中爱国情怀

Abstract　The article expound Mr. Liu Zhipin's thought achievement and its far-reaching effect to research Sichuan dwelling with detailed and practical datum. There from, Mr. Liu Zhipins' great sensibility of loving state has been showen poignantly.

Key Words　Liu Zhiping　Sichuan dwelling　Sensibility of loving state

一个东北人，怀着对日本侵略者的仇恨，在另一个战场展开民族精神与文化博大精深的砥砺，如战士博杀，日夜兼程，废寝忘餐，拼命磨利民族精神之剑。其闪闪寒光令侵略者胆颤心惊者，便是这批中华民族脊梁正在以炎黄子孙的孝道，民族的责任和道义，用自己的专业开掘与发现，去向侵略者宣战，去昭示中华民族5000年来的辉煌历程，以及她的不可亵渎，不可征服性，这是刺向侵略者灵魂深处最犀利的锋芒，是最动摇侵略者精神堡垒的重锤。当抗日战争艰苦岁月一大批学人来到四川时，有一个令川人不能忘怀的学术群体，那就是《中国营造学社》，其中骁将刘致平，于川中寓居多年时间，几乎尽在民居及古建广泛的调查研究之中。漫漫长夜，孤人单影，寝食草草，路途艰险，如果没有对祖国拳拳赤子之心，眷恋民族文化海一般深邃之情，是不可能产生钢铁意志研究行为的。虽远离故土，却视川中为至亲，爱国主义者无论足迹何处，皆是唯中华是尊。学问学术无非是爱的一种形式而已。然又恰是此形式，历史上亦演绎出多少故事，或惊天地泣鬼神，或长相厮、淡如水。刘先生如后者，回首看又如前者。于是此时此刻又忆起莫洛托夫在对德宣战上的壮言：俄罗斯民族不可战胜，因为她们有苏里科夫、列宾、罗蒙诺索夫……。中国知识分子近现代群体中产生了一批自由独立学术大家，不少盛年正遇上民族危难之时，正是这批中华民族优秀子孙树立起了中国知识分子的榜样，在学术上，人格上为后世留下丰厚的财富。所以，研究刘致平教授一生，最本质的问题是他对民族、祖国及其他的人们无限的忠诚和热爱。于外此精神最令敌人胆颤，于内可凝聚人心，于己是一切工作的动力。

1 四川民居研究第一人

说先生是四川民居研究第一人,似囿局限。吴良镛教授在刘先生的《中国居住建筑简史》序言上说道:"刘致平先生是对中国建筑类型作系统研究之拓荒者,此项工作在抗日战争后即已开始,如对四川民居,成都伊斯兰清真寺等研究。"所以,刘先生实为中国民居系统研究第一人,亦谓之中国建筑类型系统研究之拓荒者。自然四川民居研究之拓荒,亦是先生。同时先生研究之方法亦基本构成了后人进入四川民居研究的框架,奠定了研究的基本思路。故后学不读先生书,亦谈四川民居者,常常浮光掠影,飘飘然,昏昏然。之所以先生治学孤标高格,开始民居研究,正如吴良镛院士所言:"此项工作在抗日战争后即开始",故核心问题是此项研究的时代背景。亦即为什么先生要在抗战开始后进行这项以民间建筑为主,以中国老百姓自己设计,自己营造的居住建筑为主要研究对象的工作。须知者,住宅之事自来罕见典籍,若作研究,必然庞杂浩繁,四川之大亦如法国面积,时少公路,全凭双脚,加之匪盗频仍,经费拮据,寒暑交织,如何来开展此工作,如何去发现民居可资一阅、可以一测,"不过如此",小有媚处等等的区别。至少要进行以下几方面的工作:第一,如何探知何处有特点的民居;第二,特点是在普通基础上产生的。即质是量的淘汰下完成的,亦即必须走许多冤枉路,先生是靠的什么力量支持如此巨大精神与物质压力的。很显然,是对日寇铁蹄下的故园情、对中华传统建筑文化的笃爱、对老百姓及其创造力的坚信等等因素,构成支撑先生研究工作的强大精神后盾,从而产生永不衰竭的意志力和永不满足的探索力。先生在特定年代所展开的民居研究,个中无不深含着对侵略者的藐视。并以此研究,以示中华民族的创造和智慧,向世界宣言她的不可辱、不可灭的神圣。所以研究仅是现象,实质是先生对祖国和她的文化深深的眷恋及热爱,这是一切真正的大师,巨匠之所以能承受任何高压,终是锲而不舍忠贞于专业的根源,其最高境界是物我两忘,作品炉火纯青。因此,半个多世纪以来再回首四川民居的研究,至今,尚没有发现一个"参观了二百余所官僚、地主、富商、中农、贫农等的住宅,并择优测绘了六十多所且在几年之内调查了南溪李庄、宜宾、乐山、荣县、自流井、夹江、彭山、灌县、广汉、成都等县市建筑"[1]的个体研究者,甚至团体研究者。这是一个苦行僧宗教般苦恋祖国文化高尚人格的业绩,一个伟大爱国者给人类、给祖国、给四川留下的十分宝贵的财富。

2 以人说建筑豁然开朗

中国是一个没有严格宗教意义的国度,之所以中华民族 5000 年不垮,靠的是文化凝聚力。建筑从文化、文化从人。故先生拿四川民居作广泛系统研究,首先以川人何处来为思维轴心,然后展开建筑的发生和发展宏大思维场面。凡涉及历史、礼俗、民族、人的流动迁徙、历代宅制、政权更迭等等,无不动静结合。动则靠双脚遍访民间,静则博览群书、上下求索、融通为一、落脚于人的根本。尤最近（1997年）川中最行销的《清代初期的移民填四川》，《四川方言与巴蜀文化》两书中所谈的当今四川文化现状之成因，核心的明末清初移民四川问题，先生亦在半个世纪前的民居调研中就提纲挈领地进行了阐释。他在《中国居住建筑简史》关于四川住宅历代宅制一章中开头就言："清初各地移民入川，又增加了文化的复杂性，于是四川住宅形制是非常丰富了。"先生特别注意风俗，他引《隋书地理志》说蜀中习俗"小人薄于情理，父子率多异居"又结合调研发现："现在川中别居异财，幼年析居的事仍然很多"[2]这一观点实则把四川建筑分布格局基本廓清。

（1）"别居异财"即分家立户。必然导致农业社会分散的小体量住宅居多，但各地移民原籍不同，又增加了"文化的复杂性"、住宅形制的丰富性。

（2）因此又不会形成像北方一样的广泛聚落，所以，北方人入川皆惊异何以少见聚落，其因于此。

（3）人要交往，交换农副产品，又促使了川中场镇特别发达。清末已达近5000个左右。

（4）各省移民要联乡情，行业要自保又催生了各省各行业会馆、祠庙的林立，其量居全国之首。

（5）场镇文化的复杂性自然衍生空间形态的丰富性。故川中场镇五花八门，然又和谐相处，其根源在历来的"别财异居"上，亦即人对建筑影响的决定意义上。

四川是一个农业发达的社会，农业型场镇占城镇数量的绝大多数，它和整个农村住宅一起几乎复盖了川中大地，刘先生以人和文化理顺了这根粗线条。那么，在具体研究一宅一第时，思维的开展、文化的联想就更加宽阔深远了。也就把四川民居特点从数量调查中提炼出来，囿于明末清初天灾人祸毁尽了川中民居，所以调研之宅全为清制，则进一步地又把移民原籍各省建筑特点充分考虑进去，为后人的研究提供了宽广清晰思路奠定了基础。

"四川盆地住宅建筑在清代初年由于闽、粤、湘、鄂、赣、黔、陕等处移民入川的结果，它的式样和内容更加丰富及多样化了"。"与他省他处住宅相比较则绝然有特殊风貌"。[3]这便是刘先生的结论。今之任何川中民居研究在此围中而不能自拔者，皆同在大学问家早已"谋筹预测"之中，学问之周密缜严还将昭示后人而难以逾越，高屋建瓴之处，便是人及人口构成的研究。

3 以环境说建筑赏心悦目

抗战入川的艺术文学家，甚至中央研究院的学者们，皆有不同方式对川中优美自然环境的赞叹与描述。而营造学社的同仁们，梁思成、刘敦桢等亦多有这方面杰出的见解。刘致平先生对川中环境与建筑关系的叙述别出一格，让人耳目一新。最不能忘怀是这样一句话："西川一带是川中最富庶的地方，在岷江沿岸，山峦起伏，清流萦回，风景很是佳妙。

在这种美丽殷庶的环境里很容易有优美的建筑出现。"[4]未必这样的环境就必然会出现优美的建筑？显然，先生这一充满信心的判断是对中国传统天人哲学的深刻理解。

季羡林认为，中国文化的根本特征是天人合一，是归纳的、综合的、相互维系的整体认识哲学。国人重奇山异水，怪石美树，以寺庙亭阁配置相维护。恰如古代生态保护者找一个说法的绿色行为。这种影响几千年，自濡染民众之心。久之便成民风。川人常戏言：房不怕孬，周围栽点树就好看了。所以，川中农村建新房，凡四周不种竹栽树者，必然为懒汉受到社会鄙夷，并直接影响到社会地位。若本来就是"美丽殷庶的环境"，自然就"很容易有优美的建筑出现"。这是百姓之言和大师之言看问题两极殊途同归之理，前者直白朴素原始，后者典雅归纳哲理。然而，正如叶燮《原诗》里说："可言之理，人人能言之，又安在诗人之言之。可征之事，人人能述之，又安在诗人之述之。必有不可言之理，不可述之事，遇之于默会意象之表，而理与事无不灿然于前者也。"也如罗丹所言，美到处都存在，关键在你的眼睛。笔者亦算川中广为浪迹者，并追寻40年代刘先生所测绘之宅作学习、体验、领会。所到之处，深感先生见解的深邃，所言之理犹如学问水到渠成轻快流淌之蜜。观之令人赏心悦目，又使人感到道理的深入浅出，意会出先生当年定然有一股学者的飘逸之气，能把民间建筑研究和环境揉合在一起观察，并把它提升到充满哲理的美学境界。显然，又是人格真、善、美的愉快流露。

这里摘录几段先生川中景物交融的描写。

宜宾李庄："颇觉乡居景物的优美，山野村居或三五家或十数百家，连聚错落着，它的外围常种竹丛，溪水也很多，所以感觉有点江南风味"。[5]

乐山："农村住宅多三五错落在田野里，草顶木构架很经济，布置多三合头、四合头、猪圈牛栏、碾房草堆等置在房外，很有乡村风味"。[6]

夹江："县正当青衣江出口，山水清幽，风景美好。"[7]

灌县："风景更是优美之至，西北群山高峰终年积雪。岷江萦回荡漾、青城山、索桥、二王庙、都江堰、离堆等处全是很可观"。[8]

建筑的文化认识近些年渐入人心，然它的根本特征，即天人合一观又常被舶来的、先锋的"理论"和词藻搅混，搞得自古以来中国人对大自然与人与建筑的如一泓清水的清澈见底认识也有些迷茫起来。其实简单得很，就是美丽的环境不能乱动，不要一说做清洁就拔草，一说建房子就砍树。这种推倒铲平重来的"改天换地"作法固然原因很多，说起来还可延伸到梁思成北京老城保护论，那是天人合一的最高境界了，若我们统而观之营造学社学人一贯的建筑与环境认识哲学，梁先生的胆略既是对天人合一的升华，又代表了学社同仁共同心声。其核心是保护也是一种发展的深层认识。亦同是强化中国文化根本特征的一种根本呼唤。刘致平先生所言四川自然环境与民居关系的见解，根本同为保护，只不过说的是民间老百姓自古就有此认识的民风。二位先生在北京老城保护和四川自然环境百姓保护见识上是殊途同归的，表现出老一辈建筑学家认识问题的全面性、整体性。而文革期间,刘先生伫立在拆毁西直门楼前的怆然,又完善地诠释了刘先生作为营造学社个体人格、学术的一贯性和整体性,也同样表现出天人合一的崇高境界。

生态是文化、文态是文化,二者有机结合方可显示中国文化独特性。我们住在地球上,抽开它只说建筑,或抽开建筑只是地球,一点人气不沾,似乎都少了点什么。中国老一辈建筑学家是在儒学环境里成长起来的文人,更何况其研究之建筑尤是儒文化载体。因此,他们身上散发出来气息,处处都弥漫着典雅、忍耐、温文、忠贞、缜密、深邃、仁义的温馨。拿此气质观察世界,认识生态与文态的关系,自然是发现而不是挑剔。此和传统艺术家、文学家应同理。不独四川,凡祖国各地美丽殷庶的环境里都很容易有优美的建筑出现。先生之谓,自可由此及彼,让人得到平凡而远大启示,非常淋漓赏心。

4 以地方文化说建筑回肠荡气

吴良镛教授在论及地方文化时有很多精辟见解,他在《开拓面向新世纪的人居环境学》一文中说:"一切真正的建筑,就定义来说是区域的。""四合院建筑表面看是一种建筑形式,它对我们中国居住来说已经不仅是一种样式,而是植根于生活的深层结构,是一种居住文化的体现。"因此"对于建筑艺术创作来说,最重要的一个力量是文化的力量。"[9]

广义而言,中国于世界是区域。狭义而言,四川于全国是区域,再狭义,川东、川西、羌族地区、彝族地区等又是四川境内的区域。故古人有巴蜀之分,汉夷之别。自然各从地理、历史、文化。然自古又同居一盆地及边缘内,影响数千年,皆你中有我,我中有你。所以要说个中一切物质形态之成因,均要探索共同生活于四川这个区域概念中的深层结构,这就是区域文化,或谓地方文化。

刘先生入境乡里,无论云南、四川,皆随乡入俗。虽在四川期间主要从事川西民居研究,"但是最大问题则是我们必须明了它的构成原因","然后才能深入与建筑互相印证而有所发现。"[10]这就是前面所言区域建筑研究必以深层结构的文化入手,如此,方才能发现"真正的建筑"。

"乡"者,即区域,能"入俗"其间,必视其"乡"为祖国之乡,即中华的一部分。故"乡"间百姓皆为父老弟兄。这就在思想感情上"入俗"在先,与其打成一片,才不会与其研究的对象主人形成隔膜,能入俗而融恰者,是历来大师超然于小生产者、市民者的学者风范。亦是历来大学问家平淡如水,简朴如斯崇高人格之所在。这和研究民间建筑更是一拍之音。惟不同者,是他们力求从民间文化中去寻觅、提炼、升华一种境界。若我们把民间建筑比成一潭清水,那么,他们则憧憬于其中升华出虹的光彩。这也是中国文人从不专事"炒作",默默如山民躬耕,能彻底融入百姓情感绝然超脱的思想光环。当然,有如此平凡而伟大的情感,自然就能支撑乡间生活长时间的寂寞与寡淡。就能产生别人以为是超凡的意志力,而他却认为是一种人生大趣的永不疲惫的快乐,所以要把区域性的某一种研究进行得下去，尤其是飘泊者在进行并非家乡的区域性研究，需要克服的困难那实在是太多太多。然而刘先生可以如一介乡民般潜入蜀中茅屋瓦舍间，稀饭咸菜、竹席硬床，这对于从文化角度深层挖掘蜀中建筑构成的细微末节，蛛丝马迹，可谓非先生莫属了。当然也就把历来蜀中民间对上僭纵逾制的"阳奉阴违"住宅形制，到细小构件的作法，方言称谓等等搞得一清二楚，并制出煌煌表格、分项陈列，史无前例了。此实际是川中民居文化最乡土最民间的铺垫。凡关心中国民居者，若拿出《中国民住建筑简史——附四川住宅建筑》一书翻阅，其中《四川住宅》之"各作做法"诸项，偕"建筑名词对照表""各房间架""大小木作"，直到"特料与价值"等，无不尽精微而致广大。仅就学术态度，已够后人汗颜。此乃半世纪民居研究以来绝无仅有的，叹为观止了。由于先生此学术立场的坚稳、严谨，留给后世则不惟民居之学术了。凡涉及这一历史阶段的政治、经济、风俗等皆可从中得到若干史资。犹如一部地方文化史，如今词只是寓民居为载体，读起来甚是回肠荡气。这些成就的得来、这些"根植于生活的深层结构"的挖掘，再赘述上论：一是先生在研究川中民居前，即有积养很深的学术功底和全面的知识准备以及正确的方法论。惟有此深层结构的知识建构，方可进入深层结构的认识与研究。这是不言而喻的。然而还尚嫌不足，在遇到区域性的对象时，还得"深入与建筑互相印证而有所发现"。刘先生几年下来给川中民居有如下经典结论："四川住宅的艺术形象……它的文化有很多与全国其他各地不同的地方，而建筑尤为显著"。照笔者学习体会先生川中建筑研究的肤浅心得，先生有一句话在著作中多次出现，就是"僭纵逾制"。此话基本上概括了川中民居区域文化色彩，言简意赅，一话道破。无长时间、大量的调查实例作为量的基础，是不会产生此一致的结论的，也不可能命中此区域建筑文化环中的。实在是太准确、太精炼。

5 "僭纵逾制"说建筑经典之论

僭者，有三义，一曰：超越本分，下面之人拿上级的名义、器物、礼义充正宗。二曰：差失，用川方言讲，谓走辗（变动）。三曰：假，不是规范之作。纵三义必逾制。"僭"在四川住宅的演绎，对于明清以来住宅制度的变动，变通是相当普通的现象。下举先生测绘之宅妙述："'陈举人府'在成都西郊犀浦……制度雕镂全是僭纵逾制。""陈宅的设置一切全是逾制，正厅不作过道、正房间数太多、前门共作三道出入，雕饰特别繁富……这些布置说明宅主人是个很不守清代法制的人"[11]。（注：笔者近来访现五粮村的陈宅旧址，"据本村几位老人言：陈举人连住宅兴建的银两来源都编了大套故事：言挖野坟获暴财谓天赐。可见刘先生从住宅判断"是一个很不守清代法制的人"的正确，并由此可延伸。）

成都"双栅子朱宅"——砖砌洋式门面，叫人有点疑惑宅内部建筑是否已经洋化。但一进去就感觉到气象不凡，纯是固有建筑艺术的精华"[12]。（注：门面尚在，内部全毁——笔者）

成都"南府街周道台府"——"平时家人出入可由廊金柱间的侧门出入，这种做法有的叫做抱厅，这是成都住宅的特产。"[13]

成都"棉花街卓宰相府"——"这间架确是较比一般的住宅高大而近宗祠制度，很有点廊庙森严的感觉"[14]。

广汉"营口路张宅"——"大门的中线不与正厅的中线相值、祖堂的中线也不与天井中线相值，这些中线较为错落是减少对称和呆板的弊病的好方法"[15]。

……

以上关于川中住宅僭纵逾制者，凡清以来修建者，经刘先生体验观察，测绘者，我们始终都可发现先生对于僭纵逾制秋毫的敏锐洞悉。可言先生研究川中民居，立脚点就在挖掘出与全国各地民居不同而具特色之处。众所周知，不同特色即为创造。故僭纵逾制论则为创造的深层结构。或为四川民居本质之命脉，此论同时又和"四川住宅绝然有其独特之处"互为表里反复出现。极为经典地概括了作为区域文化现象的由来和发展。

然而正是这些现象的背后，在田野广泛考察之前或过程中，先生对于区域历史、社会、自然环境、人口构成等诸多方面都作了详尽探索，上至先秦土著干拦、石砌的发端、秦汉中原文化的侵梁。唐宋"居民工巧逸乐享受多端"、"层楼复阁，瑰琦错落，列肆而班市、万井云错"的城市繁荣。直到"川中清代住宅的制度，受陕西、华南的影响很多"的判断。更涉及天高皇帝远的盆地地理环境、地理封闭但物产富饶等等。所以，僭纵逾制一论的凝炼的透澈，高度集中表达了四川民居及文化由来和发展的本质所在。

如果我们从四川其他形态与建筑形态并行不悖而论，亦可旁证先生此论的正确。自汉代出土说书俑的调侃可知历来川人生活不尚"正经"之性格，而好灰谐幽默，遇事极易"走形"。其川剧更是综合南北诸腔之大成。语言不南不北谓之西南官话，甚至饮食结构等等微小之处，实在的，这些现象的深层结构无不和建筑同构，道理无不一致，问题是刘先生"僭纵逾制"论前，并没有发现有人把建筑作为文化，系统地与其他文化形态相互观照统筹兼述，看成是巴蜀文化予以深层揭示。当然，建筑的某些专业的科学性给常人造成了一些困难，还有作为中国现代建筑学的开始阶段，尚无人有机会像刘先生一样对川中民居倾注了那样多的热情与精力，更有特定年代社会对建筑作为文化滞后的认识，尤其是不登大雅之堂的民间建筑认识。然而，刘先生超前了，且一超便入科学的整体认识方法论，这就必然提炼出极具建筑意味的词汇——僭纵逾制。此一川中建筑形象，生动的经典之论。

结 语

1996年6月，四川省组织《巴蜀文化》系列丛书共20册。其中《巴蜀城镇与民居》一册编委会委托我写。写这样的书，不把刘先生对于巴蜀民居研究的思想方法等况贯穿始末是无法写下去的。在书的最后这样写到："本册子反复恭颂、引用刘先生学术品格及学术成就，目的是调研四川民居十数年时间中，始终以先生为楷模，才得以把研究工作进行下去。无论学术与品格，先生都成了我膜拜支柱。学习他对四川民居研究的思想方法、操作手段，把巴蜀文化向建筑层面拓进，方是巴蜀民居研究之根本。所以刘先生又是对巴蜀文化研究卓有贡献的大学者，是值得巴蜀子弟尊敬和爱戴的"。

历来文化研究，凡涉及有空间形态者，多易于收藏的小物件。建筑本身的研究反而还让位于建筑附属之装饰。原因自然有建筑体大无比不易于陈列比并，还有历史上建筑人工匠属性的流习，被视为下九流而不值一屑。这些弊端加之现代建筑学归类于纯工科教育，似乎不涉及政治、文化、自慰不易犯错误，致使建筑学教育的学术含量显得单薄起来，老一辈建筑学者珍重建筑客观存在的时空环境把建筑摆在一切形态的交融点上审视思考。立感学术周密、旷达、深邃。刘先生做学问，没有留给其他人过多的学术缝隙让其乘虚而入，其中之严密处即在建筑的文化层面上的置阵布势。当然这是很要功底的。此正是现代建筑学常所忽略或者回避的。因为它要花很多功夫去全面建构知识从而产生相当的高瞻性。然而老一辈建筑学家们却给后世树立了榜样。一个民族内部政权更迭是历史必然，但一个民族文化毁灭，尤其是仰仗他人文化而羞愧自己者，多是不够了解自己。殊不知这正是居心叵测者所梦寐以求的。因为它彻底摧毁了你的精神支柱，民族凝聚力的核心。所以刘先生四川民居及文化的研究又恰如一部爱国主义的乡土教材，同时又是民族文化教材最生动的部分，惟此付出了常人难及的心血，历经了千难万苦，堪称伟大者难道有过之。

参 考 文 献

[1]~[8],[10]~[15]刘致平,中国居住建筑简史(附四川住宅建筑),北京:中国建筑工业出版社,1990.10

[9] 华中建筑,1995(2)

本文发表于《华中建筑》1999.4期